Herkenning

Gaby Sadowski

HERKENNING

ZILVERSPOOR

De kaft, de vier foto's in het boek en de foto van de auteur zijn te scannen met de app Smilez.

Via de auteursfoto op de achterzijde is de titelsong te beluisteren.

Omslagontwerp: Studio Zilverspoor
Fotografie: Ralf Czogallik, Eppel Fotografie: www.eppel.nl

Typografie: Studio Zilverspoor
Redactie: Jos Weijmer, Cocky van Dijk

Eerste druk, mei 2014

ISBN 978 94 9076 768 6
NUR 343

Meer over de auteur en deze roman kunt u vinden op:
herkenninghetboek.nl

www.zilverspoor.com
info@zilverspoor.com
Facebook: zilverspoor67
Twitter: @Zilverspoor

'Mama, komen Sabijn, Sybren en ik ook in jouw boek te staan?'

'Ja, Sara, op de allereerste bladzijde. Ik kan alleen geen woorden vinden om te beschrijven hoeveel ik van jullie hou...'

HOOFDSTUK 1

Olijfjes

Mila van den Elzen

2 seconden geleden

'Eenzaamheid heeft een morbide schoonheid, de helse pijn van verlangen een zoete smaak.'

Vind ik leuk · Reageren · Delen

Mila heeft geen idee hoe die zin in haar hoofd terecht is gekomen. Het staat in ieder geval nu op Facebook. Ze grinnikt even. Ze kan zich levendig voorstellen dat haar vriendenclub af en toe gek wordt van al haar updates daar.

Ploing! Daar komt de eerste reactie al binnen. Een hele flauwe: 'Heb je te veel flessen wijn achterover geslagen of zo?'

'Hè hè, typisch een opmerking van een cultuurbarbaar,' typt Mila als antwoord. Ze kan het niet laten om haar buurjongen van vroeger ook nog even te porren op Facebook. Vroeger deelden ze elkaar fysieke plaagstootjes uit. Nu doen ze dat virtueel.

Mila moet lachen als ze ziet dat haar vriendin Alina haar post een like heeft gegeven. Kijk, dat is iemand die het wél snapt, denkt ze.

Dan verschijnt de volgende reactie: 'Ik wil wel eens weten hoe zoet jij smaakt.'

'Dammit,' Mila vloekt zachtjes. *Kan die kerel zich niet gewoon eens met zijn eigen zaken bezighouden?* Ze had zijn vriendschapsverzoek nooit moeten accepteren, collega of geen collega. In het begin waren de commentaren van Arnoud nog wel grappig te noemen. De laatste tijd werden ze steeds opdringeriger. Vooral nu ze in Frankrijk woont, lijkt hij haar enorm te missen.

Mila's mobieltje begint te zoemen. Het is Alina.

'Tjezus, Mila, die Arnoud laat er geen gras over groeien, hè?'

Mila zucht. 'Ik was al bang dat het aan mij lag, maar jij ziet het dus ook?'

Alina begint te lachen. 'Ach Mila, jij bent en blijft de koningin in het aantrekken van mafkezen en kneusjes. En het staat er nogal letterlijk, hè? Hij wil weten hoe je smaakt!' grinnikt ze.

Mila maakt een snuivend geluid door de telefoon. 'Tsss, maar met deze Arnoud maak ik korte metten, hoor. Ik stuur hem met een druk op de knop naar de verleden tijd.'

'Zolang je mij maar niet ontvriendt, vind ik alles best.'

'Even wat anders, nu ik je toch aan de lijn heb, ik heb vannacht weer zo raar gedroomd.'

'Ooh, heerlijk. Wacht, ik ga er even voor zitten.' Mila hoort aan de reactie van Alina dat ze zich verlekkert bij het idee weer een van haar idiote dromen voorgeschoteld te krijgen.

'Stel je voor; ik zat op een groene schommelbank met uitzicht op een enorm veld gevuld met lavendel en olijfbomen. In mijn hand had ik een groot glas rode wijn. Ik proostte met de man die naast me zat en zei tegen hem: "Wat wil een mens nog meer?" Maar Alina, ik heb echt geen idee wie die man was. En toen gebeurde het, hij keek diep in mijn ogen en knikte een keer met zijn hoofd. En door dat ene knikje begon de schommelbank te bewegen. Steeds sneller en hoger en hoger. Ik moest me echt goed vasthouden om er niet vanaf te donderen.'

Alina onderbreekt haar woordenstroom. 'Jeetje, met jouw hoogtevrees moet dat geen pretje zijn geweest.'

'Nou, het gekke is dat ik totaal niet bang was. Hij wees me alle sterren van de hemel aan. Het was prachtig.'

'Wat was prachtig? Die vreemde man of die sterren?'

'Die sterren. Ik heb geen flauw idee hoe die man eruit zag. Ik herinner me alleen dat hij me een fijn gevoel gaf. Meer niet, want na het sterren kijken werd ik wakker omdat ik half uit mijn bed hing.'

'Tsja, die dromen van jou, je zou er echt een boek mee kunnen vullen. Alleen heb ik dit keer geen idee wat deze droom je te zeggen heeft. Behalve dan dat je misschien te hard in die olijfboomgaard van jou aan het scheppen bent!'

Mila begint te schateren. 'Scheppen?' Omploegen zul je bedoelen? Ik heb me daar drastisch op verkeken. Die grond is enorm hard en bovendien stikt het hier van de keien. Het schiet voor geen meter op!'

'Nou, dan snap ik je droom,' roept Alina triomfantelijk uit. 'Tijd om hulptroepen in te schakelen. Hup, meid, gooi je charmes in de strijd en regel eens wat kerels met kruiwagens en weet ik veel wat nog meer voor gereedschap. Wie weet zit die man met wie je naar de sterren hebt gekeken er ook wel tussen.'

Mila grinnikt om de praktische tips van haar vriendin. 'Hé, ik ga je hangen, anders schiet het vandaag helemaal niet meer op met mijn geploeter in de tuin.'

Mila trekt haar paars gebloemde kaplaarzen aan en stapt de achtertuin in. Haar mobieltje stopt ze in haar broekzak, voor als ze tijdens het omspitten nog meer diepzinnige gedachten mocht krijgen. Ze denkt even terug aan de woorden van Alina en een glimlach verschijnt op haar gezicht. "Even wat hulptroepen inschakelen". Tsja, misschien had ze die Arnoud dan niet moeten ontvrienden. Ze is zich bewust van zijn gevoelens voor haar. Hij zou op haar verzoek vast meteen in zijn auto springen om haar te komen helpen. Maar daarna zou ze nooit meer van hem afkomen. Zijn Facebookbericht van daarnet was veel te wanhopig.

Vroeger hoefde ze alleen maar te laten vallen dat de klus waaraan ze was begonnen zwaar was. Er was geen enkele man die destijds haar hulpeloze en verleidelijke blik kon weerstaan. Maar de tijden zijn veranderd.

Lelijk is ze niet, dat weet ze zelf ook wel. Maar toch anders dan vroeger. Rijper en volwassener, voller en minder frivool. Daar passen geen sensuele maniertjes en zeker geen verleidelijke blikken meer bij. *Geeft niet, nu heb ik mijn intellectuele opmerkingen.*

Weer moet ze lachen en mompelt: 'Ben vandaag echt de leukste thuis.' Dat kan ook niet anders, want haar man, Lucien, is vandaag aan het werk en de kinderen zijn op school. Geen concurrentie dus.

Mila van den Elzen

Een paar seconden geleden

Ik ben vandaag echt de leukste thuis:-)
(ben dan ook maar in mijn uppie)

Vind ik leuk · Reageren · Delen

Mila ziet dat haar onzinnige update op Facebook weer wat stof doet opwaaien. Er zijn een paar die denken nóg leuker te zijn. Haar Facebookpost heeft in een mum van tijd negen reacties gekregen. Ze vindt het heerlijk om zich via Facebook weer even in Nederland te wanen. Een jaar geleden woonde ze met haar gezin nog gewoon in Amersfoort, omgeven door familie en vrienden, en liep ze in haar strakke mantelpak door haar eigen advocatenkantoor met een stapel dossiers onder haar arm.

Nu staat ze hier met haar paars gebloemde laarzen een schop in de grond te duwen, omdat ze haar achtertuin wil omtoveren tot een olijfboomgaard.

Ze probeert zo goed en zo kwaad als het gaat haar nieuwe leven in Frankrijk vorm te geven. Ze had zich er alleen iets heel anders bij voorgesteld. Echt heimwee heeft ze niet, maar ze voelt zich af en toe eenzaam. Ze heeft gelukkig een hele doos romannetjes op een rommelmarkt gekocht, om die schrijnende eenzaamheid met lezen te kunnen bestrijden. Altijd beter dan een greep naar chocolade of zakken chips. Ze kan helemaal opgaan in de verzinsels over knappe dokters in witte jassen of verhalen over jonge weduwnaars met een stuk of wat kinderen die een relatie aangaan met die ene beeldschone, intelligente vrouw.

Hoe lang is het geleden dat ze met haar man gekust heeft? Het lijkt wel een eeuwigheid. Ze heeft alvast haar kloosterdiploma op zak vanwege haar celibataire leventje.

Mila van den Elzen

4 minuten geleden

Ik heb bijna mijn Nonnen-diploma in the pocket!

Vind ik leuk · Reageren · Delen

Mila kijkt op haar horloge. Ze heeft Lucien een uur geleden een Whatsapp gestuurd met de vraag, of hij haar vanavond nog wat wil helpen in de tuin. Een beetje hulp kan ze wel gebruiken. Ze is altijd voorzichtig met dit soort vragen, want ze wil als zelfstandige vrouw niet de zeurende huisvrouw uithangen. Ze zucht, hij heeft nog niet gereageerd, maar aan zijn Whatsapp status kan ze zien dat hij haar bericht bekeken heeft. Ze stopt haar mobieltje weg in haar achterzak. Met haar voet duwt ze de schop wat dieper de grond in.

Er trekt een pijnlijke steek door haar borst. Bij thuiskomst heeft Lucien meestal niet zoveel zin meer om bijgepraat te worden over haar bezigheden, laat staan zijn handen uit de mouwen te steken. 'Haar projectjes'. Hij heeft het op zijn eigen werk veel te druk met deadlines. Ze veegt wat natte haren uit haar gezicht die tegen haar bezwete voorhoofd plakken. Het leiden van een dependance in Frankrijk is een forse stap in zijn carrière. 'Een avontuur', zoals hij het omschrijft. Dit is voor hem, Mila en de kinderen een geweldige kans. Weg uit het stadse gewoel en leven als een God in Frankrijk. Onbekommerd en zorgeloos.

Mila heeft dit zo ook wel voor zich gezien. Ze fantaseerde erover om met Lucien op de veranda te zitten, genietend van elkaar, met een lekkere fles wijn en een kaasje om weg te prikken. De werkelijkheid blijkt pijnlijk anders. Het wijntje dat zij drinkt is met haar oude hartsvriendin Alina. Via Skype.

Natuurlijk, hij heeft het druk. Zij wil hem niet met dit gevoel lastig vallen, want Lucien heeft tijd nodig om zijn dependance op poten te zetten. Ze glimlacht ietwat verbitterd. Even leunt ze op de steel van de schop. Lucien had de verhuizing naar Frankrijk nogal doorgedrukt. Het is nu immers zijn beurt om carrière te maken. Zij had in haar eentje haar advocatenkantoor opgezet en daar acht jaar lang de scepter gezwaaid. Nadat zij haar advocatenkantoor had verkocht, konden ze in Frankrijk de volgende stap maken. Een naar gevoel nestelt zich in haar buik. Het is echt niet zo dat zijn leven in Nederland had stilgestaan omdat zij carrière had gemaakt. Naast haar advocatenpraktijk had Mila het hele gezin gerund. Als er rapportbesprekingen of knutselmiddagen waren op school nam zij vrij. Hij niet. Dat was volgens Lucien ook logisch. Zij was immers eigen baas. Met pijn in haar hart had ze haar advocatenpraktijk in een rap tempo aan een échte carrièretijger overgedragen. Haar ogen worden vochtig als ze weer aan het moment terugdenkt dat ze de deur achter zich dichttrok. *Stel je niet aan. Het is maar een zaak. Vanaf nu wordt alles anders en beter!*

Ze zet haar voet nog eens krachtig boven op het blad, zodat de aarde onder haar in beweging komt.

Alles was zo snel gegaan, dat ze niet de tijd had gehad om de consequenties goed te overdenken. De sprong in het diepe had ze met alle plezier genomen, omdat ze de lichtjes weer in zijn ogen zag. Maar haar keuze om haar carrière opzij te zetten voor Lucien, omdat zij dit nu eenmaal zo hadden afgesproken, knaagt aan haar.

Het is inmiddels wel duidelijk dat Lucien de komende periode geen tijd voor zijn gezin zal vrijmaken. Zij zal het gezellig moeten zien te maken met haar kinderen, hier in het idyllische dorp La Roquette-Sur-Var, midden in de Provence.

Ze heeft Lucien nog maar niet verteld over haar wilde idee om een bed & breakfast op te zetten. De omgeving leent zich daar perfect voor vanwege de mooie kronkelende straatjes en eeuwenoude gebouwen en kastelen. De combinatie van een prachtige, rustige omgeving met een ontsnappingsmogelijkheid naar de stad Nice zou voor elke toerist iets te bieden hebben.

Haar Facebookvrienden hebben al gevraagd wanneer ze een slaapplek kunnen boeken. Mila heeft het marketingplan in haar hoofd zitten, via Facebook en Twitter zou ze haar bedrijfje prima kunnen promoten.

Ze kijkt naar de boomgaard-in-wording en zucht. Zo ver is het nu nog lang niet.

Ze moet haar twitterprofiel ook maar eens aanpassen: Van snelle advocate naar snelle huisvrouw. In *no time* heeft ze haar twitterprofiel aangepast.

Er komt meteen een reactie. 'Jij een huisvrouw? Nog in geen duizend jaar!'

Mila grijnst. Op de een of andere manier hebben mensen een heel ander beeld van haar, dan dat ze zelf heeft.

Ze moet terugdenken aan een Skype gesprekje dat ze ongeveer een week geleden met Alina had.

'Mila, als iemand een doorbijter is dan ben jij dat. Misschien moet je Lucien de tijd geven? En anders toch maar even een schop onder zijn kont...'

Alina kent de tweestrijd van Mila maar al te goed. Haar relatie met Lucien is al jaren onderwerp van gesprek, beseft ze terwijl ze met haar ogen draait.

'Je maakt jezelf onzichtbaar voor hem, hij hoeft helemaal geen rekening met je te houden. Maak jezelf groot. Laat niets of niemand over je heenlopen! Zeg dat je er geen genoegen mee neemt, in plaats van jezelf weg te cijferen. Eis je plek op, dat ben jij waard.'

Mila had er toen verbitterd om gelachen. Ze had tenslotte gelijk. Maar niet alles moet, beseft ze inmiddels. Eigenlijk hoeft ze niet zoveel voor zichzelf. Maar op één punt is ze vastbesloten: in ieder geval moet en zal haar bed & breakfast er komen. Voor haar is dit hét symbool dat ze voor zichzelf op moet zien te komen. Ze balt haar vuisten en mompelt: 'Inclusief olijfboomgaard!' Ze grijnst. 'Jammer dat ik zelf geen olijven lust.'

Mila steekt de schop nog wat dieper in de grond. Zou dit standpunt geen relatiebreuk inluiden? Ze huivert bij die gedachte. De afgelopen jaren kwam af en toe de vraag in haar op, hoe haar leven eruit zou zien wanneer zij en Lucien uit elkaar zouden gaan. Ze stopt deze gedachte snel weg omdat ze in haar advocatenpraktijk te vaak de brokstukken heeft gezien van een mislukt huwelijk. Het idee om haar kinderen daar mee op te zadelen, kan ze niet verdragen. Maar het vooruitzicht om met Lucien samen oud te worden, op de manier waarop ze nu samen zijn, beangstigt haar sinds hun verhuizing steeds vaker. Het grijpt haar naar de keel. De afstand tussen haar en Lucien lijkt groter dan ooit en ze voelt een enorme eenzaamheid, als een gat in haar binnenste. Het lijkt wel of Lucien dit helemaal niet ziet. Bij deze gedachten schiet er bij Mila een liedje door haar hoofd, dat ze de laatste tijd wel vaker op de radio hoort en waarin ze zich zo in herkent. Hoe heet dat liedje ook alweer?

Ze laat de schop op de grond vallen en pakt haar telefoon uit haar achterzak.

Zou Tamara online zijn? Die weet dat soort dingen altijd. Mila zet een paar steekwoorden uit het liedje op Facebook, met de vraag haar de juiste titel te geven. Ze heeft geluk want binnen twee minuten heeft ze een reactie van Tamara binnen. Mila zoekt via youtube het liedje erbij en zingt vol overgave mee.

Een natte tong schuurt over de achterkant van haar been. 'Hè, getsie!' roept Mila en maakt een sprongetje. 'Gekke hond, kom hier. Ze gaat op haar hurken zitten en knuffelt Lobke liefdevol.

Lobke was een grote verassing voor Mila geweest. Lucien wist dat zij van honden hield en dat ze droomde van een grote vriendelijke Berner Sennenhond. In hun vorige huis in Nederland kon dat niet, maar hier was alle ruimte en vooral genoeg tijd. Lobke was twee weken na de verhuizing binnen komen wandelen met een grote strik om haar nek.

Laurie, die ook een zwak had voor alles op vier poten, probeerde uit de verhuizing een slaatje te slaan. 'Mam,' begon ze vleiend, 'zullen we een paard nemen, nu we ruimte genoeg hebben? Ik zal er goed voor zorgen, mam, please?'

'Nee, geen paard, alsjeblieft niet,' had Mila resoluut geantwoord. 'Daar begin ik echt niet aan.'

Blijkbaar was de boodschap overgekomen, want er werd niet meer gezeurd. Niet openlijk dan, want Mila ziet af en toe nog wel wat posts van haar dochter voorbij komen op Facebook waarin Lauries vrienden ook hopen dat er een paard komt. Mila kan daar wel om lachen. Ze is blij dat Laurie haar band met haar vriendinnen uit Nederland heeft weten te behouden. Mila is trots op haar zestienjarige dochter. Ze ziet zichzelf terug in Laurie en de wijze waarop zij als puber haar leven probeert vorm te geven. Soms luidruchtig en net over de schreef, maar vaak ook onzeker en eenzaam. Dan kan ze zich ontroostbaar op haar kamer terugtrekken. Mila begrijpt die stemmingswisselingen maar al te goed.

Lucien is meer verwijtend. Hij vindt zijn dochter impulsief.

Hij kan moeilijker met haar pubergedrag omgaan. Het gemis aan contact en het feit dat Laurie zich steeds minder voor hem openstelt, vindt hij moeilijk te aanvaarden.

Lucas heeft minder moeite gehad met de verhuizing. Hij kijkt vooral uit naar het moment waarop hij met zijn vader zal gaan kamperen, want dit is een van de beloftes die Lucien heeft gemaakt toen hij de verhuizing aankondigde. Ze hoopt dat hij deze belofte wel spoedig zal inlossen.

Ze kan alleen maar hopen dat de kinderen snel hun draai zullen vinden in Frankrijk, waardoor heimwee geen vijand zal worden. Het lijkt als de dag van gisteren dat de kinderen geboren werden en aan haar rokken hingen. En nu? Nu dragen ze de rokken van hun moeder. Mila moet om deze woordspeling glimlachen. Haar vingers beginnen te typen:

Mila van den Elzen
@MilavandenElzen

15 jaar terug hing Laurie nog aan mijn rokken, nu draagt ze mijn jurkjes :-)

View translation

Reply   Retweet   Favorite   More

8:23 PM - 27 Nov 13

Mila voelt zich onwel worden. Het scheppen is zwaar. Het zweet breekt haar letterlijk en figuurlijk uit. Haar adem hort en stoot en Mila legt haar hand op haar borstbeen om haar hart tot rust te manen. Ze sluit haar ogen en probeert haar ademhaling weer onder controle te krijgen. Zijn die duizelingen een teken dat ze het rustiger aan moet doen?

Mila loopt wankelend naar binnen, pakt ijskoude lemon-limonade uit de koelkast en schenkt een groot glas helemaal vol. Ze drinkt het in een keer leeg en laat een enorme boer. Ze zoekt een stoel op, leunt achterover en kan de wervelwind aan gevoelens in zichzelf niet thuisbrengen. Ze weet niet of ze moet lachen of huilen.

Ergens tussen al die gedachten komt het woordje 'ambetant' bovendrijven. Een merkwaardig woordje dat ze heel lang niet meer heeft gehoord, laat staan gebruikt. Ambetant.

Mila voelt zich opknappen, haar ademhaling is weer rustig en ze kan zelfs even glimlachen, het zware gevoel van daarnet maakt plaats voor een iets luchtiger stemming. Is het toeval dat het woordje nu bij haar boven komt drijven?

Vastbesloten de herinnering tastbaar te maken, neemt Mila de trap en doet de deur naar zolder open. Ze laat haar ogen wennen aan het donker en schuifelt naar de dozen. Ze weet precies welke ze moet hebben, doet hem open en vindt blindelings het bierviltje. Ze draait het om en warempel! 'Ambetant'. Precies zoals het er twintig jaar geleden opgekrabbeld was. Ze ruikt eraan en met de verweerde muffe geur komen er allerlei herinneringen naar boven. Even waant ze zich weer in haar oude kroeg, waar ze de sigarettenrook wegwuift en haar neus ophaalt voor de glazen bier die ze aangeboden krijgt.

Uit de diepe spelonken van haar onderbewuste duikt hij op; Chris, gekleed in een zwarte ribcordjas met een nonchalante spijkerbroek en afgetrapte laarzen, die op een zondagmiddag in hun kroegje het woordje 'ambetant' op dit viltje schreef. Chris zei altijd een beetje gekscherend dat hij haar 'ambetanterig' vond. Vooral wanneer ze hem 'lastigviel' terwijl hij heel geconcentreerd stond te flipperen. Hij had haar die avond nóg een bierviltje in handen gedrukt. 'Maar,' had hij erbij gezegd, 'pas kijken als je thuis bent!'

Dat lukte niet. Natuurlijk niet. Toen Chris de hoek om was gefietst, had ze zich niet kunnen bedwingen en het bierviltje snel omgedraaid. Ontembaar nieuwsgierig, dat wist ze nog wel. Drie puntjes hadden er gestaan. Met daarachter de woorden *'voor altijd mijn lief.'* Zo ambetant had hij haar dus niet gevonden.

Dat tweede bierviltje hoefde ze niet te zoeken. Ze had het weggegooid. Ze had zichzelf destijds moeten dwingen Chris los te laten. Iedere herinnering aan hem deed toen pijn, omdat het de keerzijde was van het zoete verlangen.

Daar zit ze nu, in Frankrijk, op een zolder, met een verweerd bierviltje in haar handen. Chris, hoe zou het nu met hem zijn? Ze haalt diep adem en probeert zich de geur van Chris te herinneren. Zou hij geweten hebben dat ze haar jas in de kroeg altijd naast die van hem ophing? Dat ze altijd even stiekem aan zijn jas rook en zich dan heel warm voelde worden? Die geur van pakjes sigaretten, vermengt met de kruidige aftershave die hij altijd droeg.

'Mams, waar ben je?' roept Laurie ongeduldig van beneden.

Mila schrikt op uit haar gedachten. Ze haalt even diep adem en roept: 'Ik zit op zolder en kom eraan! ' Ze kijkt op haar horloge. *Oh, help. Lucien zal ook wel zo thuis zijn.* Ze schudt even met haar hoofd, het is tijd om terug te keren naar de realiteit.

Lucien zit beneden op de bank en kijkt Mila vragend aan. Ze voelt zich een beetje schuldig over haar heimelijke zoektocht op zolder. Ze heeft hem niet eens thuis horen komen. Snel gooit ze het over een andere boeg: 'Had je mijn sms'je niet gehad vanmiddag? Ik had gehoopt dat je wat eerder thuis zou zijn...'

'Mila, ik heb een baan.' Zijn stem klinkt vermoeid maar verwijtend. 'Sorry, maar ik heb niet zoals jij alle tijd van de wereld om maar te sms-en en online te zijn.'

'Ja,' zegt Mila op scherpe toon, 'aangezien ik niet meer bij mijn vriendinnen op de koffie kan komen, onderhoud ik contact via gebliep in mijn kontzak.'

Het is duidelijk. Lucien ergert zich mateloos aan haar online gedrag. Hij haalt zijn schouders op en werpt haar een boze blik toe, pakt een stapeltje tijdschriften van de tafel en gooit die met een flinke zwaai in de prullenbak.

Daar gaan we weer. Hij gaat op dit soort momenten altijd over op de het-huis-is-een-zooitje preek. Ze wrijft ongemerkt over haar borstbeen en voelt dat het zware gevoel van die middag weer terug is. Is het verdriet of boosheid? Ze schiet in zijn ogen duidelijk tekort. Maar wat moet ze doen? Opspringen, de tafel dekken, zich nóg gedienstiger opstellen? Of het advies van Alina opvolgen en haar eigen plek opeisen?

Ze zucht en loopt naar de keuken. Lucien kijkt haar vanaf de bank met een triomfantelijke grijns aan. Als hij denkt dat hij gewonnen heeft omdat ze 'gedwee' gaat koken, dan is er iets heel erg mis. Boosheid vermengt zich met verdriet. Ze voelt de tranen achter haar ogen branden en ze draait zich abrupt van hem weg. Ze is verdomme geen huisslaaf!

's Avonds trekt Mila zich terug op haar kamer. Ze moet en zal het weten. De naam Chris Velterman typt ze bij verschillende zoekmachines in. En ja hoor, daar staat het écht. Chris Velterman. Twee hits, een op Linkedin en een Facebookpagina. Een vreemd soort kriebel roert zich in haar buik. Zou hij haar vriendschapsverzoek accepteren? Met haar ogen dicht drukt ze op de verzendknop.

Ze staat op en loopt naar haar speciale bewaardoos. De geboortekaartjes van haar kinderen, het bidprentje van haar zoontje Liam en een boek. Ze legt haar hand op de kaft. Ze weet wat er op de eerste bladzijde geschreven staat in het handschrift van Chris. '*...voor altijd mijn lief*'.

Ze voelt een tinteling door haar lichaam gaan. Eenzelfde soort tinteling als van ongeveer twintig jaar geleden. Haar gedachten dwalen terug naar de bewuste avond van toen.

Chris en zij waren aan het eind van een avondje stappen een luchtje gaan scheppen. Dat deden ze wel vaker. Even de kroeg uit om samen naar de sterren te kijken. Dat vond Mila heel speciaal. Zij kon dan voor haar gevoel opgaan in het oneindige universum en zich intens met Chris verbonden voelen.

Mila rilde van de frisse avondwind en merkte hoe hij zijn arm om haar middel sloeg. Het voelde goed, vertrouwd en warm.

Ze liepen zwijgend naar het bankje aan de vijver bij het stadspark. Op de achtergrond klonken vrolijke en lacherige geluiden vanuit de kroeg. Samen wilden ze aan de vrolijkheid ontsnappen en praten over de dingen die de wereld mooier of beter zouden maken. Mila merkte dat wanneer ze over haar idealen en dromen sprak, ze Chris meetrok in haar wereld. Dan zocht hij haar ogen op om haar blik te vangen. Meestal keek ze dan weg omdat zijn blik zich recht door haar ziel heen leek te boren. Ze was bang dat hij haar diepste gevoelens zou kunnen lezen. Haar gevoelens voor hem. Ditmaal ging ze de uitdaging aan. Ze keek terug. Intens. Dat was het moment waarop Chris haar zoende. Een kus met zoveel passie, dat ze beiden leken te schrikken. Een kus die zij beiden al zoveel keren in hun hoofden hadden beleefd. Een kus zo intens, warm, maar zo voorzichtig dat alles in haar leek te breken.

De tijd stond stil en het geluid vanuit de stad vervaagde. Mila kroop weg in zijn armen en drukte haar lichaam stevig tegen het zijne. Op dat moment voelde ze dat het geklop van hun harten eenzelfde ritme had aangenomen. Beiden snakten naar adem.

Zij had als eerst het moment verbroken. 'Dit mag niet,' had ze tegen Chris gezegd.

Hij had haar begripvol aangekeken. Intussen veegde hij die ene traan van haar wang. 'Het spijt me, Mila, jij was even te veel voor me. Deze avond, jij. Ik mag jou en mezelf niet voor de gek houden.' Hij pakte haar handen vast. 'Ooit, Mila, ooit.'

Ze had hem meewarig aangekeken en gedacht: 'Ja, ooit!' Als hij erachter zou komen dat het meisje waar hij nu mee ging, niks voor hem was, dacht ze.

Die kus had voor haar de verhouding volledig veranderd. Haar verlangen naar Chris was volledig opgelaaid. Maar het 'nu-nog-niet' zat haar dwars omdat het haar tegelijkertijd ook hoop gaf. Chris had daarna afstandelijk gedaan en het leek alsof hij daarmee probeerde weerstand te bieden aan zijn verlangen.

Vreemd genoeg had hij haar op de dinsdag na hun zoen het boek *Tuesdays with Morrie* gegeven. Mila herinnert zich dat nog goed. Het was bij hem thuis, waarbij zij had gehoopt dat hij haar nog zo'n intense kus zou geven. Dat deed hij niet. Mila kreeg een boek en bijna zakelijk had hij gezegd: 'Dit is zo mooi. Ik zal je een hoofdstuk voorlezen.'

Ze had aandachtig geluisterd, elk woord als een spons opgezogen. Het boek ging over een hechte band tussen twee mensen. Twee mensen die elkaar levenslessen leerden. Het werd uiteindelijk haar lievelingsboek.

HOOFDSTUK 2

Facebook

'Laat mij eens meekijken met dat ge-Facebook van jou,' zegt Chris tegen Hannah.

Helemaal blij ploft ze naast hem neer op de bank, plant de iPad op zijn schoot en klapt hem triomfantelijk open. 'Kijk paps!' zegt ze met een jubelstem nadat ze is ingelogd. 'Dit is mijn Facebooksite en ik heb wel driehonderdnegenenveertig vrienden.'

'Jeetje, als die maar niet allemaal op je verjaardag komen, want daar is geen beginnen aan!' antwoordt Chris quasi nonchalant.

'Doe niet zo stom,' reageert Hannah. 'Een vriend op Facebook is iets anders dan een vriend in het echt. Het gaat erom dat je elkaars berichtjes leest. Zullen we voor jou ook een profiel aanmaken?' Ze kijkt Chris vragend aan en glimlacht ondeugend.

Als ze dat doet, heeft ze kuiltjes in haar wangen. Grappige kuiltjes, waar hij geen weerstand aan kan bieden wanneer ze iets van hem gedaan wil krijgen.

'Kom paps, even lachen voor een foto en dan kan ik meteen een leuk Facebookprofiel voor je maken.'

'Dat dacht ik toch niet, Hannah,' reageert Chris bedenkelijk. 'Ik hoef niet zo nodig met een foto van mezelf op Facebook.' Onzeker woelt hij door zijn haren en mompelt: 'Het wordt eens tijd om naar de kapper te gaan.'

'Ja, dat moet je doen pap, naar de kapper. En dan trek je die spijkerbroek met die stoere bruine laarzen aan, een leuk overhemd en dan maak ik een foto van je,' reageert Hannah enthousiast.

'Vrouwen,' zucht Chris gekscherend. 'Misschien moet je me eerst nog maar eens uitleggen hoe Facebook werkt.' Hij snapt nog maar weinig van de social media, ondanks het feit dat hij er in zijn klas om bekend staat de mooiste PowerPoint presentaties te maken. Maar een computerexpert is hij toch echt niet. Hij heeft dit jaar alleen maar jongens in de klas die zich gedragen alsof ze de wereld in hun zak hebben. Maar misschien hebben ze dat ook wel via social media? Misschien is hij hopeloos ouderwets en moet hij zich er gewoon in verdiepen. Al is het maar om Hannah en Ruben beter te begrijpen.

'Wat trek jij ineens diepe rimpels in je voorhoofd, paps,' grapt Hannah.

'Ja, jongedame, ik zie heus wel dat je een profiel met een foto hebt aangemaakt en ik had het toch wel fijn gevonden wanneer je had gewacht op mijn toestemming!'

'Nou, zo'n wereldramp is dat niet, hoor. Ik kan hem altijd weer voor je verwijderen.'

'Nee, laat nu maar staan, ik ga er wel mee aan de slag.' Verwonderd neemt Chris zijn dochter in zich op. Bedreven en feilloos drukt ze allerlei linkjes aan. Zonder blikken of blozen kan ze mapjes vinden en bestanden kopiëren en verplaatsen. Zij heeft zichzelf als vriend toegevoegd.

'Kijk, je komt in een gespreid bedje terecht!' Intussen begint ze met het versturen van vriendschapsverzoeken.

'Je bent me er eentje, Hannah.' Hij slikt nog wat woorden in, omdat hij ziet hoe ze geniet van deze stappen. Alleen al die twinkelingen in haar ogen spreken boekdelen.

'Zie je hoe snel dit gaat. Er is nu al iemand die op jouw vriendschapsverzoek heeft gereageerd!'

Chris bekijkt de reactie op Facebook en glimlacht als hij ziet dat het een berichtje van een van zijn collega's is.

'Nu maak je ook contact met anderen, paps. Straks trek je er nog eens op uit!'

Dat hij er eens uit moet, dat hoort hij wel vaker. Hij werkt en zorgt voor zijn gezin. Als alleenstaande vader is dat niet altijd makkelijk, nooit kan hij de boel uit handen geven. Hannah heeft wel een beetje gelijk. In ieder geval moet hij zichzelf niet verwaarlozen. *Ik ga een afspraak met de kapper maken.*

Intussen legt Hannah hem enkele regeltjes en handigheidjes van Facebook uit. 'Houd het vooral leuk. Ga niet heel Facebook vol spammen met foto's van ons, want dan houd je geen vrienden meer over.'

Chris vindt het, in tegenstelling tot wat hij had gedacht, leuk om contacten via Facebook te leggen. Het is bijzonder om een korte blik in andermans leven te werpen. Hij bekijkt de Facebookpagina van Hannah en ziet dat die gevuld is met grappige foto's, rare zinnen tussen vriendinnen die hij niet begrijpt en allerlei Facebook spelletjes.

Daarna zoekt hij naar de pagina van een van zijn collega's. Marja, een leuke meid. Een tijdje terug is ze bevallen van een tweeling. Chris merkt dat hij haar mist. Ze is nog steeds met zwangerschapsverlof. Hij is nog niet op kraambezoek geweest. Zijn werk op school en het huishouden weerhouden hem om haar op te zoeken. Ze zou hem ongetwijfeld beschuit met muisjes hebben voorgezet.

Facebook brengt haar ineens heel dichtbij. Hij kan op haar tijdlijn een paar woorden typen, haar en haar man feliciteren met de geboorte van hun twee kinderen. Hij typt bedachtzaam: 'Pas goed op jezelf, blijf nog even thuis. Geniet van de kleintjes, want voor je het weet maken ze een Facebookpagina voor je aan.' Hij zet er een smiley achter. Dat heeft hij zojuist van Hannah geleerd, dat het altijd belangrijk is om met een smiley aan te geven welk gevoel je wil overbrengen. *Ach, veel heeft mijn boodschap niet om het lijf, maar ik heb laten weten dat ik met haar meeleef.*

Opeens is daar die *ploing*. Er komt een vriendschapsverzoek binnen. *Mila van den Elzen*. Een bekende uit het verre verleden. *Verdomd. Mila!* Dat kan dus ook via Facebook. De wereld wordt alsmaar kleiner. Herinneringen kunnen als digitale letters in je dagelijkse werkelijkheid tot leven komen. In een fractie van een seconde.

Hoe zou het eigenlijk met Mila zijn? Vreemd, maar telkens als hij 'hun' liedje hoort - dat zij samen vaak meeneurieden - dan duikt die vraag bij hem op. Maar ook als de eerste voorjaarszon de krokussen doet bloeien en zijn huid verwarmt, dan moet hij denken aan haar gulle warme lach.

Een tijd terug had hij met Hannah en Ruben een ijsje gegeten en waren ze heel toevallig op het bankje gaan zitten waar hij ooit, zoveel jaren terug, met Mila had gekust. Terwijl hij daar op dat bankje aan zijn ijsje likte, kon hij bijna Mila's lippen weer op de zijne voelen.

Op de een of ander manier had zij diepe gevoelens bij hem losgemaakt, waar hij destijds flink mee had geworsteld. Hij had toen immers al Katja als vriendin, om wie hij ook veel gaf. Anders, dat wel.

Uiteindelijk had hij zijn gevoelens voor Mila daarom doelbewust weggestopt. Hij ontweek haar, hield haar op afstand. Hoe meer zij aan hem trok, hoe harder hij terugduwde.

Hij dacht terug aan die avond, toen het buiten stormde en goot van de regen. 'Kom, dan rennen we samen door de regen.' Hij moest er om grinniken. Hij was helemaal doorweekt geweest. Hij had zijn onderbroek en zijn sokken staan uitwringen, maar hij had zich heerlijk en bevrijd gevoeld.

Hoe oud moet ik toen zijn geweest? Een jaar of negentien, een lange slanke knul. Mijn haren altijd in de war. Hannah moet altijd schaterlachen wanneer ze vroegere foto's van haar vader ziet. Ze vindt hem maar een studiebolletje. Tegenwoordig zou hij een nerd genoemd worden.

En Mila? Mila was niet in een hokje te plaatsen. Ze was bijzonder. Ze had het vermogen om mensen te openen en maakte altijd veel gevoel los bij hen.

Hij doet zijn ogen dicht en bedenkt hoe anders zijn leven had kunnen zijn, als hij toen voor Mila gekozen had. Zou zij dan de moeder van zijn kinderen zijn geworden? Zou zij ook, net als Katja, vlak na de geboorte van Ruben vertrokken zijn, omdat ze er geen zin meer in had?

Het vriendschapsverzoek blijft zijn aandacht trekken. Zou hij het accepteren?

Opeens komt het zinnetje van Hannah op in zijn gedachten: "Paps, zoek eens contact met anderen, trek er eens op uit!" Hij moet toegeven dat Hannah wel eens gelijk zou kunnen hebben. Daarbij herinnert hij zich, dat hij Mila een boek heeft gegeven waarin twee vrienden steeds op een dinsdag met elkaar afspreken. *Zou het toeval zijn dat het vandaag dinsdag is?*

Zijn blik glijdt door het venster naar buiten. Hij neemt een moment voor zichzelf, sluit zijn ogen en droomt weg. Hij weet dat hij dadelijk Mila's verzoek gaat accepteren, dat is duidelijk, maar dit moment van stille besluitvorming heeft hij even nodig.

Juist op dat moment vliegt de poort van de achtertuin met een knal open en valt Chris bijna van de bank af. Hij kan zijn laptop nog net vasthouden. Hij is weer terug op aarde. Dit keer worden zijn gedachten verstoord door zijn zoon Ruben.

Stampvoetend en bijna briesend loopt Ruben door de achtertuin, op weg naar de deur. Chris gebaart naar Ruben om vooral niet met de achterdeur te doen wat hij met de poort gedaan heeft. Ruben stapt de kamer binnen en ploft met zijn jas nog aan naast hem op de bank.

Chris weet uit ervaring dat hij Ruben nu wat rust moet gunnen, zodat hij in zijn eigen tempo kan beslissen of hij wil vertellen wat hem dwars zit. Uithoren heeft geen enkel nut. De radertjes in Rubens hoofd draaien denkelijk op hoge toeren om zijn frustratie onder woorden te brengen. Chris beseft dat hij Mila even moet parkeren en zijn volledige aandacht aan zijn zoon moet schenken.

Zwijgend zet Chris een glas melk op tafel neer met een eierkoek ernaast. Zelf drinkt hij ook een paar slokken melk. 'Echte mannen onder elkaar,' zegt hij tegen Ruben terwijl hij zijn glas opheft om te proosten. Dat is het moment waarop hij Ruben heeft, met humor.

Ruben laat zijn woede vallen en proost terug. Met een enorme grijns vertelt Ruben dat de klink van de poort is gevallen omdat hij zo hard open ging.

Chris staat op, haalt de gereedschapskist uit de garage en zet deze met een plof voor de voeten van Ruben neer. 'Alsjeblieft, Bob de Bouwer, aan de slag. Je hebt toch techniekles op school?'

Ruben begint te stralen, de gereedschapskist van zijn vader is zijn walhalla. Hij doet niets liever dan met echt gereedschap overal aan sleutelen.

Chris vindt het prima, zelf heeft hij helemaal niks met schroeven en hamers, afgezien van het feit dat het af en toe gewoon moet. Het liefste belt hij gewoon een klusjesman, maar aangezien hij het niet breed heeft hangen, moet hij af en toe functioneel iets opknappen.

Ruben heeft de klink er alweer bijna op gezet.

'Vertel eens,' vraagt Chris, 'je bent wel erg vroeg thuis. Hoe zit dat, jongen?'

'Ik heb straf gehad op school, en ik heb echt helemaal niks gedaan!' flapt Ruben eruit. 'Ik had ruzie met Tim. Ik zag dat hij sinaasappelschillen in mijn tas had gedaan. Belachelijk gewoon. En toen heb ik die troep bij hem achter in zijn shirt gestopt. Zul je hebben dat juist toen meester Oosterhoff binnen kwam en die zei: "Ruben, inpakken en wegwezen. Je hebt een middag nablijven aan je broek hangen." Die stomme Tim begon me toen ook nog uit te lachen. Ik ben kwaad weggelopen en nu zit ik thuis.'

'Heb je dan eigenlijk nog les?'

'Ja, pap.'

'Nou, vriend, dan denk ik dat we nu toch naar school toe moeten om deze ruzie en vooral jouw gespijbel met de meester uit te praten. Ik ben trouwens wel benieuwd naar die meester Oosterhoff van je. Hoe noemde jij hem ook alweer? Vuurtoren?'

Ruben kijkt wat vertwijfeld. 'Oké, pap.'

Chris belt gelijk meester Oosterhoff op om te vertellen dat ze onderweg naar school zijn.

Als Chris en Ruben arriveren, staat hij al joviaal in de deuropening om zijn 'gasten' te begroeten. 'Dag meneer Velterman en goed je hier weer terug te zien, Ruben. Ga zitten, heren. Kan ik iets te drinken halen?'

'Doe mij maar een kop koffie,' zegt Chris.

Nadat meester Oosterhoff koffie heeft gehaald, maakt hij een uitnodigend gebaar. 'Wat kan ik voor jullie doen?'

Ruben kijkt zijn vader vragend aan, maar Chris gaat niet op de vraag in.

Ruben knikt enigszins verlegen. 'Nou,' zegt hij beduusd, 'Tim heeft sinaasappelschillen in mijn tas gedaan. Hij zit mij altijd te pesten en ik heb zelf gezien dat hij het deed. Dus heb ik die schillen achter in zijn shirt gestopt. Toen kwam u binnen, meester, kreeg ik straf en werd ik zo kwaad, dat ik naar huis ben gegaan.'

Chris ziet dat er tranen in de ogen van Ruben gesprongen zijn.

Beide volwassenen geven elkaar een stiekeme knipoog.

Meester Oosterhoff doorbreekt het zwijgen door nog extra te benadrukken: 'En verder, Ruben?'

'Nou, verder niks, meester. Mijn vader en ik hebben het erover gehad, ook omdat ik per ongeluk de klink van onze poort had afgetrokken.'

Meester Oosterhoff grinnikt. 'Zo, zo,' zegt hij, 'jij hebt wel een pechdag. Maar als ik het goed begrijp, is Tim volgens jou de oorzaak van je gedrag?'

'Ja, zo'n beetje wel, meester.'

'Juist,' zegt meester Oosterhoff, 'dan weet ik het goed gemaakt. Ik verwacht morgen dat jij en Tim bij mij langskomen. Ik zal dat ook aan Tim laten weten. En als je gelijk hebt, dan ga ik jouw straf over jullie tweeën verdelen zodat jullie allebei hiervan kunnen leren. Want eerlijk gezegd kunnen we die sinaasappelschillen hier niet gebruiken. Het begint met een geintje, gaat over in pesten en voor je het weet hebben we een heuse knokpartij. Goed jongen, fijn dat je teruggekomen bent. Want kerels onder elkaar praten dit soort dingen uit. Die lopen niet weg, maar pakken dit op.'

Ruben knikt alleen maar.

Het gesprek is ten einde. Ze nemen afscheid en lopen naar buiten. Bij het fietsenrek zegt Chris tegen Ruben: 'Toch wel een toffe kerel, die meneer Oosterhoff.'

'Ik vind van niet, want ik heb mooi straf van hem gekregen. Morgen moet ik ook nog eens een keer met Tim bij hem komen.'

'Ook dat hoort erbij.'

Ruben trekt een pruillip.

'Ik hoop overigens dat jouw meester niet met zijn handen onder zijn bureau zit morgen,' zegt Chris quasi nonchalant.

Ruben kijkt hem vragend aan. 'Hoezo dat?'

'Ik heb altijd al eens een keer een kauwgum onder iemands bureau willen plakken.' Chris knipoogt.

De ogen van Ruben worden groot en hij trekt een grijns van oor tot oor. Chris is de held van de dag.

Zwijgend fietsen ze naar huis, Ruben en hij elk in hun eigen gedachten verzonken.

Chris heeft geen zin meer om te koken. Hannah is ook al thuis en zegt dat ze bijna omvalt van de honger. Hongerige pubers zijn gevaarlijk en Chris besluit om frietjes te gaan halen.

Als hij weer thuiskomt, heeft Hannah de tafel al gedekt en hongerig vallen ze aan. Chris heeft er een gewoonte van gemaakt om in één zin aan te geven, wat het mooiste moment van de dag was en wat het stomste moment van de dag was. Ruben glundert terwijl hij zijn zus vertelt hoe het stomste moment van de dag, bij meester Oosterhoff aan tafel zitten, een paar minuten later het mooiste moment ooit werd.

'Nee, dat heb je niet gedaan, pap!' Hannah's stem slaat een beetje over. De kamer vult zich met hun schaterlachen.

'Nou, vooruit, ik ruim hier de boel af, gaan jullie maar aan jullie huiswerk,' zegt Chris.

Boven is alles rustig. Even tijd voor zichzelf. Chris gaat zitten in zijn bijna versleten draaistoel en leunt achterover totdat het leer kraakt. Hij klapt zijn iPad open, start Facebook op en bekijkt Mila's vriendschapsverzoek. Een beetje nerveus drukt Chris op 'accepteren'.

Aandachtig bekijkt hij de profielfoto van Mila. Ze is precies zoals hij zich haar herinnert. Hij fluit zacht tussen zijn tanden, Mila heeft het ver geschopt. Een eigen advocatenkantoor, dat is niet niks. Wat zou ze ervan denken dat hij op een ZMOK-school werkt? Chris scrolt Mila's Facebookpagina wat verder door en ziet nu dat ze met haar hele gezin in Frankrijk woont. Wat kan er in twintig jaar veel gebeuren. Hij heeft een gezin. Mila heeft een gezin. Het lijkt als de dag van gisteren dat ze samen door de regen renden.

Chris schrikt op bij het horen van een *ploing* vanaf zijn scherm. Wat nu weer?' Hij zoekt het beeldscherm af. Rechtsonder in het beeld heeft zich een chatvenster geopend, waarin Mila een berichtje aan hem typt.

'Ha die Chris, ik zie dat je online bent. Ken je me nog van vroeger?'

Chris typt direct terug: 'Nou en of. Je dacht toch niet dat ik jou zou kunnen vergeten?'

'Daar ben ik blij mee,' reageert Mila. 'Ik heb wel eens pogingen ondernomen je te vinden, maar dat is nooit gelukt. Fijn dat ik je nu gevonden heb!'

Chris probeert de vragen en zinnen van Mila zo snel als hij kan te beantwoorden. Het is duidelijk dat het typen haar makkelijker afgaat dan hem. Vroeger lukte het hem ook al niet om haar bij te houden. Wat hij precies voor haar voelde, had hij haar toen waarschijnlijk nooit helemaal duidelijk kunnen maken. Maar nóg vervelender, hij had het voor zichzelf ook niet helemaal duidelijk kunnen krijgen.

'Ben je er nog?' had Mila getypt.

Met een schrikreactie belandt Chris weer in de realiteit. Vooral ook omdat hij ziet dat het al laat op de avond is. Bijna middernacht zelfs. Hij moet er morgen weer vroeg uit. 'Ja, ik ben er nog, maar ik moet echt stoppen,' typt hij. Ook al wil hij nog lang niet. 'Zullen we snel weer chatten?'

Mila typt dat ze nog heel veel wil vragen en vertellen. Chris moet erom lachen, zo was ze vroeger al. Peinzend staart hij even voor zich uit. Vroeger. Het is geen vroeger meer. We zijn nu verder. Ik ben verder. Wil ik nog wel terug naar toen?

Toch trekt hij de stoute schoenen aan en geeft zijn mobiele nummer. 'Bel me maar een keer als je zin hebt. Maar alleen als jij dat wilt, oké? Ik vind het leuk dat je me gevonden hebt.' *Oei, had ik dit wel moeten doen?*

Zijn mobieltje begint luid te zoemen en hij neemt op. 'Mila?'

'Ja, wie anders, Chris?'

'Jeetje,' stamelt Chris, 'jouw stem klinkt nog net zoals vroeger.'

'Die van jou ook! En fijn dat je me al die jaren zo trouw bent blijven schrijven,' grapt Mila.

Ze moeten allebei om haar maffe opmerking lachen.

'Leuk om je te horen, zeg! Dat voelt echt fijn. Maar ik ga ophangen, hoor, want je chatte net dat je morgen weer vroeg op moet. Maar ik laat je nu niet meer verdwijnen, hoor. Ik vind het echt heel fijn om je weer in mijn leven terug te hebben, Chris.'

'Ho eens even,' zegt Chris. 'Ik ben nu klaarwakker. Wat dat betreft ben jij niks veranderd, Mila. Kun jij je nog herinneren dat, wanneer ik vroeger zei dat ik naar huis moest omdat ik de volgende ochtend een tentamen had of zo, jij dan altijd tijd ging rekken? Je vroeg me dan nog even te blijven omdat je echt iets heel belangrijks moest vertellen. Je maakte mij daar altijd zo nieuwsgierig mee en uiteindelijk had je gewoon echt helemaal niks te vertellen. En ik trapte daar keer op keer weer in.'

Chris hoort haar aan de andere kant van de lijn zachtjes lachen. Plagend merkt ze op dat hij het helemaal nooit erg vond om wat langer met haar in de kroeg te blijven.

'Bovendien,' voegt Mila eraan toe, 'jij haalde toch hoge cijfers voor welk tentamen dan ook. Je was echt een enorme studiebol!'

Chris moet heel even wennen aan die onbevangen en spontane directheid van Mila. Maar zo was ze vroeger ook al, ze kon altijd meteen vanuit haar gevoel reageren. Het leek wel alsof ze nooit over haar zinnen nadacht. Chris zoekt even naar wat woorden om het telefoongesprek af te sluiten.

'Mila, deze studiebol gaat nu echt zijn bed op zoeken, want morgen wacht er een hele klas pubers op me. Helaas geen studiebollen, maar moeilijk opvoedbare jongens die helemaal geen zin hebben om te leren.'

'Oooh, Chris, wat geweldig om te horen. Jij bent echt leraar geworden? Ik wist het wel! Je had het toen al in je. Die verhalen over de sterren en de planeten...' voegt Mila er zacht aan toe.

Chris voelt dat hij moet blozen. 'Nou, en jij dan, Mila? Ik lees dat je een eigen advocatenkantoor hebt gehad, dat is niet mis. Al is dat misschien niet het beroep dat ik bij jou in gedachten heb gehad. Eerder hartenbreekster of zo,' grapt Chris erachter aan.

'Gebroken harten heb ik genoeg gezien als advocate, daarom ben ik ermee gestopt. Zoveel ellende op de wereld. Nah,' zegt Mila. 'Ik woon nu in Frankrijk en zie mezelf vooral als een ingedutte huisvrouw die probeert wat spanning in haar leven terug te krijgen. Haha, vandaar dat vriendschapsverzoek aan jou, Chris.'

Chris begint te lachen. 'Volgens mij zeg je nu twee dingen die helemaal niet kloppen. Ten eerste zal jij alles behalve saai zijn en ten tweede ben ik zelf amper spannend te noemen. Mijn leven is burgerlijker dan burgerlijk. Maar daar hebben we het nog wel een keer over. Ik duik nu echt mijn bed in en geen Mila die me nog langer aan de praat houdt.'

'Het is echt leuk om je weer eens te horen. Slaap lekker!'

Chris zucht, terwijl hij haar wegdrukt. Is dit van moeheid of van opluchting? Hij gooit zijn hoofd achterover tegen het zachte leer. Al die tijd heeft hij het op puntje van zijn stoel gezeten, hij had geen enkel woord van Mila willen missen. Mila, een stem uit het verleden. Hij had nooit gedacht dat hij haar nog een keer zou ontmoeten. Behalve af en toe in zijn stoutste fantasieën. Hij weet even niet wat hij met deze melancholische gevoelens aan moet. En wat moet hij met Mila aan? Zij heeft nu een gezin. Is het wel goed wat hij doet? Bedachtzaam staat hij op. In zijn gang naar boven, neemt hij nog snel de wasmand mee.

De volgende ochtend, hij is nog amper wakker, rinkelt zijn telefoon al. Hij moet lachen als hij ziet dat er een berichtje van Mila binnen is gekomen.

'Even checken of het een droom was waarin ik jou weer teruggevonden heb. X Mila.'

'Nee, ik ben er echt, je hebt het niet gedroomd,' beantwoordt hij haar sms'je.

Hij stopt zijn telefoon achter in zijn broekzak. Iets vertelt hem dat het vandaag niet bij dat ene bericht zal blijven.

Die Mila... Chris merkt dat hij glimlacht wanneer hij aan haar denkt. Tijdens het tandenpoetsen lijkt het alsof zijn spiegelbeeld hem een knipoog geeft. Zou Mila nu ook voor de spiegel staan?

De rest van de dag krijgt hij de glimlach niet van zijn gezicht af. Vroeger genoot hij ook altijd van de aandacht die ze hem gaf. Binnen die paar uur dat hij wakker is, kent hij haar hele dagritme. Hij heeft nu zelf pauze en kan even de berichtjes doornemen. Ze is blijkbaar in de weer met haar beestenboel, blijkbaar heeft Lobke een paar gaten in haar sloffen achtergelaten.

Naast al deze updates over vooral grappige toestanden zit er af en toe ook een persoonlijke berichtje tussen. Chris krijgt in de gaten dat ze erg hunkert naar aandacht. Haar laatste bericht, met de vraag of ze nog die klik van vroeger zouden hebben wanneer ze elkaar weer zouden ontmoeten, beantwoordt hij met een knipogende smiley. Hij kan het niet laten en stuurt er nog een berichtje achteraan met de woorden: 'Jij bent toch voor altijd mijn lief...'

Mila reageert hier meteen op door een X terug te sturen. Chris voelt zich warm worden. Dat die platte letter X zoveel teweeg kan brengen.

De dagen na hun eerste contact vliegen voorbij. Het is vooral Mila die het initiatief neemt, Chris kan haar nauwelijks bijbenen. Sms'jes en soms ook hele brieven in zijn mailbox. Hij hoopt maar dat hij haar niet teleurstelt door zijn korte antwoorden. Hij heeft simpelweg geen tijd om tijdens zijn lessen hele epistels terug te schrijven.

Chris merkt dat ze dieper in zijn gevoelswereld probeert te kruipen. Dat deed ze vroeger ook al. Op zich vindt hij het prettig om zijn gedachten met haar te delen. Aan de andere kant wil Chris wat afstand bewaren. Niet alleen de fysieke kilometers die nu tussen hen in staan, maar ook de vele vragen die in zijn hoofd opdoemen, spelen hem parten. Mila woont met haar gezin in een boerderij in Frankrijk. Hij met zijn kinderen in Amersfoort. Ach, de afstand is natuurlijk gemakkelijk te overbruggen. Dat weet hij ook wel. Ze zou vast komen als ze af zouden spreken. Uit nieuwsgierigheid? Uit drang naar avontuur? Waarom heeft hij haar vriendschapsverzoek geaccepteerd en is hij op haar chat ingegaan? Is er nog een smeulende vonk, die het brullende vuur van destijds kan doen opleven? Hoe zou ze er in het echt uitzien na die twintig jaar? Ouder, ongetwijfeld, maar nog steeds zo aantrekkelijk?

'Zullen we eens skypen?' stelt hij een week na hun eerste Facebook contact voor. *Skypen?! Hoor mij nou over skypen*. Hij zoekt via Google naar het programma en start de installatie. Niet veel later stuurt hij Mila een berichtje met de woorden: 'Are you dressed to impress? Ik heb Skype!'

Nadat hij een kwartiertje op internet heeft rondgehangen, komt zijn eerste Skype-oproep binnen. Mila! Chris drukt op accepteren en houdt zijn adem in. Hij ziet een blozende lach.

'Leuk je te zien, in plaats van je alleen te horen en te lezen,' zegt ze.

'Ja, heel leuk.' Hij voelt een grijns van oor tot oor op zijn gezicht komen. 'Maar ik moet nu echt weer offline, ik hoor de kinderen thuiskomen.'

Ze laten elkaar gaan. Die 56 seconden waren genoeg. Precies genoeg om elkaar te herkennen. Het kushandje dat via zijn sms binnenkomt spreekt boekdelen. Mila voelt het duidelijk ook.

De vonk is er nog.

HOOFDSTUK 3

Single dad

Chris wrijft vermoeid in zijn ogen. Het is een zware dag geweest. Hij heeft een pittig gesprek gevoerd met de ouders van een van zijn leerlingen, waarbij hij zorgvuldig naar woorden heeft moeten zoeken. Hij vraagt zich wel eens af of die kinderen moeilijk opvoedbaar zijn, of dat de ouders het opvoeden moeilijk vinden. Het is lastig de ouders zover te krijgen, dat ze hun manier van opvoeden onder de loep nemen. Maar dat, samen met het organiseren van oudergesprekken, maakt het werken op zo'n ZMOK-school voor Chris juist uitermate boeiend.

Zoals gewoonlijk is het gesprek uitgelopen en is hij te laat om Ruben van school te halen. *Besteed ik aandacht aan ouders van mijn leerlingen, verwaarloos ik mijn eigen gezin.* Hij pakt zijn mobiel en sms't schuldbewust: 'Hannah, wil jij Ruben van school halen? Ik ben laat. Groet, paps.' Hij kan altijd een beroep op haar doen, maar wil dat voorkomen, omdat hij haar niet met ouderlijke taken wil belasten. Binnen drie minuten staat er op zijn beeldscherm: 'Oké! X Hannah.'

Moeder en vader tegelijk zijn valt hem zwaar. Voor Hannah spijt het hem nog het meest. Moeders en dochters hebben toch een bijzondere relatie met elkaar. Hoewel Katja heel graag kinderen wilde, kon ze het gezinsleven gewoon niet aan. Op de een of andere manier lonkte het avontuur buiten het gezin haar. Hij kon het aan Katja merken als ze er weer op uit moest trekken. Ze werd ongedurig en chagrijnig. Chris herinnert zich nog levendig hoe angstig en bezorgd hij zich voelde wanneer die momenten aanbraken en zij niet op kwam dagen. Ze kwam uiteindelijk altijd terug. Afgepeigerd. Waar ze geweest was, wist hij niet.

'Bemoei je met je eigen zaken,' zei ze, toen hij daar in het begin naar vroeg. Als Chris doorvroeg, begon ze te schelden. Hij werd er radeloos van, totdat de situatie écht onhoudbaar werd. Op een dag bleef ze weg.

'Ik ben niet geschikt voor het moederschap,' had ze geschreven op de achterkant van het boodschappenbriefje van die dag. 'Dit is niet het leven dat ik wil leiden.' Hoeveel pijn het hem toen ook deed, hij wist dondersgoed dat ze gelijk had.

Hoe lang ben ik al alleen? Ruben is nu elf. Jeetje, tien jaar dus al. Tien jaar waarin hij er alleen voorstond. Hij had zich daar nooit over beklaagd. Integendeel. Hij kan zich een leven zonder zijn kinderen niet voorstellen.

Het lukte Chris na de scheiding om meerdere redenen niet een nieuwe relatie aan te gaan. Eerst voelde hij zich in de steek gelaten en boos. Daarna had wel eens een nacht met een vrouw doorgebracht, maar iedere keer voelde hij een verwachting van zijn nieuwe flirt uitgaan, waar hij niet aan kon of wilde voldoen.

Het waren allemaal hele kortstondige affaires. Plezierig, dat wel, maar verder nutteloos. Zoals hij het ervoer, zijn er voor de opbouw van een relatie twee mensen nodig en voor een relatiebreuk maar één.

Chris weet heus wel dat hij aantrekkelijk is voor vrouwen. Mensen noemen hem warm, gevoelig en oprecht geïnteresseerd in het wel en wee van anderen.

Aan de andere kant sorteert hij ook de onderbroeken van zijn kinderen. Hoe aantrekkelijk is dat?

Bezweet van het harde fietsen, komt Chris de huiskamer binnen. Hannah en Ruben zitten op de bank TV te kijken. 'Hallo dame en heer,' groet Chris. 'Vandaag geen huiswerk, Hannah?'

'Ja, paps, maar niet zoveel. Alleen Engels. Wil je mij overhoren?'

'Goed, na het eten, maar nu eerst aan de slag. Eten koken! Bedankt trouwens dat je Ruben hebt opgehaald. Je hebt me weer eens uit de brand geholpen.'

's Avonds zoekt Chris zijn lievelingsstoel op en laat zijn gedachten de vrije loop. Hij heeft net de administratie gedaan en alle rekeningen betaald. Nu even relaxen. Zijn iPad maakt een geluidje. Ha, dat is Thomas, die een spelletje online scrabble wil spelen. Eén potje, Chris is trouwens aan de beurt. Als hij niet snel iets neerlegt, dan is zijn beurt voorbij. Hij legt snel het woord 'verleidelijk'. *Verdraaid, nog een dubbele woordwaarde ook!*

Thomas reageert met de woorden: 'Waar zit jij aan te denken, grote broer?'

Chris typt: 'Dit soort woorden ploppen zomaar op, als je al zo lang alleen leeft. Maar liever gelukkig in het spel dan verdrietig in de liefde.' Die zin doet hem terugdenken aan vroeger, toen hij in een stamkroegje aan het flipperen was en Mila vaak achter hem kwam staan. 'Hé, Thomas, morgen jij aan zet? Ik nok af. Vermoeiende dag gehad. Veel aan mijn hoofd. Nu naar bed.'

'Oké, Chris, slaap lekker en tot morgen.'

Hij klapt zijn iPad dicht en steekt de oplader in het apparaat. Mila verwacht vast en zeker een antwoord op haar enorme berg e-mailtjes en chatberichten. Hij kijkt op de klok: half één. Naar zijn smaak te laat, maar goed, een paar zinnen kunnen geen kwaad. Hij klapt zijn iPad weer open, pakt een glas wijn en draait een potje olijven open. Olijven die Mila nog steeds niet lust, volgens haar profiel op Facebook. Langzaam begint hij te tikken totdat zijn vingers razendsnel over zijn iPad bewegen.

Chris is een en al concentratie. Hij schrikt pas op als een geweldige donderslag weerklinkt en bliksem de kamer doet oplichten. Met een bonkende hartslag rondt hij zijn e-mail af en drukt op verzenden.

Hij kijkt op de klok: bijna half drie. Snel klapt hij zijn iPad dicht, schopt zijn schoenen uit en gaat naar boven. *Dat de kinderen niet wakker zijn geworden...* Snel trekt hij zijn spijkerbroek uit en kruipt onder de dekens. Het is een zware maar nu ook lange dag geweest. Het zou weer te snel morgen zijn, dat weet hij nu al.

HOOFDSTUK 4

De brief

Mila wordt wakker van een *ploing. Shit, vergeten mijn iPad uit te zetten.* Ze tast in het donker naar haar nachtkastje en vist het apparaat met enige moeite op. Ze heeft een paar uur geleden nog enkele tweets geplaatst en wat berichtjes op Facebook gezet. Chris stond aldoor offline. Al een paar dagen.

Nu ze de iPad toch in haar handen heeft, kan ze het niet laten om ook haar e-mail te checken. Haar gmail geeft een nieuw bericht aan. Een mail van Chris. Haar hart begint te bonzen.

Ze trekt op de tast een paar sokken aan en sluipt zachtjes naar beneden. Ze weet precies welke treden ze moet overslaan, zodat er niks zal gaan kraken. Ze sluipt wel vaker zo naar beneden.

Het is kil in huis. Naast een paar warme sokken had ze beter ook nog iets anders aan kunnen trekken. Ze nestelt zich op de bank, slaat een plaid om zich heen, trekt haar benen onder haar lijf en opent de mail.

'Lieve Mila,' staat er. Er staat 'lieve'. Geen 'beste' Mila, geen hoi, maar 'lieve'. *Zou Chris nog steeds iets voor mij voelen?* Ze grinnikt. Ze moet zich niet zo aanstellen. Maar daarna volgt gelijk nog een gedachte: *Ik lijk wel weer de Mila van vroeger…*

Ze scant de brief snel, hongerig naar woorden. Blijheid, verlangen, verdriet maar ook een beetje wanhoop borrelen in haar op.

Ze maant zichzelf tot kalmte. *Je bent geen zeventien meer*. Zo oud was ze toen ze hem brieven schreef. Wat ze schreef weet ze eigenlijk niet meer. De woorden deden er ook niet toe, het ging om wat ze daarbij voelde. *Dat* herinnert ze zich maar al te goed. Nu is ze al veertig. Getrouwd. Verantwoordelijk voor een gezin. De geboortes van de kinderen hebben haar lichaam getekend.

Toch kan ze de contouren van het jonge meisje dat ze ooit was nog wel herkennen. Lucien geeft haar amper nog complimenten over haar uiterlijk en seks met hem lijkt een verre herinnering. Mila kan dan ook genieten van een onbeduidende flirt met een van de mannen uit het dorp. Haar achterbuurman had eergisteren op haar glimlach ingespeeld. Ze bespraken de aankomende barbecue. Mila had voor de zekerheid aan de achterbuurvrouw gevraagd wat de plaatselijke gebruiken waren. Naast de tips en trucs kreeg ze ook alle dorpsroddels te horen. Niet dat ze alles kon verstaan, maar met handen en voetenwerk kwam ze een heel eind. Ze had wat vleiende glimlachjes naar de achterbuurman ingezet. Heel voorzichtig, dat wel.

Op het moment dat zijn vrouw hen even alleen had gelaten, sprak hij met een joviale lach: 'Blijf jij maar weg bij die barbecue, want het wordt ondanks de herfst een hete nazomerse dag. En de warmte die jij uitstraalt, kan net een beetje teveel van het goede zijn.' Hij legde even zijn arm om haar middel.

Ze moest er zelfs van blozen. Ze had hem even in zijn arm geknepen en zoiets gezegd als: 'gekkerd, je overdrijft'. Daarna was ze snel weggelopen, lachend, zich afvragend of haar vertaling wel helemaal had geklopt.

Ze drukt de iPad stevig tegen zich aan. Komen deze gevoelens allemaal door die brief van Chris? Of nog scherper gesteld: komt het allemaal door de hernieuwde ontmoeting met Chris, dat ze zich zo anders voelt? Dat verlangen dat zich van haar lichaam meester maakt? Had ze te veel romannetjes gelezen? Is het de drang naar avontuur, die zich nu opnieuw aandient? *Wat een vragen, en geen enkel antwoord dat deugt.* Stel dat ze haar opzij gezette gevoelens voor Chris nu wel de vrije loop zou laten? De gevolgen zouden niet te overzien zijn. Ze klapt haar iPad weer open, haalt diep adem en begint woordje voor woordje opnieuw te lezen.

Lieve Mila,

Ik ben benieuwd naar je reactie als mijn mail bij je binnenkomt. Ben je nog steeds zo ongeduldig en nieuwsgierig als vroeger? Ik weet dat je op een teken van leven van mij hebt zitten wachten. Heb al je berichtjes op Facebook gezien en ik heb ook je mailtjes aandachtig gelezen. Sommige zelfs twee keer. De berichtjes die je naar me stuurt noem ik brieven. Zo voelen ze voor mij wel. De zinnen kunnen ook alleen maar van iemand als jou komen: zo mooi en vol gevoel. Gek eigenlijk, dat ik over je schrijf alsof ik je nog steeds ken. Toch zit er een heel leven tussen ons in. Beetje bij beetje krijg ik mee waar jouw leven je gebracht heeft. Sommige dingen verbazen me, zoals je verhuizing naar Frankrijk. Ik had niet gedacht dat jij ooit je geboorteplek zou kunnen verlaten. Ha ha, je zat altijd wel vol grote verhalen, maar dat waren vooral avonturen in je hoofd. Vind het knap van je, dat wil ik er eigenlijk mee zeggen. Ik moet lachen wanneer je me briefjes stuurt met de voorvallen uit je dorp. Ik zie er zelfs al gezichten bij, vraag me af of dat ook klopt. Je achterbuurvrouw bijvoorbeeld, ik heb het idee dat ze steevast een kapotte panty aanheeft en dat ze een beetje zeurderig kijkt. Je berichtjes hebben van de mensen om je heen personages gemaakt. En dat is knap. Ik ben nu al benieuwd naar de bbq van de burgemeester. Beloof me dat je je zult gedragen? Je bent er gek genoeg voor, om de burgemeester om te praten een Facebookpagina aan te laten maken voor het dorp, om zo het toerisme wat aan te laten trekken.

Mila, ik vind het zo apart om je deze brief terug te schrijven. Het is net alsof het vanzelf gaat. Ik heb het dagen uitgesteld en nu stoppen mijn vingers niet met typen. Ik begin nu jouw gevoel te begrijpen, dat je me zoveel wilt vertellen. We hebben meer dan twintig jaar om in te halen, zo voelt het echt. En aan de andere kant doen die twintig jaar er niet toe. Ik pik jouw leven zo weer op, snap je wat ik bedoel?

Ik zou naar ons stamkroegje gaan en 'mijn' kruk opzoeken, wetende dat jij komt. Dan hang je jouw jas naast de mijne. Als ik ga 'flipperen' kom je vast en zeker nonchalant achter mij staan. Om de spanning op te voeren, negeer ik je dan een beetje. Herinner jij je dit ook nog? Als we lol maakten, schoven wij elkaar bierviltjes toe. We schreven er teksten op. Het was één en al gekkigheid, maar eigenlijk ook weer niet. We waren elkaar aan het aftasten.

Ik weet nu niet of ik je elke week zoveel zal schrijven, maar je moet wel weten dat ik alles van je lees en daarvan geniet. Ik denk daar dan op de gekste momenten aan terug. Vandaag in de klas ook. De kinderen waren met een eigen werkje bezig en ik dacht na over jouw geniale plan om een olijfboomgaard te maken. Je hebt vast het halve dorp hiervoor uit laten rukken. Zouden ze weten dat je helemaal geen olijven lust? Ik heb blijkbaar een beetje een grijns getrokken, want de klas zat me opeens uit te lachen. Weg was mijn gezag!

En gisteren bij het boodschappen doen, popte opeens dat receptje van jou in mijn hoofd op. Heb geitenkaas gekocht, amandelen en al die andere dingen die erin moesten. Nou, ik moet je zeggen, we zijn toen toch maar frietjes gaan halen. Het smaakte nergens naar. Oh, sorry, dat was niet onaardig bedoeld. Ik wilde alleen maar zeggen dat je berichtjes met me mee reizen, zo door de dag heen. Wil je dat goed onthouden? Ik zie jouw onzekerheid namelijk wel hoor, dan begin je me te spammen. Hoe meer berichtjes, hoe meer je aan het twijfelen bent of ik ze lees en of ik ze wel op prijs stel. Nou, meid, dat doe ik dus. En nu, nu schrijf ik je terug. Je hebt mijn volle aandacht, per brief.

Als je het niet erg vindt, lieve Mila, pak ik er even wat te drinken bij. Daar merk jij niks van, maar toch wil ik het je melden. Ik neem een wijntje en ik proost op jou. Heb eigenlijk al heel lang geen toast meer op iemand uitgebracht en al heel lang geen wijn meer met iemand samen gedronken.

En dan nu je antwoord op je prangende vraag: ja, ik ben blij met ons contact! Ik vond en vind je berichtjes heerlijk. En mijn wereld stond even stil toen ik je zag tijdens het skypen, al was het maar een flits. Ik heb echt even tijd nodig gehad om ervan bij te komen. Het leek alsof ik even stopte met ademhalen. Ik herkende meteen dat meisje van vroeger in de mooie vrouw die je nu bent.

Ik twijfel nog steeds of het slim is om je deze brief te sturen, om je te blijven 'zien'. Soms, als ik jouw berichtjes lees, lijkt het bijna alsof je naast me zit. In ons oude kroegje. Sterker nog, alsof je je weer bij mij in de buurt weet te wurmen en je hand op mijn knie legt.

Aan de ene kant is dat gevoel heel erg mooi, maar aan de andere kant krijg ik het er Spaans benauwd van. Mijn leven is goed zo. Precies zoals het nu is, bedoel ik. Dat klinkt misschien hard of raar. Maar weet je, ik heb er hard voor moeten knokken om alles geregeld te krijgen zoals het nu loopt. De afgelopen jaren waren niet altijd even makkelijk. Ik weet dat ik nu voor jou in raadsels spreek. En dat spijt me, maar het is even niet anders. Neem je er voorlopig genoegen mee dat ik aan je denk? Want dat doe ik. Echt. Meer dan goed voor me is.

Maar Mila, ik ben ook maar een mens. En nu ik hier zit met mijn lege glas wijn, denk ik dat het toch verdomde fijn zou zijn, wanneer jij hier nu echt naast me zat. Ik zou niks van je vragen. Niks van je verwachten. Wij zouden elkaar in de ogen kijken. Dan leg je jouw hand op mijn knie. Onze monden zullen elkaar opzoeken voor een herhaling van die éne kus.

Welterusten en liefs, Chris

HOOFDSTUK 5

Groot verdriet

Mila trekt Lobke tegen zich aan. Wat wil ze eigenlijk met Chris? Wat verwacht ze van hem?

Het huwelijk met Lucien heeft haar niet gebracht wat ze ervan verwacht had, als ze heel eerlijk tegen zichzelf is. Is ze ter vervanging op zoek naar erotische en sensuele spanning? Wat ze in ieder geval wel onderkent, is dat ze maar al te graag oude herinneringen wil laten herleven. Maar is dat wel eerlijk? Ook naar Lucien toe?

Wat als deze brief van Chris er niet zo uitnodigend uit had gezien? Zou ze dan teleurgesteld zijn geweest? De brief kleurt haar beeld van Chris zoals ze zich hem herinnert: begripvol, romantisch en een tikkeltje chaotisch. Hoe is het mogelijk dat deze man niet snel een nieuwe vrouw heeft weten te vinden?

Waar ben ik in Godsnaam mee bezig? Ze heeft een gezin en woont in Frankrijk. Een affaire zou alles stuk maken!

Het gevoel niet helemaal gelukkig te zijn, komt nu in één klap naar boven. Ze leest de brief nog een keer en weet dan dat dit is wat ze wil: genegenheid, warmte en aandacht.

Langzaam staat ze op en loopt de trap op. Te moe om haar sokken nog uit te trekken, schiet ze onder de dekens, die klam en koud aanvoelen. Ze rilt, rolt zich op in een foetushouding en valt in slaap.

Mila schrikt wakker. De voordeur slaat met een harde klap dicht. Ze heeft even nodig om tot zichzelf te komen. Ze kijkt op haar horloge. *Shit, verslapen!*

Ze staat op en kijkt door het raam. De auto van Lucien is al weg. Ze ziet Laurie en Lucas nog net met hun fietsen het erf afsnellen. Wat lief dat ze haar met rust hebben gelaten en uit hebben laten slapen. Anderzijds zijn ze eigenlijk ook wel groot genoeg om zelf hun ontbijt te maken en naar school te gaan.

Ze trekt haar ochtendjas aan en loopt naar beneden. In de keuken kijkt ze verrast op. Alles is keurig netjes opgeruimd. Het enige wat er nog staat is een bord met een vers gesmeerde boterham met pindakaas. Daar heeft ze nu net geen trek in, maar het gebaar ontroert haar. Mila schenkt voor zichzelf een groot glas melk in, gaat zitten en opent haar iPad. Ze denkt terug aan de brief van Chris en voelt een tinteling door haar lichaam gaan.

In haar browser klikt ze de link aan naar de site met gedenksieraden. Alina had deze link een paar dagen geleden doorgestuurd.

Liam. Ze sluit haar ogen om de gevoelens rondom het afscheid nemen van hun zoontje even buiten te sluiten. Het was een prachtig afscheid geweest, waarbij Mila al haar liefde voor Liam tot uiting had laten komen. Ze had geen enkele aanwijzing van de uitvaartmaatschappij willen aannemen, dit was haar moment van afscheid. Het was haar pijn en verdriet, waar zij verder mee zou moeten leven.

In stilte vraagt ze zich af of ze toen meer uit handen had moeten geven aan Lucien. Het was immers ook zijn kleine mannetje. Ze staat op en loopt naar het kastje dat ze speciaal heeft gekocht om de urn van Liam in te zetten. Een notenhouten kastje. Ze toetst het nummer van haar ouders in. Haar moeder neemt op. 'Hai, mam. Met mij. Ik moest even aan jullie denken. Weet je nog dat Liam zo graag de walnoten in jullie tuin opraapte?' Ze hoorde haar moeder lachen. 'Ja, als de dag van gisteren. Hij wees de boom altijd aan met zijn vingertje. En vervolgens liep hij zo trots als een pauw rond met al die noten die geraapt had. Laurie stopte ze dan snel in het emmertje.'

'Ja...' Mila zucht. 'Ik heb dat recept van jouw notensalade laatst nog aan een vriend van me gegeven.' Mila klemt de telefoon in haar hand. Ze weet dat ook bij haar moeder nog zoveel verdriet zit om het verlies van haar kleinzoon. Het waren dierbare herinneringen, maar met een bittere nasmaak door het verlies van Liam. 'Mam, ik ga ophangen, geef je pap een knuffel van me?'

Mila pakt de urn uit het kastje. Na de crematie had ze haar zoontje in een strakke zilveren urn teruggekregen. Ze had ervoor kunnen kiezen om een eigen urn te kopen, maar ze vond het eenvoudige ontwerp van deze wel mooi. Ze raakt met haar lippen haar vingertoppen aan, geeft deze een tedere kus en strijkt met haar vingers over de koker. *Al elf jaar.* Alina is een van de weinigen die begrijpt hoe schrijnend haar verlies nog steeds is. Tegen anderen zwijgt ze, in hun ogen is het allemaal al zo lang geleden.

Via Alina's link van een paar dagen geleden was Mila op het verhaal van een edelsmid gekomen wiens vrouw was gestorven. Om haar bij zich te kunnen houden, had hij haar as in een medaillon verwerkt. Zo is zij nog steeds deelgenoot van zijn leven en maakt alle belangrijke dingen mee, in zijn beleving. Zijn verhaal en het idee erachter, hadden Mila diep geraakt. 's Avonds had ze het met Lucien besproken en hem de site laten zien.

'Mila, heb je dit nog steeds geen plekje kunnen geven?'

'Ik wil gewoon weten hoe jij erover denkt,' antwoordde ze. 'Zou jij ook iets van Liam bij je willen dragen?'

'Nee. Liam is overleden. Maar als jij dit graag wilt, dan moet je het gewoon doen. Ik houd je niet tegen.' Hij stond op en liep naar zijn werkkamer. En daarmee was het gesprek voor hem afgerond.

De woorden nestelden zich diep. Ze vroeg niet om toestemming, wel om troost en begrip. Waarom gaf hij haar altijd het gevoel dat ze aan het zeuren was?

Ze besloot door te zetten, ze wilde dolgraag iets van haar zoontje bij zich dragen. Ze had op de site drie ontwerpen uitgezocht. Een hangertje voor zichzelf in de vorm van een sterretje. Haar dochter wilde ook graag een hangertje, maar dan in de vorm van een hartje.

'Mam,' had haar jongste zoon gezegd, 'ik ga echt geen ketting of ring dragen. Maar zou het mogelijk zijn om een beetje as in een van mijn krijtstenen te laten zetten?'

Die arme jongen worstelde de laatste tijd wel vaker met de dood van zijn onbekende broertje. Een tijd terug had hij aan Mila de vraag gesteld of hij wel geboren zou zijn, wanneer zijn broertje niet gestorven was.

Mila toetst vastberaden het telefoonnummer van de Nederlandse edelsmid in. Hij vraagt vakkundig door om heel concreet voor ogen te krijgen wat Mila's wens is. Zijn reactie is wat bedenkelijk, wanneer ze hem vraagt om de as van Liam te verwerken in een krijtsteen. Maar hij vindt het een bijzondere wens en belooft zijn uiterste best te doen om er iets waardevols van te maken.

Nadat ze het gesprek heeft beëindigd, tikt ze snel een Whatsapp aan Alina: 'Ik heb net de edelsmid gebeld. Liam, mijn sieraad. Voor altijd.'

Meteen krijgt ze een berichtje terug: 'Goed gedaan! Zie je binnenkort. X!'

Mila toetst het wachtwoord van Skype in. Ze heeft zin om met haar ex collega Susan te kletsen, die heeft op vrijdag haar vrije dag en ze spreken wel vaker af om dan samen een kopje koffie te drinken via Skype.

Verhip! Chris is online. En dat op een vrijdagochtend? Het is toch een gewone werkdag. *Zal ik het doen?* Ze klikt zijn icoontje aan. Vijf lange tellen duurt het voordat hij opneemt en de verbinding op gang komt.

Oh, shit, ik zit hier in mijn gekke ochtendjas.

Hoofdstuk 6

Ochtendjas

Chris kijkt Mila lachend aan via zijn beeldscherm. 'Wat een verrassing, zo op de vrijdagmorgen.'

'Ik had jou op dit tijdstip hier ook niet verwacht.'

'Nou, als ik zou weten dat je elke vrijdag in een ochtendjas via *Skype* voor me zou zitten, dan zat ik hier heus wel vaker, hoor!' antwoordt Chris.

Mila voelt haar wangen gloeien. 'Sorry, ik zag dat je *online* was, maar vergat dat ik net uit bed ben gestapt. Ik ga me snel even aankleden.' Ze maakt aanstalten om te gaan staan.

'Nee, nee, blijf. Al had je krulspelden in je haar. Voor mij ben je mooi zoals je bent!' Hij lacht de glimlach die ze zo goed kent. 'Hoe gaat het met je? Ik las op Facebook dat je een olijfboomgaard wilt aanplanten? Als je elke dag tot elf uur in je ochtendjas rondloopt, zal dat nog een hele klus worden. En wat moet jij met een olijfboomgaard? Als ik het me goed herinner, lust je niet eens olijven.'

'Fraai beeld heb je van me,' zegt Mila plagend. 'Normaal ben ik al lang wakker en met één van mijn projecten bezig. Maar vannacht werd ik door mijn iPad gewekt, omdat iemand mij een e-mail had gestuurd. Heb jij enig idee wie mij 's nachts berichtjes stuurt?'

'Nee, maar ik mag hopen dat het een bijzondere mail was?'

'Dat was het zeker,' beaamt Mila, 'maar zeg eens, waarom zit jij eigenlijk thuis? Je hebt je toch niet verslapen?'

'Om eerlijk te zijn, heb ik me inderdaad enorm moeten haasten om iedereen op tijd naar school te krijgen. Inclusief mezelf. Toen ik hijgend op mijn werk aankwam schrok ik me wild. De school was afgezet met lint en er stonden een aantal politieauto's. De leerlingen en ouders stonden er wat beduusd omheen. Het blijkt dat er vannacht aangifte is gedaan van een online post over een aanslag op mijn school. Iemand uit Duitsland vond op een dubieus platform een anonieme melding over een schietpartij op een school hier in Amersfoort.' Chris maakt een snuivend geluid. 'Er stond in het Engels: "The killing will free all those bastards from their sins".'

Mila probeert het opkomende kippenvel van haar armen te wrijven.

'Onze burgemeester heeft de dreiging serieus genomen en na allerlei online onderzoek besloten ze onze school vanmorgen in allerijl te sluiten. Ik vind het doodeng. Het liefst zou ik mijn kinderen vandaag ook van hun scholen afhalen.'

'Dat begrijp ik. Maar als er enige twijfel zou bestaan over de locatie van de aanslag, dan zouden ze heus alle scholen gesloten hebben.'

Chris wrijft in zijn ogen. 'Dat snap ik wel. De recherche is nu met een sporenonderzoek bezig. Zowel online als op school. Niemand mag het gebouw meer in. Op het schoolplein hebben we wat ouders te woord gestaan. Verder hebben we de klassentelefoonlijst kunnen gebruiken en zo ook ouders kunnen bereiken die niet bij de school stonden. Toen voor alle leerlingen opvang geregeld was, kon ik naar huis gaan. We staan allemaal stand-by en ik verwacht nog een persbericht van de burgemeester.' Hij haalt zijn hand door zijn haar. 'Het gaat me niet in de koude kleren zitten. Er spookt van alles door mijn hoofd. Zou de dader een van onze leerlingen zijn? Of iemand uit de straat die last heeft van onze school? Kinderen maken nu eenmaal lawaai, vooral als ze op hun brommers naar school komen. En gedonderjaag is er natuurlijk ook wel. Het schoolplein is een hangplek. Ik hoop echt dat het niet een van de leerlingen van onze school is geweest. Dat zou de negatieve beeldvorming alleen maar meer bevorderen.'

Mila knikt. Als advocate weet ze maar al te goed hoe beeldvorming mensen in een slecht daglicht kan plaatsen. Haar hoofd stroomt vol met allerlei zaken uit haar loopbaan. Voorvallen die haar soms de stuipen op het lijf joegen en haar deden betwijfelen of de mens überhaupt tot goedheid in staat was.

'Nu ik mezelf zie in dat Skype venster, merk ik dat het hoog tijd is om naar de kapper te gaan. Ik lijk wel een halve hippie. En die wallen onder mijn ogen...'

Ze begrijpt dat hij even niet aan de hele toestand wil denken. 'Doe niet zo gek, joh. Je haar zit bijna net als vroeger. Een echte *bed-room ruffle*. Daar doen die jochies van tegenwoordig een moord voor.' Ze moet er enorm om lachen. 'Chris,' zegt ze dan zacht, 'bedankt voor die mail. Het voelt fijn en vertrouwd om weer bij je te zijn.'

Er valt een stilte. Geen vervelende, maar een mooie warme en diepe stilte, in haar beleving. Mila doet haar ochtendjas een klein beetje open en blaast zichzelf met getuite lippen onder haar kleren koelte toe.

'Je bent nog steeds heel mooi, Mila. Weet je dat?'

'Ach, Chris,' zucht ze, 'ik ben inmiddels ook oud en afgedankt.'

'Grapjas. Je bent prachtig.'

Zou hij weten wat hij met me doet? Ach, ik snap er zelf amper iets van. 'Weet je, Chris, dit is geen spelletje voor mij. Geen Facebookgedoe. Ik neem dit heel serieus. Wat het precies is, weet ik niet. Maar ik wil je graag opnieuw leren kennen. Ik ben alleen bang dat jij vervolgens weer verdwijnt uit mijn leven, zoals destijds.'

Ze neemt Chris aandachtig op, geschokt door haar eigen openhartigheid. Heeft ze soms een fout begaan? Hoewel ze dicht bij elkaar lijken te zijn, zit er vertraging en een vreemde vertekening in de beelden. Chris vervormt tot een soort blokjesachtig patroon, dat ook nog lijkt te verspringen. *Stomme Skype!* Weg droom, weg Chris!

Gelukkig trekt het beeld uiteindelijk recht. Hij is weer terug bij haar.

'Mila, ik weet niet wat de toekomst brengt. Ik weet niet of ik verstandig handel, maar je bent zo aantrekkelijk en zo dichtbij.

Als ik hiervan weg had willen lopen, dan had ik dat al gedaan. Dan had ik waarschijnlijk niet eens je vriendschapsverzoek op Facebook beantwoord. Ja, ik heb even geaarzeld, want ik twijfelde. Maar toen ik je via *Skype* zag, wist ik het zeker: ik wil je weer terug zien! Weet je dat ons eerste gesprek maar zesenvijftig seconden heeft geduurd? En nu ben je ineens niet meer weg te denken uit mijn leven. Ik weet niet of ik het in mijn brief heb gezet en of het duidelijk was, daarom zeg ik het je nu. Mila, mijn leven was prima zoals het was. Maar nu is het meer geworden, begrijp je dat? Mijn leven is meer geworden, want jij bent erbij gekomen. Ik verlang naar je. Nét als vroeger.'

Mila voelt zich warm worden. De tintelingen die ze door haar lichaam voelt gaan spreken boekdelen. 'Hoe zou het zijn om elkaar in het echt te zien, Chris? Zouden we voelen wat we nu voelen? Of blijkt dan dat we ons deze vonk verbeelden, dat er helemaal niks is?'

'Dat geloof ik niet. Ik ben juist bang dat het alleen maar heftiger zal zijn wanneer we elkaar ontmoeten. Ik wil je vasthouden, Mila. En ik wil weten of die kus van vroeger nog zo smaakt als ik hem in mijn herinnering heb.'

'Ik wil jou ook zoenen, Chris. Heel graag zelfs,' zegt Mila met een onvaste stem. Ze voelt zich een beetje licht in het hoofd. 'Ik mag die rare blogger met zijn aanslag wel dankbaar zijn.'

Chris knikt. 'Ja, dit is een heerlijke afleiding van een vervelende ochtend.'

Mila neemt een andere houding aan. 'Heb je eigenlijk enig idee wie het gedaan kan hebben? Iemand uit de buurt misschien?'

Chris kijkt bedenkelijk. 'Bewoners zitten nooit echt te wachten op een school vol met moeilijk opvoedbare kinderen. Wij zitten bijna vijf jaar in deze buurt. Eigenlijk zijn er nog nooit echt problemen geweest. Ja, er is een keer een bal door een glazen voordeur van een bejaarde man heen gevlogen. Dat was een ongelukje. De school heeft het via de aansprakelijkheidsverzekering van de ouders geregeld. En ik ben samen met de voetballer in kwestie ook nog even bij de man van de kapotte voordeur langs geweest. Die knul zat er zelf ook mee in zijn maag. Hij had thuis op zijn kop gehad, en was blij dat ik erbij was om samen met hem excuses aan te bieden. Een flesje wijn doet wonderen. En nu gaat hij nog wel eens langs bij die man.'

'Dat heb je goed gedaan. Je was altijd al zo begaan met mensen, vooral met mensen die het moeilijk hebben. Ik ben advocaat geworden. Een snelle, mag ik wel zeggen. Maar dan ben je toch meer bezig met belangenbehartiging in conflictsituaties. Dan krijg je gelijk, of niet. Sommige zaken gingen me natuurlijk meer aan het hart en dan ging ik ook wel eens net een stap verder dan normaal. Maar jij bent echt betrokken bij mensen. Jouw leerlingen mogen blij zijn met je!'

'Dank je. Ik doe mijn best. Maar wat doe jij als snelle advocate nu eigenlijk in Frankrijk?' Hij kijkt haar vragend aan.

Ze fronst haar voorhoofd. 'Ik ben meegegaan met mijn man. Hij krijgt hier de kans van zijn leven, omdat hij zelf een dependance op kan zetten. Lucien is een echte carrièretijger. Ik denk wel eens dat hij zijn identiteit ontleent aan zijn werk. Misschien heb ik dat toen we jong waren onderschat. Ik droomde van een gezin en hij van een carrière en een grote auto. Ik wilde best de vrouw zijn achter de succesvolle man. Het is allemaal anders gelopen. Mijn werk als advocate viel op bij de eigenaar van een groot kantoor en hij heeft me mede-eigenaar gemaakt. Niet Lucien kwam met de grote auto thuis, maar ik. Dat was niet makkelijk voor hem.'

Chris luistert aandachtig. 'Heeft Lucien toen een stap teruggedaan en voor de kinderen gezorgd of hoe hadden jullie dat geregeld?'

Mila lacht. 'Nee, mijn ouders hebben ons de helpende hand geboden en ik heb ervoor gezorgd dat ik mijn tijden flexibel kon indelen. Ik heb mijn kinderen altijd voor laten gaan, soms tot groot ongenoegen van mijn compagnon. Aan de andere kant was dat ook hetgene wat hij in mij zocht: ik was geen machine, geen lopende band, maar een mens. Ik vond het heerlijk om mijn eigen kantoor te hebben, maar merkte de laatste jaren ook dat ik op mijn tandvlees liep. Lucien trok zich meer terug en ik probeerde voor hem te compenseren, vooral naar de kinderen toe. Toen Lucien me vertelde over de kans die hij in Frankrijk kon krijgen, heb ik niet lang geaarzeld. Misschien zou deze stap ons brengen naar datgene wat we geleidelijk aan kwijt waren geraakt. Tijd en aandacht voor elkaar. Samen aan een avontuur beginnen.'

'En is dat gelukt?'

'Ach, ik ben nu in ieder geval de vrouw achter de succesvolle man. Het eten staat meestal klaar als hij thuiskomt. Punt is wel dat wij dan meestal al klaar zijn met eten. Hij maakt erg lange dagen en is dan doodmoe. En ik heb niet het idee dat hij blij is om me te zien. Dus wat dat betreft klopt mijn plaatje niet helemaal.' Ze zegt het lachend, maar zo voelt het totaal niet. 'Nu ben ik een zoekende huisvrouw in Frankrijk. Iemand die een olijfboomgaard wil aanplanten, maar zelf geen olijven lust.'

Chris moet lachen. 'Ik vind olijven heerlijk, mét een groot glas robuuste wijn. En dan ook nog stokbrood. Het echte Franse. Brood waar je je verhemelte een beetje op stukbijt. Het water loopt me nu al in de mond. En dan is het ook nog 's morgens vroeg. Hoewel, het is al bijna twaalf uur.'

'Nou Chris, ik heb hier wel een bruine boterham met pindakaas voor je liggen.' Mila houdt de inmiddels kromgetrokken boterham in beeld, zodat Chris hem goed kan zien.

'Eet die zelf maar op!' zegt Chris met een afkeurende blik maar met een brede grijns om zijn mond. 'Maar het zou leuk zijn als we nu echt met elkaar aan de keukentafel hadden gezeten. Is je leven echt zo saai?'

'Ja en nee. In ieder geval heel anders dan ik gewend was. Eerst had ik natuurlijk mijn werk en nu doe ik vooral dingen in en om het huis. En vergis je niet, ik onderhoud het netwerk met iedereen in Nederland. Af en toe geef ik nog juridisch advies aan enkele van mijn oude vaste klanten. Wellicht bouw ik vanuit hier wel weer een eigen bedrijfje op. Nu ligt de focus even op het laten 'aarden' van mijn kinderen hier in Frankrijk. Maar binnenkort staat er iets heel anders te gebeuren. Dan is er een barbecue in de tuin van de burgemeester en komen de eenzame mannen naar mijn hand dingen.'

Chris begint hard te lachen. 'Die uitwerking had je vroeger al op mannen! Laat me vooral weten hoe het op die barbecue was.'

'Zal ik doen. Maar vertel eens, hoe gaat het verder in jouw leventje?'

'Ach, tot nu toe gaat het zijn gangetje. Ik vouw de onderbroeken van mijn kinderen en probeer iedereen een beetje bij de les te houden, mezelf inclusief. Maar met jou nu in mijn leven, dwaal ik een beetje af.' Chris knipoogt.

Mila glimlacht. *Zou het echt zo zijn?* Ze hoopt van wel, wil het ook geloven.

Chris kijkt verschrikt op. 'De deurbel gaat. Ik moet gaan. Spreek ik je later nog?'

Ze knikt. 'Dat is goed. Tot later, enne... Dank je wel.'

Ze verbreken de verbinding. Mila zit een moment roerloos op haar stoel. Ze herhaalt de zinnen van Chris in haar hoofd. 'Mijn leven is meer geworden...'

Mijn leven ook. Ik leef weer.

Hoofdstuk 7

Skype

Chris loopt met Mila nog in zijn gedachten naar de voordeur. Ondertussen wordt er nog een keer driftig gebeld. 'Ja, ja, ik kom eraan.' Hij doet de voordeur open en ziet een olijk ventje staan.

'Meneer, wilt u kinderpostzegels?'

'Natuurlijk.' Chris zet zijn gezicht in een stand waarvan hij zelf denkt dat het er vrij vriendelijk uit moet zien. Hij hurkt op ooghoogte, zodat ze wat beter met elkaar kunnen communiceren.

Het mannetje is een geweldig verkooptalent, want hij laat hem zien wat hij allemaal te bieden heeft. 'Deze kaarten, meneer, die vind ik zelf ook heel gaaf. Of wat denkt u van deze postzegels? Moet u eens zien. Ze hebben kei-goeie kleuren, vindt u niet?'

'Ja, geweldig, doe mij maar een setje kaarten en een setje zegels. Moet jij trouwens niet op school zitten, vriend?'

Het jongetje kleurt even en kijkt hem dan vastberaden aan. 'Allemaal tactiek, meneer. Vorig jaar was deze hele wijk al weggekocht door een paar meiden uit mijn klas. Nu ben ik ze voor.'

Chris grinnikt. 'Weet je wat? Hier, ik koop nog twee extra setjes kaarten. Maar ga nu gauw naar school.' Dat laatste zegt hij op wat strengere toon.

Zijn strenge woorden hebben niet geholpen, want hij ziet het jochie het tuinpad van de buren op rennen. Met een zucht sluit hij de voordeur. *Kinderpostzegels!* Hij heeft het gesprek met Mila afgebroken voor een setje kinderpostzegels! 'Verdomme.'

Hij klapt zijn iPad open om snel Skype op te starten. Helaas,

Mila is offline. Ze is zich vast gaan aankleden. Hij voelt zijn fantasie op hol slaan.

Hij zucht en checkt zijn mail. Zou er al nieuws zijn over de school en de dreiging van de aanslag? Er zit een mail tussen met het bericht dat later vandaag een persconferentie zal plaatsvinden. *Terug naar de realiteit.* In zijn hoofd maakt hij een opsomming van de jongens die hij in de klas heeft gehad. Zou een van hen werkelijk zo ver zijn gegaan?

Hij ploft neer op de bank. De energie lijkt te zijn verdwenen. Hij schopt zijn schoenen uit en schuift een van de kussens onder zijn hoofd. Het duurt niet lang of hij is vertrokken.

Ergens in de verte hoort hij een geluid, hij kan het niet helemaal plaatsen. Opeens is hij klaarwakker. Skype zoemt. Zou het Mila zijn? Hij haast zich naar de iPad en drukt op "gesprek aannemen". 'Mila! Je bent er weer!'

Mila lacht. 'Ja, ik was nieuwsgierig of er al nieuws was over de aanslag en ik dacht dat je daarom naar de deur moest.'

Chris vertelt het verhaal van de jonge entrepreneur en Mila moet hard lachen.

'Om eerlijk te zijn, Chris, ik baalde stevig toen we ons gesprek moesten afsluiten. Heb echt even een beetje verdrietig aan de eettafel gezeten. Aan de andere kant wil ik me ook niet opdringen, snap je dat?'

Chris wuift haar onzekerheid weg. 'Joh, ik had precies hetzelfde. Zo vaak komt het niet voor dat we in alle rust met elkaar kunnen praten. Heerlijk je weer te zien, aangekleed en wel. Dat had wat mij betreft dan weer niet gehoeven.' Hij grijnst.

'Oh, vind je mijn jurkje dan niet mooi? Met zorg geselecteerd voor mij skypedate.'

Ze moeten er beiden om lachen.

'Chris, het is toch niet af en toe te veel voor je? Ik hoor soms een paar dagen niks van je en dan krijg ik meteen de kriebels. En dan zoek ik des te meer toenadering om te weten of je ons contact nog steeds leuk vindt.'

Chris schraapt zijn keel. 'Natuurlijk ben ik blij met je aandacht. Soms is het alleen wat veel, ik kan het eigenlijk af en toe amper bijhouden. En wanneer jij zegt dat het een eeuwigheid lijkt om weer wat van me te horen... Dat ervaar ik heel anders. Mijn leven is misschien ook wel zo druk dat de dagen om vliegen, maar dat wil niet zeggen dat ik niet aan je denk.' Mila valt stil. 'Chris,' vraagt ze uiteindelijk. 'Waar is dat moment van net gebleven? Heb ik het weggejaagd met mijn gezeur?'

Hij staart in haar bijna wanhopige ogen. Mila die hem had bijbracht wat het leven inhield en wat de wereld te bieden had. Waardoor zou ze zo onzeker zijn geworden? Wat wil hij haar graag vastpakken en tegen zich aandrukken. Dan neemt hij een besluit. 'Ga je met me mee naar boven?' Hij voelt zich net een jongen die zijn meisje onzeker bij de hand pakt en mee naar de slaapkamer neemt, om daar voor het eerst de liefde te bedrijven.

Weg zijn die onzekere ogen, ze lijken nu wel fonkelende diamanten. 'Ja, ik ga met je mee.'

Houden ze elkaar nu voor de gek? Proberen ze gevoelens van verlangen op te wekken, of zijn die er gewoon?

Chris zet de iPad op zijn bed en gaat op zijn zij liggen om gemakkelijk naar haar te kunnen kijken. Zou hij de moed hebben om haar te verleiden? Hij hoort haar rommelen aan de andere kant.

'Ah, daar ben je.' Mila ligt ook op haar zij.

Hij knikt goedkeurend. 'Ik wil even rustig met je praten, dichtbij je zijn. Zo lijkt het net alsof je naast me ligt.' Chris raakt met zijn vinger het scherm van zijn iPad aan. 'Ik volg nu de lijntjes van je mooie lippen.'

Mila brengt haar hand naar haar mond alsof ze daar zijn hand voelt. 'Waar heb jij je hand nu dan, want ik voel overal tintelingen?' fluistert ze. 'Chris, dit is raar.'

Hij gaat niet in op haar afleidingsmanoeuvre, hij weet ook niet waar hij mee bezig is, maar het idee Mila te kunnen aanraken schakelt zijn verstand uit.

Vroeger in het café, toen Mila tussen zijn benen stond terwijl hij op zijn barkruk zat, waren hun lijven ook maar enkele centimeters van elkaar verwijderd en hij vroeg zich vaker af of Mila

besefte wat ze met hem deed. 'Mijn hand streelt je achter in je nek en mijn mond kust je lippen.'

Onbewust gaat Mila's hand weer naar haar lippen.

'Je smaakt heerlijk. Mag ik verder gaan?'

Mila knikt. Ze draait zich nog meer op haar zij en met haar hand schuift ze haar bovenlijfje subtiel opzij.

'Met mijn vingers volg ik je kaaklijn, naar je hals en ik kus je in het kuiltje van je nek. Mijn vingers vinden je decolleté. Mila, je borsten, ze zijn prachtig.' Hij hoort haar een zachte kreun slaken en glimlacht. Zelf voelt hij zijn broek iets strakker worden.

'Chris, mijn handen strelen je rug en trekken je T-shirt langzaam omhoog. Ik vind jouw kuiltje net boven je billen. Met mijn vingertoppen ga ik heel zachtjes over je rug en ik trek je dicht tegen me aan, terwijl mijn tong jouw mond zachtjes openmaakt en ik in je lippen bijt.'

Hij voelt dat hij zijn mond opent en bevochtigt zijn lippen met zijn tong. Zijn hoofd begint te bonzen, de opwinding wordt heviger maar er is geen manier om tot ontlading te komen.

'Chris, wil je me vasthouden en niet meer loslaten?'

Minutenlang liggen ze naar elkaar te kijken via het scherm. Hij zoekt een manier om tot bedaren te komen.

'Chris ik wil je zien, maar ik ben doodsbang voor de gevolgen. Dit gevoel dat je me geeft, ik heb het in geen jaren meer ervaren en dat allemaal via die stomme iPad!'

Chris schudt zijn hoofd. 'Dit is bijna onmenselijk. Ja, we gaan elkaar zien. En ik ga je vasthouden. Mila, als ik vanavond in bed lig, mag ik dan aan je denken? Over je fantaseren? Dit gevoel van nu terughalen?'

'Graag, Chris.'

De opwinding komt als een golf terug en hij mompelt dat hij een koude douche gaat nemen en moet ophouden. De persconferentie kan elk moment beginnen en hij wil weten wat er gaande is op zijn school. 'Met pijn en moeite, Mila, maar meer opwinding van jouw kant kan ik nu niet aan. Je bent nog steeds te veel voor me. Oh, ik wil je door die iPad heen sleuren en je helemaal opeten!'

HOOFDSTUK 8

On top of the world!

Mila geniet van haar karamelthee met die heerlijke romige smaak. Voor wijn is het nog te vroeg. Ze heeft haar lekker zittende jeans aan en een wit bloesje. De jurk van net wil ze bewaren voor Chris. Ze voelt zich alsof ze de hele wereld aankan. Het skypegesprek met Chris was zo leuk geweest. *Leuk.* Ze kan geen woord vinden dat kan beschrijven hoe ze het gesprek met Chris heeft ervaren. Alsof hij gewoon bij haar in bed had gelegen. Ze had het idee dat hij zelfs haar hartslag kon horen. Het mooie is dat hij er ook van genoten had en er opgewonden van raakte.

Haar gedachten dwalen af. Zou hij vannacht echt aan haar denken? Zou hij dan iets aan zijn gevoel van opwinding doen?

Ze maant zichzelf tot andere gedachten. Genoeg opwinding voor dit moment. Haar mondhoeken krullen omhoog. De wereld zou eens moeten weten wat ze vandaag had meegemaakt.

Ze glimlacht terwijl ze op haar Facebook een bericht plaatst

Mila van den Elzen

2 seconden geleden

'I'm on top of the world!'

Vind ik leuk · Reageren · Delen

Mila denkt nog even aan het nieuws van Chris over zijn school. Hij was daar enorm van onder de indruk, dat had ze aan zijn gezicht gezien toen hij erover sprak. Ze hoopt maar dat hij tijdens de persconferentie meer duidelijkheid krijgt en dat hij snel weer voor de klas zal staan.

Even sluit ze haar ogen om het gezicht van Chris dichterbij te halen. In de stiltes die tijdens het gesprek vielen, genoot ze van zijn beeld op het scherm van haar iPad. Onbewust had ze een van haar vingers over zijn gezicht laten glijden, alsof ze hem zo kon aanraken.

Wat is dit nu eigenlijk? Een herinnering of een vonkje dat van plan is om tot vlam te ontsteken als ze het toe zou laten? Zo stom, waarom kan ze niet gewoon genieten van het moment, zonder weer meteen twintig vragen aan zichzelf te stellen? En nog erger, honderdtachtig vragen te bedenken die ze aan Chris zou willen stellen?

Ze probeert haar gedachten van Chris af te wenden door nog wat op Facebook en Twitter rond te hangen. Ze scrolt door haar twittertimeline, niet dat ze zelf vandaag iets te melden heeft.

Bij een aantal tweets met de hashtag: *#BEDREIGING SCHOOL AMERSFOORT* blijft ze hangen. Ze wordt er niet meteen veel wijzer van en surft naar de nieuwssites. Gelukkig, de dader is opgepakt en een aanslag verijdeld. Hij had wel degelijk een wapen gehad. Het blijkt een jongen te zijn, die drie jaar geleden van de school verwijderd was vanwege ongepast gedrag en nu wraak wilde nemen op een leraar.

Hopelijk gaat het niet om Chris. Ze drukt het stemmetje in haar hoofd gelijk weg en zucht. Hopelijk zou de jongen goed opgevangen worden. De reacties die geplaatst zijn onder het nieuwsartikel laten niets te wensen over. De dader wordt bijna gelyncht. Online heeft iedereen een mening en die steekt men niet onder stoelen of banken. Erger nog, normen en waarden worden vergeten.

Mila sluit de site en zoekt snel haar eigen plekje op Facebook weer op. Hier kan ze zichzelf zijn en genieten van de vrienden om haar heen. Facebook is haar uitlaatklep. Lucien vindt het maar gezever in de ruimte. Hij snapt niet waarom ze geen kranten of andere tijdschriften leest zodat ze een beetje in de realiteit blijft.

Mensen kunnen zo snel oordelen, terwijl ze maar de helft van het verhaal kennen, bedenkt ze. Het kan wel zijn dat ze nu in Frankrijk woont en vooral bezig is met haar olijfbomen, het gevoel om recht te willen doen, neem je nooit weg uit een advocaat. Ze was een goede advocate, scherp en bij tijd en wijle bijzonder sluw. Ze won haar zaken omdat ze zich altijd met hart en ziel voor haar cliënten inzette. Het waren geen nummers of bonussen, maar mensen met problemen.

Haar gevoel voor goed en kwaad is toen wel op de proef gesteld. Ooit geloofde ze dat ieder mens van nature goed is en dat de omstandigheden er soms toe leiden dat mensen het verkeerde pad kiezen. Maar er waren ook daders die de schuld nooit bij zichzelf zochten. Die niet blikten of bloosden wanneer ze de familieleden van een slachtoffer aankeken. Op die momenten wilde ze naar huis racen, haar ramen en deuren op slot gooien en met de kindjes op de bank gaan zitten. Al het kwaad van de wereld buitensluiten. Het bezorgde haar meestal wat nachtmerries gedurende een aantal nachten, om daarna weer tot de aarde terug te keren met beide voeten stevig op de grond en te genieten van de lach van haar kinderen.

Hoe zou het nu met de kinderen van Chris zijn? Zou het nieuws daar ook al zijn binnengekomen? Ze pakt haar telefoon en tikt een sms-bericht aan Chris: *Komt goed, Chris. De dreiging is voorbij. X Mila.*

Ze staat langzaam op en zet het theekopje in de gootsteen. Ze kijkt op de klok en ziet dat haar kinderen waarschijnlijk onderweg naar huis zijn. Opeens voelt ze de oude drang opkomen om haar kroost veilig binnen te hebben.

HOOFDSTUK 9

Zaken zijn zaken

Mila hoort de voordeur opengaan, ze heeft niet gemerkt dat Lucien met de auto thuisgekomen is. Mila hoopt dat hij niet aan haar zal merken dat ze in haar sluit-de-deuren bui was. Hij moet er altijd om lachen, alsof hij haar gevoelens allesbehalve serieus neemt. Niet dat ze op dit moment haar gevoelens met hem zou kunnen, laat staan willen delen. Ze zet haar mooiste glimlach op en zegt: 'Hello stranger, wat doe jij hier zo vroeg in de middag?'

'Ben jij daar niet blij mee dan?' grapt hij terug.

'Tuurlijk wel, alleen ik ben dat niet meer zo gewend,' geeft Mila als antwoord terug. 'Wil je iets drinken? Koffie of liever een wijntje? Het is vrijdag, dus dan mag dat, toch?' Eerlijk gezegd is ze zelf toe aan een wijntje.

Lucien gaat zitten en schopt zijn schoenen uit. Mila maakt zijn stropdas los. Ze vindt Lucien knap in zijn kostuum, maar in zijn spijkerbroek en T-shirt lijkt hij minder afstandelijk.

Lucien schraapt zijn keel. 'Mila, ik ben wat eerder thuis omdat ik moet pakken, ik moet onverwachts naar een bijeenkomst in Zwitserland. Mijn vlucht vertrekt over een paar uurtjes. Het spijt me, ik weet dat jij je verheugd heb op de barbecue hier in het dorp, maar dit gaat echt voor.'

Mila weet dat het geen zin heeft om te protesteren. Af en toe vindt ze het niet eens meer erg als hij weg is. Ze zucht en schenkt de glazen met wijn in. Ze hoopt dat de kinderen snel thuiskomen, zodat ze nog even met hun vader kunnen kletsen.

'Vertel,' zegt Lucien, 'hoe was jouw dag?'

Mila is even stil van deze onverwachte vraag, het is lang

geleden dat hij daarnaar heeft gevraagd. Zou hij aan haar zien dat deze dag anders is geweest?

Ze vertelt dat ze later dan normaal is opgestaan en dat de kinderen een boterham met pindakaas hadden gesmeerd. Ze haalt even adem en begint te vertellen over het verhaal van Chris en zijn school. Ze brengt het verhaal alsof ze het via Facebook heeft vernomen. Dat op de school van een oude bekende uit Nederland een aanslag is verijdeld.

Lucien reageert zoals ze verwacht had. 'Ach, de hele stad in rep en roer vanwege zo'n onruststoker. Dat ze hem maar een flink aantal jaren wegstoppen. Al betwijfel ik of zo'n jongen het lef gehad zou hebben om werkelijk een bloedbad aan te richten.'

Zijn antwoord doet geen recht aan haar gevoel. Ze weet dat het geen zin heeft om hem te overtuigen van de impact die het had op de school en op Chris. Hij kent Chris niet eens en daar Chris geen belangrijk netwerk of zakelijk contact voor hem zou kunnen zijn, zou hij er ook niet veel tijd en aandacht aan willen besteden. Ze weet ook dat hij allang blij is dat hij de barbecue van morgen kan overslaan.

Gestommel bij de achterdeur kondigt de thuiskomst van hun kinderen aan.

Lucas stormt als eerste naar binnen. 'Pap, je bent al thuis! Wat fijn, kun jij me misschien helpen met mijn werkstuk?'

Lucien draait ongemakkelijk op zijn stoel. Mila bemerkt dat Lucien er opeens erg vermoeid uit ziet. Even schrikt ze. Misschien is het hem allemaal teveel?

'Wil je niet eerst wat drinken, lieverd?' springt Mila in het gat van de gevallen stilte.

Lucas gooit zijn tas aan de kant en ploft op de bank. 'Ja, lekker mam.'

Mila aait hem even door zijn haren. 'Bah, wat heb je er weer veel gel in gedaan.'

Laurie komt ook binnengelopen, haar lange haren wapperend achter zich aan.

'Daar is mijn mooie meid.'

Laurie lacht en knuffelt haar moeder. 'Daar heb je mijn lang slapende mama,' grapt ze. 'Vond je de boterham lekker?'

'Ik denk dat ik vaker wat langer blijf liggen.'

'Kun je gerust doen, mam, wij smeren jouw broodjes wel.'

Mila glimlacht. Ze weten beiden dat dit een unicum was.

'Hé, pap is er ook al, gezellig.' Laurie loopt naar haar vader toe en drukt hem een zoen op de wang.

Mila haalt de hete aardappels voor Lucien uit het vuur door te vertellen dat hij zo weg moet naar een belangrijke bijeenkomst. Ze weet dat vooral Laurie het zich altijd erg aantrekt wanneer haar vader weer eens niet thuis is.

Lucien drinkt zijn glas wijn leeg en staat op om zijn spullen te pakken. 'Jongens, zijn jullie een beetje lief voor mama? En let een beetje op dat ze niet nog meer dieren in huis haalt terwijl ik weg ben.'

Mila merkt dat Lucien eigenlijk iets tegen haar wil zeggen. Ergens voelt hij zich wellicht schuldig over zijn vele reizen voor het werk. Maar hij kan en wil het niet veranderen.

Met een "ik moet nu rennen" vliegt hij het huis uit. Een kus zit er niet meer in. Mila brengt haar hand even naar haar lippen. Zouden zij en Lucien nog wel kunnen kussen? Zou zij dat überhaupt nog willen?

Ze schrikt op uit haar mijmeringen als Laurie naast haar komt staan.

'Mam, zullen we papa verrassen en gewoon een paard gaan kopen?' Lauries ogen twinkelen van pret.

Mila knijpt haar even zachtjes in haar wang en grinnikt. 'Jij, gekkie.'

'Mam?' Laurie kijkt haar moeder indringend aan. Mila kijkt terug in haar blauwe ogen en ziet even zichzelf terug. 'Wat is er, Laurie?'

'Je ziet er zo moe uit, mam. En vanmorgen sliep je zo ontzettend lang. Ben je ziek?'

Mila trekt een verbaasd gezicht. 'Zie ik er moe uit?' Meteen loopt ze naar de grote spiegel aan de muur in de woonkamer. 'Nou, bedankt Laurie. Ik ben dan wel niet meer de jongste en heb vandaag inderdaad iets meer wallen dan anders, maar verder ben ik nog enorm fris en fruitig.'

Ze lachen allebei. Het is Lucas die een kussen naar het hoofd van zijn moeder gooit. Mila vangt het kussen behendig op en gooit het snel naar Laurie, die daar niet op bedacht is.

'Kussengevecht!' gillen ze alle drie.

Mila doet even een stapje naar achteren. Ze haalt diep adem en zuigt het tafereel in zich op. Hier leeft ze voor.

Ze pakt een groot knuffelkussen van de bank en duikt bijna boven op Lucas. 'Hebbes, jij!'

Ze stoeien met elkaar alsof ze dolle honden zijn. Heerlijk, onbevangen en zonder stress.

'Zo, jongens, ik ga even zitten. Ik ben natuurlijk niet meer de jongste en daarnaast zie ik er vandaag uit als een wrak, aldus Laurie.'

Laurie trekt een verongelijkt gezicht. 'Zo heb ik het niet bedoeld.'

'Ik plaag je maar, meisje.' Ze ploft in haar oude stoel, een aftands, lelijk ding waar ze geen afstand van kan doen, omdat hij van haar lievelingsoma is geweest. Ze masseert haar slapen, ze heeft hoofdpijn. Ondanks dat ze gezellig bij haar kinderen is, zijn haar gedachten bij Chris.

'Mam, blijf jij maar lekker zitten. Lucas en ik gaan je vandaag eens verwennen.'

Lucas grijnst. Als jut en jul staan ze naast elkaar met allebei een kookschort om.

Mila lacht. 'Ik zal de verbanddoos vast klaarzetten. Wacht, blijf nog even zo staan.' Ze pakt snel haar mobiel en klikt, de foto is gemaakt.

Lucas maakt een kokhalzende beweging. 'Oh nee, niet voor op Facebook. Niet alweer.'

'Ach jij,' zegt Mila. 'Het is zo leuk voor...'

'Voor opa en oma!' roepen broer en zus in koor.

Mila schrikt op van het gezoem van haar telefoon. Ze moet in slaap gevallen zijn. Half soezend neemt ze op. 'Met Mila.'

'Mila, met mij, Chris. Heb ik je wakker gemaakt? Je klinkt zo...'

Ze springt van schrik op uit haar stoel. *Chris! Aan de telefoon!* Ze kijkt even over haar schouder. Haar kinderen staan samen in de keuken en zijn aan het bekvechten over het menu. Ze loopt naar buiten, de veranda op. 'Chris, wat fijn dat je belt. Ik heb gelezen dat de dader is opgepakt, maar ik heb de hele tijd een naar gevoel gehad. Hij had het toch niet op jou gemunt, hè?'

Het duurt even voor Chris antwoord geeft. 'Ze zijn nog met allerlei onderzoeken bezig. En we kennen nog niet precies het hoe en waarom. Later vanavond komen we met het lerarenteam en het onderzoeksteam samen. Het geruchtencircuit is op gang gekomen en ik probeer daar even vandaan te blijven. Vanavond komt mijn broer op de kinderen passen. Zij zijn ook erg geschrokken van het idee dat er werkelijk gevaar is geweest. Het dringt nu ook langzaam door tot mij. En aangezien ik weet hoe jij een beetje in elkaar steekt, heeft het jou ook vast aangegrepen. Daarom bel ik. Maak je geen zorgen, Mila. Bedankt ook voor je sms, erg lief van je. En die honderdduizend vragen die je nu in je hoofd hebt, heb ik ook, maar ik kan ze nog niet beantwoorden. Vertrouw me, alles is goed. Je krijgt een dikke kus van me.'

'Jij ook van mij,' stamelt Mila terug.

'Kunnen we later vanavond misschien even skypen, als je tijd hebt?'

Mila knikt en beseft dat Chris dat natuurlijk niet kan zien. 'Ja, natuurlijk, ik maak tijd. Ik heb veel aan je gedacht.' Ze wil nog veel meer zeggen, maar Chris kapt haar af.

'Mila, ik ga je hangen nu, ik hoor mijn broer aankomen. Tot vanavond.'

Verbaasd luistert Mila naar de pieptoon. Het duizelt haar even. Vanavond wil hij skypen!

HOOFDSTUK 10

Samen in bed

'Mam, kom je? Het eten is klaar.'

Mila schrikt op uit haar mijmeringen. Opeens is haar eigen leven er weer, naast Chris. Twee gescheiden werelden. *Geen idee waar dat heen moet.*

Laurie en Lucas staan glunderend naast een mooi gedekte tafel. Er liggen zelfs servetten naast de borden.

Mila fluit tussen haar tanden. 'Sjiek hoor!'

Laurie gaat naar de keuken en komt terug met een dampende ovenschaal in haar handen. Ze zet hem midden op tafel.

Mila heeft geen idee wat ze in elkaar geflanst hebben. De kinderen hebben duidelijk hun best gedaan en ook al ziet het er niet uit, ze zal het gewoon opeten. Vol goede moed schept Mila haar bord vol, de kinderen kijken nieuwsgierig toe. 'Eten jullie niks?' vraagt Mila. 'Ik ga dit echt niet helemaal alleen opeten, hoor.' Ze neemt snel een hap zodat ze door de zure appel heen is. Ze doet haar best om geen vies gezicht te trekken.

Lucas en Laurie vallen om van het lachen.

'Mam, laat maar. Je hoeft niet te doen alsof het lekker is.' Proestend van het lachen, tovert Laurie een paar pizza's tevoorschijn. 'We hebben maar een noodgreep toegepast, het ging niet helemaal goed in de keuken.'

Mila lacht mee. Het voelt bevrijdend.

De avond is gezellig; ze hangen samen voor de tv. Mila is er niet helemaal bij met haar gedachten. Ze denkt terug aan de woorden van Chris. Ongeduldig checkt ze af en toe haar iPad.

'Mam, wat kijk je toch de hele tijd op dat ding? Heb je weer een of ander bod op zo'n veilingsite gedaan? Ik mag hopen dat je op een mooi paard geboden hebt.'

Mila lacht. 'Ja, zoiets. Maar jongens, het is laat en ik heb vannacht niet zo goed geslapen, dat hadden jullie vanmorgen al gemerkt. Ik ga mijn bed eens opzoeken. ' Mila staat op en geeft Lucas en Laurie een knuffel. 'Bedankt voor vandaag, het leek wel Moederdag.'

Lucas grinnikt.

'Mam, wij blijven nog even op en kijken samen de film af, goed?' vraagt Laurie.

Mila kijkt naar de klok en fronst even. 'Ach, vooruit.' Ze loopt naar de keukenkast en haalt er een zak chips uit. Ze gooit de zak met een plof op de bank en zegt: 'Geniet er maar lekker van!'

Heerlijk dat ze die twee gewoon lekker even hun gang kan laten gaan. En waarom ook niet, ze zijn oud en wijs genoeg. Ze heeft geen zin om haar tanden te poetsen, ook al strookt dat niet met haar dagelijkse routine. Ze voelt zich een beetje opstandig en grijnst alleen maar naar de spiegel.

Lucien is er toch niet, dus ze kan gewoon via zijn kant het bed in springen. Toch doet ze dat om de een of andere reden niet. Ze loopt om het bed heen en ploft neer op haar eigen deel. Ze rolt zich lekker op in de dekens, haar sokken laat ze nog maar even aan. Die ijsklompjes van haar hebben altijd even tijd nodig om op temperatuur te komen.

Ze kijkt op de klok. Zou ze nog wat horen van Chris? Ze besluit hem een klein berichtje via Facebook te sturen. Ze wil zich niet te veel opdringen, maar dit wachten maakt haar gek. 'Chris, ben je er?'

Geen reactie. Wat voelt dat leeg en stil, zo zonder reactie. Ze klapt haar iPad dicht. Alsof het de schuld van dat ding is dat er geen *ploing* terugkomt. Ze knipt het nachtlampje uit en sluit haar ogen.

Ongeduldig als ze is, doet ze het lampje weer aan en besluit nog een berichtje te sturen. 'Ik ga zo slapen, ik weet niet of je nog online komt, maar anders *ploing* je me maar wakker.' Zo, meer kan ze nu niet doen.

Kom op, Mila, iPad dicht en slapen, morgen is er weer een hoop te doen. Ze zucht en gaat liggen. Ze heeft een hekel aan wachten. Nu maakt ze zich ook nog eens zorgen. Hij zei wel dat alles goed was en dat ze zich geen zorgen hoefde te maken, maar god weet wat er nog allemaal gaande is. Mila vecht tegen de vermoeidheid. Jeetje, zo'n slaapkop is ze anders nooit. Even dommelt ze weg.

Bij het horen van een *ploing* zit ze weer rechtop in haar bed. Lampje aan. IPad open. Zou het Chris zijn?

'Mila, ben je er nog? Of maak ik je nu wakker?'

Haar hart maakt een sprong. 'Ik ben er, ik ben er.'

'Wil je nog skypen?'

Mila drukt gelijk op het telefoontje en Skype begint te bliepen.

Chris verschijnt in beeld. 'Oh, je ligt al in bed!'

'Ja, ik lig al in bed.' Ze trekt de dekens even wat verder over zich heen.

'Dit is apart,' zegt Chris en hij grijnst.

Mila ontploft bijna van binnen. Heeft ze uren zitten wachten op een teken van leven en dan voeren ze nu een Jip-en-Janneke gesprekje? 'Chris, kom op, vertel, hoe gaat het met je? Is alles echt goed?' Ze veegt haar haren uit haar gezicht. Ze voelt zich net een verwilderde kat. Opeens beseft ze dat ze zich echt enorm veel zorgen heeft gemaakt om hem. En nu staart ze in zijn ogen. Haar adem stokt voor een momentje.

'Ik wou dat je nu hier was, Mila. Ik kan je niet aanraken en toch is het net alsof ik je kan voelen.'

Ze ziet een hand richting het scherm komen en ze steekt haar hand ook uit. Zouden hun vingers elkaar kunnen aanraken?

Chris verbreekt de magie. Hij zit beneden op de bank in zijn huiskamer. Hij neemt een slok drinken, bier zo te zien. Hij woelt even door zijn haren. Mila kan zien dat hij moe is.

'Wil je liever gaan slapen?' vraagt ze, ook al hoopt ze dat hij "nee" zal zeggen.

Chris lacht en lijkt haar gedachten te lezen. 'Ik denk dat ik je daar niet blij mee zou maken, toch?'

Mila schudt zachtjes haar hoofd.

'Het was me het dagje wel. Het leek alsof ik de hoofdrol speelde in een nare film. Ik wil het graag met je delen, Mila, als dat mag?'

Mila knikt. Ze gaat wat rechter in haar bed zitten. 'Ik luister.'

HOOFDSTUK 11

Je mag kijken...

Chris geniet van de oprechte bezorgdheid in Mila's ogen. Wat heerlijk om weer iemand te hebben aan wie hij zich zo bloot kan geven.

En nu, met Mila, lijkt alles mooier en voller geworden. Ze geeft hem energie. Op dit moment zou hij er bijna alles voor over hebben om haar gewoon even vast te houden, aan haar haren te ruiken, met haar vingers te spelen.

Alsof dat werkelijk genoeg zou zijn. Of misschien is dat het toch. Hij heeft al zo lang niet gevreeën met een vrouw, hij zou zich nu ook nog wel kunnen inhouden. *Hoewel...*

Hij kijkt eens goed naar Mila. Ze is op haar zij gaan liggen in haar bed, haar gezicht wordt verlicht door een gek schemerlampje op haar kamer. 'Elke keer als ik je zie, ben je weer mooier. Kom, ik neem je nu mee naar boven.'

Chris kruipt zijn bed in. Ze ziet een stukje van zijn bovenlichaam. Daar liggen ze dan. Samen apart.

'Heb je nog zin om je verhaal af te maken? Ik ben erg benieuwd.'

'Oh ja, sorry, was even afgeleid, heb lang niet meer met een mooie vrouw in bed gelegen,' grapt Chris.

Mila lacht ongemakkelijk. Hij ziet er lekker uit in zijn grijze T-shirt en strakke broek. 'Dat ligt vast niet comfortabel, zo in je spijkerbroek,' zegt ze.

'Nee, niet echt. Wacht effe.'

Chris gaat staan en ze ziet nog een flard van hoe hij snel zijn broek uittrekt. Ze zou willen dat zij degene is die zijn zwarte leren riem los mag maken. Hij heeft een zwarte slip aan. Ze voelt zich een voyeur. Zou Chris door hebben dat zij hem nog net kan zien?

'Zo.' Chris is weer in bed gesprongen en ligt nu ook op zijn zij, onder zijn dekbed. 'Nu jij,' zegt hij.

'Ik ben al in pyjama, kijk maar.' Ze schuift haar dekbed wat opzij en laat haar flanellen pyjamajasje zien. Daarna steekt ze haar voet omhoog en zegt: 'Mijn sokken heb ik wel nog aan. Vooruit, dan doe ik die wel uit.'

Ze moeten allebei lachen, wat de spanning iets doet afnemen.

'Het is zo fijn dat we samen kunnen lachen, maar ook de serieuze dingen met elkaar kunnen delen,' merkt Mila op.

Ze ziet dat hij haar indringend aankijkt. Zijn ogen dwalen af naar haar pyjama jasje. Ze lijken bijna te smeken om meer van haar te mogen zien. Ze voelt de warmte door haar lichaam omhoog stijgen. Zou hij willen dat ze haar pyjama uittrekt? Net zoals zij zou willen dat ze zijn naakte bovenlijf kon zien?

Lucien slaapt vaker naakt naast haar in bed en dat doet haar weinig. Net zo weinig als het Lucien doet wanneer ze rondloopt in haar nachthemdje. Zou dat gewenning zijn? Is ze nu gewoon nieuwsgierig naar een ander mannenlijf? Ze ontwijkt de blik van Chris. De vergelijking tussen Lucien en hem heeft het spannende gevoel van daarnet naar de achtergrond doen verdwijnen. 'Chris,' gaat ze daarom op een ander onderwerp over, 'wat is er nu precies gaande geweest bij jou op school? Het klopt toch dat de dader gepakt is en dat maandag de school gewoon weer open gaat?'

Chris zucht diep.

Mila moedigt hem aan om verder te gaan met zijn verhaal.

'Er is inderdaad een jongen opgepakt. Zijn naam is Jeroen en hij heeft drie jaar geleden bij mij in de klas gezeten. Ik was zijn mentor.'

Mila voelt zich koud worden. 'Was de aanslag op jou gericht?' Een rilling kruipt over een haar rug.

'Nee, dat verhaal uit de media blijkt niet te kloppen. Hij was gewoon boos op alles en iedereen en op niemand in het bijzonder. Drie jaar geleden is hij na een aantal vervelende incidenten van school gestuurd. Hij heeft toen een medeleerling in elkaar geslagen vanwege een plagerijtje. Dat plagerijtje, weten we nu, voelde voor Jeroen als een aanslag op zijn eigen ik.

Blijkbaar had Jeroen aan zijn moeder verteld dat hij verliefd was op een van de jongens op school. Zijn moeder was daar enorm van geschrokken en had Jeroen bezworen om zijn gevoelens te verzwijgen, vooral voor zijn vader. Je kunt je voorstellen dat Jeroen zich enorm afgewezen heeft gevoeld. Stel je eens voor hoe dapper het van hem was om zijn verhaal te delen, zeker in zijn situatie.'

Mila knikt, ze kan zich er van alles bij voorstellen.

'Maar Jeroen is een jongen die zijn emoties niet goed kan beteugelen. Het is bij hem alles of niets, er is geen middenweg. De dag nadat hij zijn moeder zijn verliefdheid had opgebiecht, deed hij dat ook op school. Bij de jongen waar hij voor gevallen was.'

Mila sloeg een hand voor haar mond, ze kon wel raden wat er zou volgen.

'Jeroen werd door zijn "grote vlam" uitgejoeld voor mietje. Het nieuws ging als een lopend vuurtje door de klas. Toen ging bij hem het licht uit.'

'Jeetje, wat zijn dat voor ouders? Je zou denken dat we inmiddels in een tijd leven waarin mensen zichzelf kunnen zijn en hun omgeving ruimdenkender reageert dan vroeger.' Mila weet dat ze nu eigenlijk te snel oordeelt omdat ze met Jeroen meeleeft, iets wat je niet zou verwachten van een ex-advocate. Maar als het om kinderen gaat, kan ze haar gevoelens niet buitensluiten.

'Ik had beter moeten weten. Als mentor heb ik niet door gehad dat Jeroen het zo moeilijk had. Ik was ook een beetje zijn coach, gaf hem extra aandacht. Ik zag dat die aandacht hem goed deed. Hij hunkerde er naar. Nu pas snap ik wat er aan de hand was. Hij zag me niet meer als zijn leraar. Hij was verliefd op me geworden. Mila, hoe kon ik zo stom zijn? Ik zag het niet.

En ik voel me zo'n eikel. Door mijn aandacht heb ik hem wellicht aangemoedigd.'

'Dat kan de beste overkomen. Dat heeft niks met aanmoedigen te maken. Ik was vroeger ook verliefd op mijn leraar natuurkunde van de middelbare school. Verliefd zijn op je leraar of lerares hoort er gewoon bij. En,' voegde Mila eraan toe, 'wie zou er nou niet verliefd worden op zo'n leraar als jij. Maar goed dat je alleen maar jongens in je klas hebt.'

Chris moet erom lachen.

'Zag Jeroen het als een afwijzing toen jij je wat terugtrok uit zijn leven?'

Chris knikt. 'Ja, zo ongeveer moet het zijn gegaan. Hij heeft zich daarna op die andere jongen gestort en heeft daar zijn verliefdheid geuit en werd afgewezen. Verdorie, had hij maar zijn gevoelens met mij gedeeld, ik zou geluisterd hebben, ik zou…'

'Nee, Chris, je had hem dan ook niet kunnen helpen. Het zou hem alleen nog maar meer verward hebben. Hij wilde alleen liefde, geen medelijden.' Ze voelt zijn wanhoop, maar ook die van Jeroen.

Chris laat zich achterover in zijn bed vallen. 'Wat een verhaal, hè? Ik kan het nauwelijks allemaal bevatten. Jeroen is gearresteerd en er volgen een aantal psychologische onderzoeken. Het is nog onduidelijk of hij ook echt van plan was om die aanslag te plegen. Weet je, Mila, ik wil het antwoord niet eens weten. De school en politie hebben afgesproken om hier niks over naar buiten te brengen.

Mila sluit haar ogen. Ze kan alleen maar hopen dat Chris ook goed wordt opgevangen door de school en misschien door wat extra hulp van buiten. Ze kent hem goed genoeg om te weten dat hij op zoek zal gaan naar verklaringen, naar die momenten waarop hij anders had moeten handelen, volgens hem dan. Ze opent haar mond, maar de woorden blijven uit. Ze voelt een traan over haar wang rollen. Snel veegt ze hem met haar mouw weg. *Te laat.*

'Mila, huil je? Shit, ik wil jou hier niet mee lastig vallen. Verdorie.'

Mila lacht door haar tranen heen. 'Nee, je valt me niet lastig. Ik wilde dat ik er voor je kon zijn. Dat ik je kan aanraken, kan troosten. Ik baal gewoon enorm dat ik naar zo'n stom scherm zit te kijken.'

'Je bent er nu toch. Ik voel je armen om me heen. Heerlijk warm. Dank je dat je wilde luisteren. Ik heb de hele dag gevoeld dat ik niet alleen was, dat jij er was. Wat wil je nog meer?'

'Jou zien,' fluistert Mila, 'jou écht zien.'

Chris knikt. 'Ik wil jou ook zien. Aan de andere kant begin ik te twijfelen of dat wel zo verstandig is.'

'Ik weet niet wat je zeggen wilt, maar zeg het nu nog even niet. Ik voel me zo dicht bij je, ik wil niks horen over twijfels. Laat me even in de waan dat ik je ga zien. Je hebt gemerkt dat ik in een huilbui ben, dat moet niet nog erger worden.'

'Je snapt het niet, Mila. Het lijkt me misschien niet verstandig om je te zien, omdat ik bang ben dat ik je daarna niet meer kan laten gaan.'

Ze weet even niet waar ze moet kijken.

'Zullen we het hier nog eens rustig over hebben? Niet nu. Ik zit nog vol van het, hoe zal ik het noemen, bizarre avontuur. En jij bent ook wat van slag, na al dat wachten op antwoord.'

Ze voelt zich betrapt. 'Ja, laten we gaan slapen.'

Ze moeten lachen. Alsof ze elkaar zo een nachtkus zouden geven en ieder op zijn kussen in slaap zou vallen. Het is alsof ze bij elkaar in bed liggen, behalve dan dat die bedden honderden kilometers uit elkaar staan.

'Zullen we de iPad gewoon aan laten staan vannacht?'

'Gekkie, dan zien we toch niks. Of slaap jij met de lampen aan?' vraagt Chris. 'Weet je, Mila, hou me vannacht maar vast in je gedachten, dan doe ik dat ook. Ik weet zeker dat ik heerlijk zal slapen met jou naast me.'

Mila blaast hem een kushandje toe. 'Druk jij maar op ophangen, Chris, ik kan dat niet.' Doos dat ze is. Vroeger kon ze ook nooit ophangen.

'Dikke kus voor jou en slaap zacht, meisje.'

Het skypegesprek is ten einde. Zou ze kunnen slapen? Zou

Chris kunnen slapen? Met haar hand wrijft ze over het hoesje van de iPad. 'Welterusten, lieve Chris,' fluistert ze.

Ze zoekt naar de lege plek naast haar. Hoe zou het zijn wanneer Chris hier echt zou liggen? Ze zou zich op haar zij draaien en Chris in zijn ogen kijken, zoals ze ook in zijn ogen keek tijdens het skypen. Zou hij haar naar zich toetrekken? Zou hij het fijn vinden om haar lichaam tegen het zijne te voelen, haar borsten tegen zijn borst? Haar been over zijn heup geslagen, zodat ze helemaal in elkaar zouden passen. Mila pakt haar telefoon en begint Chris een paar berichtjes te sturen. Waarschijnlijk leest hij die toch morgen pas.

'Knapperd, ik kan niet slapen en lig over je te fantaseren. Zou je het fijn vinden om mijn lijf tegen dat van jou te voelen? En zou ik dat aan je merken? ☺'

Ze ziet dat Chris het bericht leest en dat hij terug aan het schrijven is. Hopelijk vindt hij haar niet opdringerig.

'Jij zou gaan slapen, schone dame. En ja, je zou het zeker aan mij merken. Ik was net op weg om een koude douche te gaan nemen, als je begrijpt wat ik bedoel. Ik ben ook maar een man. En jij niet zomaar een vrouw!'

'Oh, Chris. Wou dat ik jou nu kon aanraken. Ik ben benieuwd of jij mijn lichaam nog mooi vindt.'

'Dat je daaraan twijfelt. Het liefste had ik al die knoopjes van je pyjama een voor een los gemaakt en mijn hoofd tussen je borsten gelegd om daar naar het kloppen van je hart te luisteren. Ach, wat zeg ik. Die knoopjes zou ik losgetrokken hebben.'

'Zou je me nu graag zonder pyjama zien?' Mila houdt haar adem in. Ze voelt al haar grenzen en schaamte verdwijnen. Haar hart bonst in haar keel en haar lichaam zendt signalen uit die ze al heel lang niet meer heeft gevoeld.

'Ik wil niks liever. Met mijn ogen dicht heb ik je al heel vaak naakt gezien. Je mooie borsten. Het lijkt wel alsof ik ze kan voelen. Of ik met mijn tong je tepels al geproefd heb. Zachte borsten, maar stevig en vol. Je maakt me gek. Wil je toch nog even skypen?'

Skypen? Zou ze het echt durven? Met haar hand raakt ze

haar borsten aan. Het voelt alsof ze strakker staan dan anders. Het lichaam van Chris is niet het enige dat reageert. Mila klapt haar iPad weer open, veel batterij is er niet meer. Ze maakt snel de verbinding via Skype. Daar kijkt ze in de fonkelende ogen van Chris.

Langzaam maakt Mila de knoopjes van haar pyjamajasje los. Af en toe kijkt ze naar het scherm. Het lijkt wel alsof Chris gestopt is met ademen. Het idee dat ze hem in vervoering kan brengen met het losmaken van een paar knopen geeft haar een krachtig gevoel. Wat heeft ze de laatste jaren getwijfeld aan haar vrouwelijkheid en haar aantrekkingskracht. Ze werpt haar pyjamajasje van haar schouders en recht haar rug. Haar kanten behaatje past precies om haar borsten.

Chris trekt zijn T-shirt uit en ze kijkt naar zijn lichaam, zoals hij haar bekijkt.

Hij heeft mooie rechte schouders en zijn borsthaar heeft een enorme aantrekkingskracht op haar. Hij is geen jongen meer, maar een echte man. Een schok gaat door Mila's lijf. Ze zijn geen achttien meer.

'Mila?' De stem van Chris heeft weer de klank die hij vanmiddag had. Mannelijker. Wilder. 'Mag ik meer van je zien? Ik denk de hele dag aan niks anders dan aan jouw borsten en hoe ik ze met mijn lippen zou willen aanraken.'

Het lijkt alsof de kamer begint te draaien en ze voelt haar hart weer uit haar lijf bonzen. Haar lichaam reageert op zijn stem. Langzaam schuift ze de bandjes van haar bh omlaag. 'Chris, wil jij je ogen even dicht doen?' Mila voelt zich vol vuur maar tegelijkertijd kwetsbaar en onwennig. Ze wil haar lichaam laten zien, maar in haar tempo en op haar manier.

Chris sluit zijn ogen en maakt weer dat grommende geluid. 'Je maakt me gek, dat weet je toch wel?'

'Je mag kijken...' Mila fluistert de woorden.

Chris opent zijn ogen en staart haar aan. 'Verdomme, Mila. Je bent meer dan een man zich wensen kan. Ik wil die borsten tegen mijn lichaam voelen. Ik wil ze liefhebben met mijn handen en mijn mond.'

Nu is het Mila die een zacht kreunend geluid maakt. Dit gevoel van opwinding heeft ze fysiek nog nooit gevoeld. Ze gaat op haar rug liggen en houdt de iPad boven haar hoofd.

Chris heeft een houding gevonden waardoor hij haar van boven aankijkt. Er valt een stilte.

'Ik kan je bijna voelen, bovenop me,' fluistert Mila. 'Dit is waanzin.'

'En ik jou. Alsof ik echt de liefde met je bedrijf. Als ik nu bij je was, zou ik me niet meer kunnen inhouden. Ik wil je.'

En net zoals die middag is er geen uitlaatklep voor de emoties en verlangens. De erotische spanning is te snijden en bijna onhoudbaar.

Hoofdstuk 12

Waar is de liefde?

Na een nacht vol dromen wordt Mila wakker. Ze steekt vrijwel automatisch haar hand uit om te voelen of Chris er is. Natuurlijk ligt die waarschijnlijk nog te slapen in zijn bed, ver van haar vandaan. Maar het zou zo mooi zijn om hem naast haar te vinden, na het lange gesprek van gisteravond.

Ze schrikt zich rot wanneer ze inderdaad een hand naast haar voelt. Haar ogen vinden Lucien, zijn mond een beetje open, nog in diepe slaap. Hij was toch naar een of andere vergadering?

Ze had willen blijven liggen, heimelijk nadenken over het mooie skypegesprek. Maar die gedachten zouden niet tot bloei komen met Lucien naast haar. Ze zucht. Het lijkt alsof ze met haar gevoel geen kant meer op kan. De ring aan haar vinger en de man naast haar in het bed, dat is haar leven. Een leven in Frankrijk. De koning te rijk. Ze voelt als gevangen in een gouden kooi. Ze kreunt. Blijkbaar net iets te hard, want Lucien draait zich om en bedekt zijn oren met een kussen.

Mila pakt haar sokken, die ze gisteren naast het bed had gegooid, en trekt ze vlug aan. Ze sluipt de kamer uit, zoals ze wel vaker doet als ze Lucien niet wakker wil maken. Hij werkt veel te hard en heeft zijn slaap hard nodig. Bij de deuropening kijkt ze even naar hem. Niet dat ze veel kan ontdekken onder al die dekens en kussens.

Ze veegt een traan uit haar ogen. Wanneer is ze hem kwijtgeraakt? Waarom? Heeft ze het met opzet gedaan? Heeft ze de liefde laten uitdoven? Ze denkt na over de woorden van een vriend van haar, die ze ooit via haar werk had leren kennen.

Hij zei dat ze een gave had om alles weer goed te maken. Ze zou de liefde weer terug kunnen winnen. Ze moet Lucien opnieuw veroveren en laten zien wie ze is.

Ze trekt haar joggingpak aan, haar haren bindt ze in een staart. In de keuken pakt ze een cracker waar ze wat paté opsmeert en een glas water. Rust om te zitten heeft ze vandaag niet. Ze fluit tussen haar tanden waarop Lobke komt aangesloft. Ze moet lachen en knuffelt hem. ‘Arm beest, jij zit opgescheept met een baasje dat te vroeg uit de veren is. Kom, we gaan eens kijken wie er nog meer wakker is in dit dorp.’ Ze pakt haar tas en loopt naar buiten.

Lobke kijkt alsof ze zich elk moment weer om wil draaien.

‘Jeetje, hond, werk eens mee.’ Ze checkt haar telefoon. Oké, het is inderdaad wel heel erg vroeg, tien over zes pas. Ze post een Facebook bericht:

‘Hond wil om 6:10 niet mee gaan wandelen.’

Vind ik leuk · Reageren · Delen

‘Kom Lobke, rennen! Ze spreidt haar armen wijd alsof ze een vliegtuig is. Wat kan haar het schelen, niemand die het ziet.

Het dorpje ligt er vredig bij en de opkomende zon doet de daken van de huizen schitteren. Kon ze maar opstijgen, dan zou ze zo naar Chris vliegen. Verdorie, daar had je hem weer. *Chris.* Zo krijgt ze geen rust. Zou hij het fijn vinden als ze door zijn slaapkamerraam naar binnen zou vliegen? Zou zij het zélf wel fijn vinden? Misschien ligt er wel een vrouw naast hem, een vrouw waar ze niet van weet.

Oké, Mila, dat is echt onzin. Ze is weer bezig zichzelf te pijnigen met wilde gedachten. Ze voelt dat zij op dit moment de enige vrouw voor hem is. Eigenlijk is ze zelfs te veel.

De weg gaat steiler omhoog. Ze kiest ervoor om vandaag het rechter kronkelweggetje te nemen, dat heeft ze de vorige keren links laten liggen. Midden op de heuvel blijft ze staan en haalt even diep adem. Ondertussen is ze al een uurtje aan het wandelen, ze moet eigenlijk terug. Lucien slaapt nooit heel lang uit en hij zal wel koffie willen als hij wakker wordt. Heeft hij eigenlijk ooit voor haar koffie gezet? Ze moet denken aan een gesprek dat ze een tijd terug met Alina had. Dat ze eens moest ophouden om haar eigen leven, wensen en behoeften aan de kant te zetten om anderen te plezieren. En dan met name Lucien. Alina zou vragen of Lucien niet wist hoe koffie gemaakt moest worden en dan meteen haar "nou dan" blik geven.

Mila tikt toch snel even een appje naar Lucien, maar houdt dan midden in de zin op. Zou hij zich op zijn beurt zorgen maken om haar? En zou hij dan haar niet een berichtje moeten sturen?

Het patroon is opeens duidelijk. Doordat zij overal het initiatief in neemt, hoeft hij niet te handelen. Heeft ze hem zelf zo gemaakt? Hij hoeft nooit zijn best te doen voor haar. Zij doet haar best voor twee. Maar er zit meer achter. Ja, ze doet haar best, maar dat doet ze ook om niet te hoeven zien dat hij amper moeite voor haar doet. Dat gevoel wil ze niet binnenlaten, dus is ze het altijd een stapje voor. Zelf een appje sturen met waar ze is of hoe ze zich voelt, zodat het niet opvalt dat hij er niet naar vraagt.

Alina heeft makkelijk praten met haar 'Stop er toch gewoon eens mee'. Volgens Alina zou Lucien harder gaan werken voor de relatie wanneer Mila wat meer voor zichzelf zou opkomen. Ze zou Lucien's aandacht moeten opeisen door afstand te nemen of zoiets. Nou, mooie theorie, helaas komt het in de praktijk allemaal wat minder mooi uit.

Ze weet dat dit niet helemaal eerlijk is tegenover Lucien. Hij vecht ook met de spoken en demonen uit zijn verleden. Zijn werk is misschien ook een vlucht. Maar ze weet het niet zeker, ze vult dit weer voor hem in. Zoals ze zo vaak doet. *Te vaak.*

Deze verhuizing naar Frankrijk had hen dichter bij elkaar

moeten brengen, dat had ze Lucien zo vaak horen zeggen. Het blijkt een losse opmerking. Hij verbindt er geen daden aan. Had hij dan in Nederland al het gevoel dat ze elkaar kwijt waren? Hij sprak er nooit over, dat was zij altijd geweest. Zij die mee naar Frankrijk ging. Zij die de kinderen overhaalde om het daar te gaan proberen. Zij die de kinderen de droom van Lucien voorhield. Leven als een god in Frankrijk. *Daar heb je dat zinnetje weer.* Lucien had Mila overgehaald, de rest moest zij maar doen. Zijn taak zat erop. Zij regelde de dingen, pakte de koffers, verhuurde het huis, gaf het afscheidsfeestje in Nederland. En zorgde ervoor dat de drie rozenstruiken mee verhuisden naar Frankrijk. Dat, terwijl ze helemaal niet had willen gaan. Wat wilde ze ermee bewijzen? Dat ze meer om hem gaf dan andersom?

Nee, haar poging was oprecht. Ze wil er hier in Frankrijk wat van maken, met elkaar. En ze gunt Lucien deze kans. Hij zat al jaren vast in zijn werk en zijn ambities. Hij wilde vooruit. Bij elke worsteling om hogerop te komen, bleef er minder van Lucien over. Weg was zijn energie. Bij deze kans in Frankrijk heeft hij zijn vechtlust, zijn kracht teruggekregen.

Wat had hij zijn best gedaan om Mila voor zich te winnen. Ze glimlacht bij de herinnering. Gelukkig waren die er nog, herinneringen aan wie ze waren, toen. De liefde, is die er nog? Ze kijkt nog wel eens naar de trouwfoto's. De perfecte jurk, de perfecte dag, de perfecte locatie. Ze had gehuild bij het jawoord. Van geluk. Eindelijk had ze haar grote liefde gevonden. Dat hij drie dagen na het huwelijk weg moest voor een zakenreis had ze toen vreselijk gevonden. Hij ook. Samen hadden ze gehuild. Ze werden door zaken verstoord uit hun roze droom. Hij had het vreselijk gevonden en gezegd dat hij liever bij haar bleef. Zij was zijn grote liefde en de rest deed er niet toe. Hij had haar gevraagd of hij mocht gaan, want als ze echt zou willen dat hij bleef, dan zou hij blijven. Dan kon zijn baas de pot op. Wat had ze dat een mooi gebaar gevonden.

Was ze er toen al ingetrapt? Had ze toen moeten zeggen dat hij moest blijven? Dat hij prioriteit moest geven aan hun huwelijk? Had hij toen al geweten dat ze hem niks zou weigeren?

De vier dagen werden een week en vervolgens meer. Ze zat thuis met de huwelijkscadeaus om zich heen. Ze had het fotoalbum gemaakt en zich diep bedroefd gevoeld. Dit was niet hoe ze had gehoopt dat het begin van haar leven met iemand samen er uit zou zien. Ze kreeg natuurlijk opmerkingen van haar ouders en vrienden. Ze had ze lachend afgewimpeld: 'Nee, helemaal niet erg. Ik geniet. Ik kan foto's plakken, mijn dagboek bijwerken en we bellen elke dag. Die paar dagen moeten we elkaar wel kunnen missen.'

Zij was het die hem belde, toen al. Zij was het die zei dat ze op ging hangen omdat hij vast moe zou zijn van het harde werken.

Op de vierde dag had hij haar rozen met een lief briefje gestuurd; ze zouden elke dag dat hij nu weg was inhalen. Die avond belde hij dat hij niet weg kon, hij moest nog wat afmaken en dat hij hoopte dat ze genoot van de rozen.

Mila moet even slikken bij deze herinnering. Dat was het moment waarop het gevoel van die uitgewrongen handdoek was geboren.

Ze gaat even zitten op een omgevallen boom. Ze luistert naar de omgeving die wakker wordt. Een vogeltje maakt zich enorm druk over het besje dat het niet van de struiken geplukt krijgt.

Lobke's neus gaat even de lucht in. Zou Lobke ook de lucht van vers gebakken broodjes ruiken of is het haar maag die toe is aan ontbijt?

Lobke legt haar hoofd op Mila's schoot. Ze knuffelt haar en kust haar kop. Het duurt niet lang voor de tranen over haar wangen rollen.

Als de tranen op zijn, voelt ze zich opgelucht en veegt ze haar natte wangen droog. Heerlijk.

'Kom, lobbes, uit de flanken, voorwaarts mars.' Samen lopen ze de heuvel weer af. Huppelend bijna. Ze wil niet in haar verdriet blijven hangen, het leven is te mooi. Ze is trouwens ook wel benieuwd wat Lucien thuis doet. Zou hij thuisgekomen zijn om vandaag mee te gaan naar die stomme barbecue, omdat hij weet dat het belangrijk voor haar is? Die vraag kan ze vast met 'nee' beantwoorden.

Dat zei Chris trouwens laatst nog tegen haar, dat ze vaak vragen aan hem stelt, maar daar vervolgens zelf het antwoord op geeft. Daar moest ze dan mee stoppen. Mensen moeten zelf hun antwoorden maar gaan verzinnen. Ze stopt even en tikt een sms naar Chris. Gewoon of hij een beetje heeft kunnen slapen. En natuurlijk een dikke kus erbij. Een kus waar ze ontzettend naar verlangt. Ze is al heel lang niet meer gekust. Zou ze dadelijk Lucien eens kussen zoals ze vroeger deed? Met veel passie en gevoel? Gewoon eens kijken of er wat zou gebeuren?

Veel verder komen haar gedachten niet. Een sms van Chris.

"Heerlijk geslapen, wat dacht jij? Je lag toch naast me! Maak je geen zorgen, het gaat goed met me. Fijne barbecue!"

Haar hart maakt een huppeltje. Heerlijk. En wat fijn dat hij meeleeft met haar dagelijkse leventje, met de barbecue. Ze zucht nog eens diep en zet het op een rennen.

Ze ziet de achterbuurman op straat staan. Ze mindert vaart zodat ze hem niet omver loopt. Hij staart haar weer aan, zijn mond staat zelfs een beetje open. *Hm, heb ik weer.*

'Kom je even mee?' bromt hij. 'Mijn vrouw heeft lekker vers brood voor je.'

Wat zou Alina nu zeggen? Of Chris? Dat ze moet weigeren, want meelopen zou een aanmoediging zijn voor die man. Maar ja, als zijn vrouw hem gestuurd heeft, dan zou het ook weer raar zijn om niet te komen. Dus besluit ze om mee te lopen. Als een dolle begint ze te kletsen over hoe lief het van zijn vrouw is om brood voor hen te bakken. En of ze al lang getrouwd zijn?

De buurman knikt en mompelt iets over het aantal jaren.

Samen lopen ze het huis binnen. De buurvrouw staat met haar schortje om in de keuken. Ze glimlacht. 'Ik had je vanmorgen al voorbij zien komen, jij was er vroeg bij.'

'Nou, jij ook dan,' kaatst Mila terug.

'Ja, ach, morgenstond heeft goud in de mond en bovendien werd ik wakker van mijn man, die weer eens lag te kletsen in zijn slaap.'

Mila grinnikt. Ze hoopt maar dat hij niet over haar babbelde. Dat het hoofd van haar buurman een beetje kleurt doet vermoeden dat ze er niet ver naast zit. 'Het ruikt heerlijk! Bedankt. Tot vanavond bij de barbecue. Jullie komen toch ook?'

De buurvrouw knikt en vraagt: 'Zullen we jullie ophalen?'

'Nou,' zegt Mila, 'voor ik iedereen bij ons bij elkaar heb, is de barbecue vast al even bezig, dus ga maar vast, wij zien jullie daar.'

HOOFDSTUK 13

Geen tijd

Mila loopt via de veranda de serre in. Het huis lijkt nog in diepe rust. Lobke stort zich meteen op haar voerbak. Mila legt de verse broodjes in een mandje en dekt de tafel. Ze zet koffie en perst een paar sinaasappels. Ze doet vier eieren in een pannetje en legt er snel nog eentje bij, Lucien houdt immers van eieren.

Ze kijkt op de klok, half tien. Prima tijdstip. *Eens kijken of de kinderen al uit bed te krijgen zijn.* Ze loopt door de woonkamer en ziet dat Lucien in zijn luie stoel zit met de krant. Zou ze hem kussen? Ze loopt naar hem toe, maar zijn woorden brengen haar tot stilstand.

'Waar was je? Ik dacht dat je het ontbijt al klaar zou hebben?'

Mila voelt een steek door haar lijf gaan. Ze glimlacht en slikt de woorden weg die ze in zich op voelt komen. 'Heb je mijn berichtje niet gehad? Ik was met Lobke aan het lopen.'

Lucien schudt zijn hoofd. 'Nee, ik ben niet zoals jij getrouwd met mijn telefoon.'

Mila merkt dat ze weer wat woorden binnenhoudt. Als hij verdomme niet getrouwd zou zijn met zijn werk, zou zij niet zo vaak met haar vriendinnen op Facebook hoeven te zijn. En met Chris, denkt ze erachteraan. Zou ze Chris dan gezocht hebben op Facebook?

'Het ontbijt is nu klaar en ik heb twee eitjes voor je gemaakt. Waarom en wanneer ben je eigenlijk teruggekomen?' Ze probeert haar stem neutraal te houden, terwijl haar gedachten alle kanten uitvliegen. Ze voelt zich net zijn bediende. Iemand die alles maar over zich heen laat komen. Een uitgewrongen handdoek. *Maar ik doe het mezelf aan. Ik laat het gebeuren.* Waarom zei ze niet gewoon waar het op stond? Heeft hij geen handjes gekregen van onze Lieve Heer? Hij weet hopelijk toch wel hoe een koffiemachine werkt? Wanneer is hij zo lui geworden? Is lui het goede woord? Misschien moest ze vragen wanneer hij zo verwend geraakt is.

Lucien antwoordt niet meteen op haar vraag. Dus ze vraagt nog even door. Daar moet ze ook eens mee stoppen, trouwens. 'Ben je teruggekomen voor de barbecue van vanavond? Dat zou echt lief van je zijn.' Damn it, waar is ze mee bezig? Is ze hem nu aan het vleien? Heeft zij iets goed te maken?

'Nee,' zei Lucien. 'De klant heeft afgezegd. En ik heb echt niet zo'n zin in die barbecue van je.'

'Barbecue van mij?' Nu is Mila boos. Haar stem slaat een beetje over. 'Wíj zijn uitgenodigd door de burgemeester van dit gehucht. De mensen hier willen ons leren kennen. Ik ga er liever ook niet heen.' Ze begint een beetje te briesen. 'Weet je, je bent er nu, dus je gaat maar gewoon mee. Dit hele Frankrijk was jouw idee.' Zo. Ze wacht niet op antwoord, geen zin in, en draait zich met een ruk om. Ze loopt de gang in. 'Het ontbijt staat koud te worden, opstaaaaan!' Ze hoort wat gemopper en gestommel, maar ze weet dat de buiken van haar kinderen het altijd winnen van de slaap.

Ze loopt terug de kamer in. Lucien zit nog steeds in zijn stoel. Opeens krijgt ze medelijden met hem. Het is sinds ze in Frankrijk zijn nog niet gebeurd dat er een klant heeft afgezegd. Zacht zegt ze dat zijn eitjes snel koud zullen zijn als hij niet komt eten.

Geen reactie.

'Ben je boos of teleurgesteld over die klant die afgezegd heeft? Wat was het eigenlijk voor klant? Een grote?' Zoals gewoonlijk stelt ze weer te veel vragen, maar beter een paar achter elkaar, dan krijgt ze hopelijk nog een reactie.

Lucien zucht. Hij staat op en loopt met haar mee richting de keuken. 'Ja, het was een grote klant. Maar laat maar, ik los het wel op. Het komt vast goed.'

De kinderen komen de keuken binnen.

Lauries haren pieken alle kanten op. 'Hmm, mam, lekkere verse broodjes! Ooh, pap, ben jij er ook?'

Mila lacht en zegt: 'Ja, hij wil erg graag mee naar de barbecue vanavond.'

Lucien trekt een grimas, maar houdt wijselijk zijn mond.

'De broodjes zijn van de buren. Ze wilden vanavond met ons mee lopen, maar dat heb ik afgewimpeld. Gaan we lekker met z'n viertjes. Misschien moeten we maar snel dooreten en dadelijk op zoek gaan naar een paar leuke kledingwinkels. Ik heb wel zin in een nieuwe outfit. Papa trakteert!'

Lucien haalt zijn creditcard te voorschijn en zegt: 'Ik vind alles prima, zolang ik niet mee hoef met dat gewinkel.

'Nou,' zegt Laurie, 'als Lucas ook thuisblijft, dan maken we er een meidendag van. Wat jij, mama?'

Lucas begint al te juichen. 'Misschien kunnen wij dan wat stenen gaan zoeken achter bij de beek!'

Lucien wimpelt dat idee echter vriendelijk af. 'Nee, jongen, ik ben dan wel eerder thuis van mijn zakenreis, maar dat wil niet zeggen dat ik geen werk te doen heb. Gaan jullie maar lekker samen.'

Mila kijkt naar Lucas. Die voelt de teleurstelling ook, dat weet ze zeker. Lucien schijnt het ook in de gaten te hebben.

'Luister jongen, ik zou ook graag de hele dag tijd hebben om met jullie te spelen, zoals mama. Maar mijn deel in dit gezin is om hard te werken en voor mijn gezin te zorgen door geld op tafel te brengen. Dat begrijp je toch wel, kameraad?'

Lucas knikt gedwee, maar zegt niets.

'Als jullie even afruimen hier, dan ga ik me omkleden,' zegt Mila met gesmoorde stem. Ze staat op en gaat naar boven. Ze heeft even een moment voor zichzelf nodig. En behoefte aan warmte. Ze pakt haar mobiel en tikt een sms met de simpele woorden: Ik mis je.

Ze loopt naar de badkamer, neemt een warme douche en laat haar tranen de vrije loop. De tweede keer vandaag. Zou er iets in de lucht hangen?

Ze stapt onder de douche vandaan en begint zich af te drogen.

Haar mobieltje zoemt. 'Ik mis je ook, wat ben je aan het doen?'

Ze grinnikt. Snel typt ze een berichtje terug: 'Me aan het afdrogen, net klaar met douchen.'

Het antwoord laat niet lang op zich wachten: 'Hmm.'

Ze voelt zich warm en blij worden. *Aanstelster.* Snel trekt ze haar kleren aan en loopt naar beneden. De kinderen zijn ook al klaar.

'Wacht, nog even dag zeggen tegen papa,' zegt Mila.

'Moet dat?' vraagt Lucas.

'Ja, dat moet.' Eerlijk gezegd vindt Mila dat hij zich zou moeten melden bij hun vertrek, maar goed, zo zit hij niet in elkaar.

'Wij zijn weg, hè!' roept Mila.

'Doei!' roepen de kinderen.

Ze hoort een vaag gemompel uit de werkkamer komen. Ze neemt zich voor om vanavond een hartig woordje met hem te spreken. Ze weet dat er van dit voornemen waarschijnlijk weinig terecht zal komen, net zoals ze zich had voorgenomen hem te zoenen deze ochtend.

HOOFDSTUK 14

Knipoog

Het uitstapje naar Nice doet Mila en de kinderen goed. Ons verdriet drastisch wegkopen, denkt Mila. Laurie is in haar nopjes met een hele nieuwe outfit en zes flesjes nagellak in uitzinnige kleuren. Lucas loopt de hele middag gedwee elke kledingzaak mee in. Geen wonder, want Mila is zo slim om haar mobieltje aan hem uit te lenen met een nieuw spel erop. Hij moedigt haar en Laurie zelfs aan om vooral lang in een winkel te blijven passen zodat hij kan blijven gamen.

Bij een van de etalages wijst Laurie een mooi shirt aan. 'Kijk mam, echt iets voor papa!'

Mila knikt. 'Ja, zou hem mooi staan, maar dan had hij maar mee moeten gaan.' Ze beseft dat dit niet helemaal eerlijk is naar Lucien toe, ze houdt niet van zwartmakerij. 'Weet je wat? We maken er een foto van en sturen die naar papa. Dan kan hij zeggen of hij hem wil hebben of niet.'

'Hier mam, neem mijn mobiel maar even.'

Ze maakt een foto en stuurt een Whatsapp naar Lucien.'

'Ik hoop dat papa zijn mobiel heeft aanstaan.'

Mila knikt. Ze ziet dat hij online is via Whatsapp. *Hij zal wel te druk zijn met een of andere offerte.* 'Zeg, jongens, kijk eens! Een McDonalds. Dat is lang geleden! Zullen we? Gewoon effe wat vulling in onze maag voor het geval we kikkerbilletjes op de barbecue krijgen vanavond.' Mila trekt haar kinderen mee naar binnen.

Even later zitten ze met z'n drietjes aan een milkshake en frietjes. Dit moment is perfect, denkt Mila. Dit moment wil ze even vasthouden en in een doosje stoppen, om er weer uit te halen wanneer ze het nodig heeft. In dat doosje zou ze ook het sms'je van Chris stoppen, zijn reactie op haar badkamer sms. Weer voelt ze zich warm worden.

'Mam, joehoe, waar zit jij met je gedachten? Je zit toch niet aan die verkoper uit de schoenenwinkel te denken, hè?

Mila kleurt even. 'Nee, niet aan de verkoper.' Ze kijkt Laurie aan. Nuchtere Laurie, lieve Laurie. Ze pakt haar hand. 'Je weet dat ik heel trots op je ben, hè?'

'Hmm?' Klinkt het, tussen het geslurp door.

'Ik ben wel eens jaloers op je. Als er iets is, weet je dat altijd te doorbreken, maar dan met een lach. Daar bewonder ik je om, echt. Maar soms denk ik wel eens dat je wat te wijs bent voor je leeftijd.'

Laurie lacht. 'Jee mam, als je je daardoor beter voelt, wil ik me best gedragen als een vervelende puber en veel ruzie met je maken, hoor!'

'Dat bedoel ik dus,' zegt Mila met een lach en knipoogt naar haar.

Lucas trekt een vies gezicht. 'Kleffe meiden.'

Mila moet lachen. Melig als ze is, slurpt ze opeens hard aan haar milkshake en trekt een gek gezicht. Haar compenseergedrag, noemt Mila dat altijd. Compenseren voor een papa die te veel werkt.

Hoe zou het zijn om met Chris hier te zitten? En dan hand in hand door Nice te lopen? Zouden hun vingers in elkaar verstrengeld zijn? Zou hij zijn pas aanpassen aan de hare?

Ze schrikt op uit haar gedachten wanneer Laurie roept dat er een Whatsapp van Lucien binnen is gekomen. Hij wil dat shirts wel hebben.

'Ja, ammehoela,' zegt Mila. 'We gaan niet dat hele stuk weer teruglopen, hoor!'

Laurie lacht. 'Hoe schrijf je dat? Ammehoela?'

'Neeee, niet aan papa schrijven dat ik dit zei, hoor!' Ze slurpt het laatste restje milkshake op. 'Ach, vooruit, we gaan dat shirt nog wel even halen.'

Ze gooien de restanten in de afvalbak, lopen het restaurant

uit en slenteren terug naar de winkel.

Het shirt hangt niet meer in de etalage.

'Zou het weg zijn?' Lauries stem klinkt teleurgesteld.

Mila stapt de winkel binnen en ziet meteen waar het shirt naartoe is. Een knappe man heeft het blijkbaar net aangetrokken en zijn vrouw knikt hem goedkeurend toe. Mila vraagt aan de verkoopster of er nog zo'n shirt is in maat L.

De verkoopster schudt haar hoofd, het shirt wat meneer aan heeft is het laatste.

'Kom, jongens, we gaan. Anders zijn we straks nog te laat voor de barbecue.'

Mila en de kinderen lopen de winkel uit. Ze ziet nog net dat de man met het shirt haar een knipoog geeft. Even gruwelt ze. Zou die man zich nu een winnaar voelen, omdat hij haar shirt heeft weggekaapt? Hij lijkt haar zo'n typische zakenman die denkt alles naar zijn hand te kunnen zetten. Van dat soort mannen heeft ze haar buik vol. Is Lucien eigenlijk ook zo'n soort man?

Ze rijden terug naar huis en genieten van het uitzicht. Frankrijk is vandaag op zijn mooist, zo lijkt het.

Mila en de kinderen springen uitgelaten uit de auto en trekken een sprintje naar de achterkant van het huis.

'Pap!' roept Laurie. 'We zijn er weer! Het shirt was helaas al weg, maar we hebben wel twee paar boxers voor je meegenomen en een leuke blouse. Kun je die meteen aan.' Ze loopt Luciens werkkamer binnen en gooit de spullen op zijn bureau.

'Hé, Laurie, kijk eens een beetje uit. Je weet dat ik niet van rommel hou in mijn werkkamer.'

'Ja, mopperkont,' wimpelt Laurie hem af. 'Kijk nu maar of die blouse je past en misschien kan een douche vooraf ook geen kwaad.' Ze zegt het met een knipoog.

Mila kijkt het aan vanuit de deuropening. Ze ziet een dochter die hoe dan ook zielsveel van haar vader houdt. Ze ziet een vader die af en toe nogal nukkig reageert en die best eens wat meer van zijn kinderen zou mogen genieten. 'Ja, Lucien, het is tijd om ons om te kleden. Ik denk dat die blouse je goed zal staan en ik wil natuurlijk wel pronken met mijn man.'

Lucien zucht. 'Mila…' begint hij.

'Nee, Lucien, wat je ook zeggen wilt, ik wil het niet eens horen. Je gaat gewoon mee.' En voor de tweede keer die dag draait ze zich om zonder op zijn antwoord te wachten. Ze heeft er gewoon geen zin meer in. Hij moet ook maar eens over de brug komen.

Laurie heeft de badkamer in beslag genomen, terwijl Lucas al in zijn nieuwe outfit klaar zit. Nu hij op haar telefoon mag is hij opeens overal snel mee klaar, des te meer tijd om te gamen.

Mila vraagt haar telefoon weer terug en gooit een statusupdate op Facebook.

Mila van den Elzen

2 seconden geleden

'Mental note to myself: snel een smartphone kopen voor de jongste, het maakt het leven een stuk makkelijker. Qua aankleden dan.'

Vind ik leuk · Reageren · Delen

Ploing! Een chatbericht van Chris via Facebook. Of ze al aangekleed is voor het grote feest?

Ze tikt snel een berichtje terug en schrikt van haar eigen woorden. 'Bijna, maar zou willen dat ik jou aan mijn zijde had.' Wil ze dat echt?

Hij reageert op de typische Chris manier: 'Dan zou ik de man zijn met de meeste jaloerse blikken in zijn rug. Veel plezier, lieve Mila. Ik lees vanavond je avonturen wel.'

Mila beantwoordt zijn woorden met een kus. *Een vurige kus.* In haar hoofd heeft ze het moment van de eerste kus bij hun weerzien al verschillende keren afgespeeld. Hij zou haar optillen en ronddraaien en dan niet meer loslaten. Voor Chris bestaat ze tenminste. Ja, ze is duidelijk aan het doordraaien. En blijkbaar vindt ze het nog grappig ook, want ze slingert een Facebookbericht de lucht in met de woorden:

Mila van den Elzen

2 seconden geleden

'Mila draait door...'

Vind ik leuk · Reageren · Delen

Ze zoekt wat spulletjes bij elkaar om aan te trekken en roept naar Laurie dat het tijd is om plaats te maken in de badkamer.

Laurie stapt naar buiten en Mila fluit even tussen haar tanden. *Haar dochter.* Laurie zou zeker opvallen, ze is een mooie verschijning. Moet ze hier eigenlijk wel blij mee zijn?

Lang heeft ze niet nodig in de badkamer. Ze springt eigenlijk altijd in en uit de douche. De meeste tijd is ze bezig met voelen of het water niet te heet of te koud is. Dit keer is het water heerlijk. Net alsof het water al haar eenzame gevoelens van haar afspoelt en er gevoelens van verlangen voor terug geeft. Verlangen naar Chris. Een tintelende sensatie neemt bezit van haar lichaam. Jeetje, zo'n gevoel heeft ze al lang niet meer gehad. *Vast mijn hormonen. Of dat nieuwe douche-spul,* voegt Mila er grijnzend aan toe. Ze ziet het tv-spotje al voor zich. Tegelijkertijd ergert ze zich ook. Waarom wimpelt ze dit gevoel weer zo snel weg? Af en toe lijkt het wel of ze schrikt van te diepe emoties en gevoelens, bang om ze niet meer te kunnen stoppen of beheersen.

Ze stapt onder de douche vandaan en slaat vlug een handdoek om. Ze draait ook een handdoek om haar haren. Hoe zou Chris haar zien? Zou hij haar mooi vinden? Uit haar spijkerbroek die ze op de grond had neergegooid haalt ze haar mobieltje. Zou ze? Ze voelt zich stout en grinnikt. Een foto, veel is er niet te zien. Haar gezicht en blote schouders en de handdoek die haar borsten bedekt. Op de foto lijkt ze bijna kwetsbaar. Ze stuurt de foto naar het mailadres van Chris. En meteen maar een sms erachteraan: 'Dit doe ik dadelijk aan, check your mail. X Mila.'

Ze hoopt op een snelle reactie terug, maar die komt niet. Ze begint zich een beetje te schamen voor haar actie. Ze werpt zich verdorie bijna aan zijn voeten. Waar is ze toch mee bezig? Snel trekt ze haar zomerjurkje aan. Rood staat haar mooi, dat weet ze.

Focus, Mila. Op je man. Doe je best maar om hem te verleiden en niet een leraar in Nederland die zich nu natuurlijk rot geschrokken is van je halve naaktfoto. Haar man verleiden. Zou hij daar nog voor vallen?

Ze krult haar haren met de krulborstel en maakt zich op. Niet te veel, maar subtiel. Behalve dan haar lippen, die moeten met het jurkje matchen.

'Mooi!' roepen Lucas en Laurie tegelijk als ze beneden komt.

'Kom, mam, effe een Facebookfoto.' Laurie pakt Mila's telefoon en maakt een foto van zichzelf en haar moeder.

Lucien zit nog steeds in zijn werkkamer, vast druk aan het bellen met een zakelijke relatie. Mila loopt zijn kamer in en gebaart dat hij het gesprek moet afkappen.

Lucien wuift geïrriteerd met zijn hand en geeft aan dat hij zo klaar is, dat hij ze wel achterna zal komen.

Mila mompelt een scheldwoord, hard genoeg zodat Lucien weet dat het geen aardig woord is. Al zal het hem weinig doen, zaken zijn zaken.

HOOFDSTUK 15

De ontmoeting

Ze lopen richting het centrum van het dorp. Mila kijkt regelmatig om of ze Lucien al aan ziet komen. Af en toe zwaait ze naar wat mensen die ook op weg zijn naar de barbecue. Mila lacht, maar alleen van buiten. Lucien laat het vast weer afweten en dadelijk krijgt zij de vragende blikken op het feest. Ze weet dat ze het verhaal over waarom Lucien er niet bij kan zijn zo uit haar mouw schudt. Ze zal de trotse echtgenote zijn, de rots in de branding voor haar man. Ze haat het. Ze haat het om altijd alleen met de kinderen op pad te zijn. Liet Chris maar iets van zich horen, dan zou het lijken alsof hij tenminste bij haar was. Maar ook haar telefoon blijft zwijgen. Ja, een paar likes op de Facebookfoto die Laurie er net heeft opgezet.

'Kijk, mam, daar is het.' Laurie wijst een mooi oud huis aan met een prachtige tuin. Lampionnetjes hangen overal en geven de omgeving een zacht uiterlijk.

De achterbuurman staat opeens naast haar. 'Ik ben blij je te zien. Wat zie je er mooi uit, vooral in die jurk.' Zijn zware stem bromt in haar oor.

Veel te dichtbij! Ze zet snel een stapje opzij. De kriebels krijgt ze van die man. Ja, hij is leuk en aardig, maar hij is ook erg getrouwd met de achterbuurvrouw. Of zou dat typisch Frans zijn? Gelukkig maar dat Laurie het niet gehoord heeft, die zou vast weer een rake opmerking gemaakt hebben. Eigenlijk zou ze dat zelf moeten doen, maar ze wil de buurman niet kwetsen of beledigen, laat staan afwijzen. Je weet nooit wanneer je iemand nog nodig hebt, zeker als je in het buitenland woont.

Hij knikt haar toe en loopt verder de drukte in, vast naar zijn vrouw. Voor een man als haar achterbuurman is het wellicht een hele overwinning om deze woorden uit te spreken. Hij is eigenlijk nogal een stunteltje, bedenkt Mila. Ze grinnikt in zichzelf. Een stunteltje, daar zou Alina wel om moeten lachen. En Chris vast ook.

Ze wil even niet aan Chris denken. Daarvan voelt ze ze zich enkel eenzaam. Ze huivert even. In haar gedachten maakt ze de balans op. Een man met wie ze getrouwd is zit thuis in zijn werkkamer. En een andere man met wie ze flirt zit ergens in Amersfoort god-weet-wat-te-doen. En dan haar stuntelige achterbuurman die haar complimentjes geeft. Ze zou niet weten waar ze nu meer aan heeft. Ze zucht diep en recht haar schouders. Ze pakt een glas wijn en neemt het tafereel eens goed in zich op. Lachende gezichten, proostende mensen en haar twee kinderen druk in gesprek met een stel tieners.

Mila pakt haar mobieltje en wil een bericht aan Lucien sturen, maar klikt hem weer weg. Hij zoekt het maar uit. De tijd dat ze als een hondje achter hem aan liep, is voorbij. Ze typt een sms naar Alina: 'Lucien kan vandaag de pot op. Ik drink een glas wijn en ik zie wel hoe deze avond lopen gaat.' Ze sluit de sms af met drie smiley's en stopt haar mobiel in haar tasje.

Daar ga ik dan. Ze mengt zich onder de mensen. Het kost haar gewoonlijk weinig moeite om praatjes te maken met mensen in een groot gezelschap, maar ze kan het eenzame gevoel maar niet van zich afschudden.

Ze voelt ineens een hand die haar bij een elleboog pakt. Ze draait zich om. Verbaasd kijkt ze in de ogen van een slanke, knappe man.

'Madame, puis-je me présenter à vous ? Je suis Sebastiaan,' zegt hij charmant.

Verdraaid, dat shirt kent ze. Twee olijke ogen kijken haar aan. Het is de knipogende man uit de winkel van vanmiddag! Ze luistert aandachtig. Ook hij wil graag kennismaken met de nieuwe bewoners.

'Zeker met zo'n knappe nieuwe bewoonster.' Zijn glimlach laat niets te raden over.

Mila bloost. Hij is haar nota bene aan het versieren. Ze herpakt zich snel, steekt trefzeker haar hand uit en biedt haar excuses aan: 'Ravi de vous rencontrer pour faire, Sebastiaan.' Ze vertelt dat haar Frans niet optimaal is.

Hij antwoordt grijnzend in accentloos Nederlands: 'Dat hoeft ook niet, hoor.'

'Ooooh, dat is gemeen!' Mila lacht.

'Ja, sorry,' zegt Sebastiaan. 'Ik kon het niet laten. Je gaf me in de winkel zo'n dodelijke blik vanwege het shirt, dat ik je even wilde plagen.'

'Het is oké, hoor,' zegt Mila. 'Ik moet toegeven dat het T-shirt je geweldig staat! Kleurt mooi bij je ego.' Ze geeft Sebastiaan een knipoog in afwachting van zijn reactie.

'Tsja,' zegt Sebastiaan, 'wist je al dat mijn voordeur uit twee deuren bestaat, zodat ik en mijn ego erdoor kunnen?'

'Vertel eens, wat doet een man zoals jij in een dorp als dit?' Mila laat dit spelletje nog even doorgaan. Ze kan zijn manier van reageren wel waarderen. Bovendien is het fijn om met een landgenoot te praten.

'Ik kom uit Eindhoven en ben vier jaar geleden gevlucht naar het prachtige leven hier. Ben aangetrokken als marketingmanager voor een grote voetbalclub. Nog nooit een moment spijt van gehad. En vanavond al helemaal niet. Ik ben blij jou hier te zien. Toen ik je in de winkel zag, hoorde ik je zeggen dat je naar de barbecue moest. En ik heb me er erg op verheugd je weer te zien. Vertel eens, wat doet een jong meisje als jij op dit feest, weten je ouders dat je hier bent?'

Ze kaatst zijn bal. 'Knap dat jij op je twintigste al marketingmanager bent.'

Sebastiaan lacht breeduit. 'Nee, dat soort opmerkingen werken alleen bij vrouwen, niet andersom.'

'Ach, zo'n duffe huisvrouw als ik is het flirten ook al lang verleerd, ergens vijftig jaar terug,' reageert Mila met een uitgestreken gezicht.

'Vis jij naar een complimentje of zo?' grapt Sebastiaan. 'Als jij al een huisvrouw bent, wat ik niet geloof, dan ben je de mooiste huisvrouw die ik ooit heb gezien.'

Mila begint te lachen. Een rinkelende lach, diep vanuit haar buik. 'Ik kan wel merken dat jij een marketingmanager bent. Je zegt precies de goede dingen!'

Sebastiaan trekt een quasi beledigd gezicht. 'Je raakt me nu diep in mijn hart, dit was geen marketing praatje, dat zou ik nooit doen...'

Mila is verrast door dit leuke gesprek met deze vreemdeling. Het voelt goed aan. Ze is verrast door zijn openheid en zijn natuurlijke manier van communiceren. Zijn geflirt ligt er zo dik bovenop, dat ze er om moet lachen. En ze vindt het heerlijk om het spel mee te spelen.

Sebastiaan buigt zich voorover en fluistert in haar oor: 'Niet direct omkijken, maar wie is die man die ons in de gaten houdt?'

Voorzichtig kijkt Mila om zich heen.

Sebastiaan maakt een knikje in de richting van een man die wat ongemakkelijk hun kant op kijkt. 'Is dat jouw man?'

'Oh, nee, dat is mijn achterbuurman. Ik denk dat hij een oogje op me heeft. Mijn man is op dit moment nergens te bekennen.' Mila moet glimlachen. De afgelopen week nog heeft ze zich zo eenzaam gevoeld en nu tijdens een barbecue krijgt ze zowaar aandacht van twee mannen. Ze trekt Sebastiaan behoedzaam aan zijn mouw een eindje verder de tuin in, uit het oog van de achterbuurman.

'Zo,' zegt Sebastiaan, 'je bent getrouwd en je hebt een achterbuurman die een oogje op je heeft?'

'Ja, die buurman... Hij is gelukkig nog geen kopje suiker komen lenen. Hij is niet echt mijn type. Bovendien is het gevaarlijk om iets met een buurman te beginnen. Daar komt alleen maar ellende van.'

'Zou je mij wel een kopje suiker lenen? Ik ben tenslotte niet je buurman.'

Wat een charmeur. Maar wel een hele knappe charmeur.

'Kom,' oppert Sebastiaan, 'dan gaan we hier even zitten.'

Mila laat zich door Sebastiaan aan de arm meevoeren en

neemt plaats op de schommelbank achter in de tuin. Zijn arm voelt sterk en stevig aan. Een man die alles onder controle heeft. Ze ziet nog net dat haar achterbuurman hen zo onopvallend mogelijk gadeslaat. 'Vertel eens wat meer over jezelf.'

Sebastiaan slaat zijn arm over de leuning. De schommelbank beweegt langzaam heen en weer. Mila leunt achterover en haar linkerschouder raakt zijn arm. Ze droomt een beetje weg bij de zachte schommeling en van de verhalen van Sebastiaan. Het lijkt alsof hij zijn stem heeft aangepast aan de bewegingen van de schommelbank.

Plots voelt Mila haar mobieltje in haar tasje trillen. Ze probeert het op te duikelen. Ze doet het onhandig en voelt schaamte in zich opwellen. Haar gedachten flitsten alle kanten op. Zou het Chris zijn? Een paar uur geleden had ze nog een foto van zichzelf naar Chris gestuurd. Of misschien is het Lucien. Wachten op Chris, wachten op Lucien en praten met Sebastiaan. Ze zucht, want wat is ze het wachten beu.

Sebastiaan kijkt haar onderzoekend aan. 'Voel jij je niet lekker? Zeeziek aan het worden van de bank? Heb je iets te veel gedronken? Kom, dan zet ik je glas even weg.'

Resoluut knipt Mila haar tasje dicht. 'Nee, alles is prima. Meer dan prima zelfs. Ga door met je verhaal. Je vertelde me net dat je vrouw schrijfster is...'

'Ja, dat klopt. Op dit moment leeft ieder van ons zijn eigen leventje. We zijn zo'n beetje uit elkaar gegroeid. Ik weet niet waarom. Wel dat mijn vrouw al jaren graag een kind wil. Dat wilde alsmaar niet lukken, wat we ook probeerden. Het hele circus. Haar verlangen werd zo groot, ze had daar alles voor over. Weet je, als een vrouw een kind wil en ze krijgt er geen, dan spoort haar leven niet meer. Dan is het net of er een onoverkomelijke leegte ingevuld moet worden, die alsmaar schrijnender wordt. Zij heeft die leegte in kunnen vullen door te gaan schrijven. In zeker opzicht werd ieder boek voor haar een 'kindje'. Ze kan er haar hart en ziel in leggen. Tegelijkertijd werd de afstand tussen ons nóg groter. Ik kan haar niet meer bereiken. Alsof ik er niet meer toe doe. Misschien legt ze een deel van de schuld wel bij mij.'

'Goh,' zegt Mila, 'wat een aangrijpend verhaal. Ik vind het heel naar voor jullie. Had jij ook graag een kindje willen hebben?' Ze kijkt Sebastiaan onderzoekend aan. Ze kan het antwoord wel raden. Hij straalt zoveel jeugdigheid uit dat ze voelt dat dit een man zou zijn die met zijn zoon op zoek zou gaan naar stenen. Een man die met zijn dochter aan de arm de stad leeg zou kopen om haar te zien stralen. Ze schudt haar hoofd. Waar is ze nu weer mee bezig? Gaat ze nu iedere man vergelijken met Lucien?

Sebastiaan knikt. 'Ja, ik had heel graag kinderen gewild. Ik had het plaatje helemaal voor me toen ik met Linda het huwelijksbootje instapte. Maar die plaatjes heeft iedereen denk ik wel als ze jong en verliefd zijn.' Hij lacht. 'En jij, heb jij kinderen? Ik zag net een meisje dat als twee druppels water op je lijkt. Dat is vast een dochter van je?'

'Ja, dat is Laurie. En volgens mij zie ik daar Lucas voorbij schieten.' Ze wijst in de richting van het huis. 'Mijn leven zou zonder mijn kinderen ook niet compleet zijn.' Even pauzeert Mila. Ze denkt aan Lucien.

'Wat is er, Mila?'

Zou Sebastiaan gedachten kunnen lezen of is hij zo opmerkzaam dat hij elke aarzeling in haar opmerkt? 'In zeker opzicht voel ik wel herkenning. Ook mijn man Lucien en ik zijn uit elkaar gegroeid.' Mila geeft Sebastiaan een knipoog. Ze wil de avond niet nog zwaarder maken. Daarnaast is ze geschrokken van zijn, maar ook zeker haar eigen, openheid.

'En waar hangt je man uit?'

'Thuis, druk met zijn werk en geen tijd voor zijn suffe vrouw.'

Sebastiaan begint te lachen. 'Nah, volgens mij ben je helemaal niet suf,' zegt Sebastiaan, terwijl hij even met zijn wijsvinger het puntje van haar neus aantipt.

'Het lijkt wel alsof we elkaar al jaren kennen,' flapt Mila eruit. 'Het zal de wijn wel zijn, denk je niet?' Ze bemerkt dat Sebastiaan een punt op haar gezicht heeft gevonden waar hij zijn blik niet van afwenden kan.

'Je hebt daar een prachtig moedervlekje, het lijkt wel een diamantje...'

Mila's hand gaat onbewust naar dat plekje toe, ze heeft haar moedervlekje altijd storend gevonden.

'Niet doen,' zegt Sebastiaan. 'Het past bij je.'

En voor ze er erg in heeft, buigt Sebastiaan zich voorover en kust Mila op haar wang. Een snelle, zachte kus. Verschrikt staart ze Sebastiaan aan. 'Wat doe je nou?'

'Ik kus een mooie vrouw.'

Mila's hart bonkt. Ze haalt even diep adem. 'Ja, dat voelde ik. Maar *waarom* deed je dat?'

'Ik weet het niet. Het was gewoon alsof dat zo hoorde.' Sebastiaan reageert alsof het de gewoonste zaak van de wereld is. 'Ik *moest* je gewoon kussen.'

Mila fronst haar wenkbrauwen. Ze heeft geen idee wat ze hiermee moet.

'Je mag me een klap voor mijn kop geven, het was niet echt netjes van me. Sorry. Zand erover?'

Mila begint te lachen. 'Als jij belooft niet nog eens zo'n actie uit te voeren, dan is het goed zo. Geef jij altijd toe aan dat soort opwellingen?' Ze neemt het glas wijn uit zijn hand. 'Jij hebt ook genoeg gehad, denk ik zo. Straks is er geen vrouw meer veilig hier.'

Hun vingers raken elkaar even aan, langer dan noodzakelijk.

'Sebastiaan?' vraagt Mila zacht. 'Wil je alsjeblieft geen spelletje met me spelen?' Er trekt een rilling over haar rug. 'Doe je dit wel vaker met vrouwen?' Ze voelt dat dit een gevaarlijke vraag is. Sebastiaan kan het opvatten als een uitnodiging, een uitdaging, maar ook als een verkapte afwijzing.

Sebastiaan neemt haar aandachtig op. 'Ik weet het niet, dit is de eerste keer dat ik iemand tegenkom waar ik dit zo sterk bij voel. Zijn stem klinkt serieus. Hij kijkt haar nóg indringender aan. 'Wat vind jij dat ik zou moeten doen?'

Er begint een merkwaardig soort spanning voelbaar te

worden. 'Ik weet het echt niet,' zegt Mila onzeker en binnensmonds.

Sebastiaan begint te lachen. 'Tot straks,' zegt hij, 'ik ga even afkoelen en als je het wel weet mag jij het me komen zeggen.' Langzaam staat hij op om vervolgens tussen de gasten te verdwijnen.

Mila blijft vertwijfeld achter en ziet dat de achterbuurman in haar richting loopt. Ze duikt weg in haar tas. Ze heeft geen zin in die man. Ze pakt haar mobieltje. Een berichtje van Chris. Ze drukt het weg zonder te lezen. *Nu even niet.*

Ze typt een berichtje op haar Facebook:

Mila van den Elzen

2 seconden geleden

'Mijn leven is niet ingewikkeld, maar ben nu even de draad kwijt.'

Vind ik leuk · Reageren · Delen

Eigenlijk voelt ze zich gewoon een idioot. Wat doet ze hier op een barbecue zonder haar eigen man? Bah, ze lijkt wel een puber op zoek naar aandacht. Ze begint boos te worden. Voornamelijk op zichzelf.

Mila tuurt door de tuin op zoek naar haar kinderen. Ze pakt een stokbroodje van een tafel, veel gegeten heeft ze niet.

Het is ondertussen bedtijd. Voor iedereen. Ze ziet een man en een vrouw hand in hand het tuinpad aflopen. De vrouw lacht en de man tilt haar met een zwaai omhoog. Ze kust hem. Een steek van jaloezie trekt door haar lichaam. *Verdomme, Lucien, waar ben je?*

Langzaam loopt ze richting haar kinderen. Laurie is druk in gesprek met een paar meiden van haar eigen leeftijd en ook Lucas lijkt zich nog te vermaken.

'Mam, mogen Lucas en ik nog even blijven? We kunnen met

de ouders van een van de meiden mee teruglopen.'

Het meisje naast haar staat wild te knikken en trekt haar moeder aan haar mouw. De moeder van het meisje geeft aan dat het geen probleem is om Laurie en Lucas over een uurtje naar huis te brengen.

Mila gaat akkoord en met een snelle groet loopt ze het tuinpad af. Ze wil niet dat Laurie en Lucas haar tranen zien.

Zelfmedelijden, daar heeft ze nu last van. En niet zo'n beetje ook. En daarnaast knellen haar schoenen ook nog eens vreselijk. Ze schopt ze uit en op blote voeten loopt ze verder. Zou ze vanavond de confrontatie met Lucien dan maar eens echt aangaan?

Ze schrikt op uit haar gedachten wanneer ze merkt dat er iemand naast haar komt lopen.

'Ben jij je glazen muiltje verloren?' Het is Sebastiaan. 'Of wilde je gewoon ontsnappen zonder me gedag te zeggen?'

Mila slaakt een zucht. 'Ach, het is vandaag gewoon niet echt mijn dag. Ga jij lekker terug naar het feest, ik zie je vast wel weer.'

'Weet je, het was vandaag ook niet mijn dag. Het is al een hele tijd mijn dag niet meer. Maar vanavond vond ik iets van mezelf terug. In overdreven vorm, dat wel, want mijn gedrag naar jou was niet echt netjes. Ik leek wel een op hol geslagen puber. En dat spijt me.'

Mila neemt het gezicht van Sebastiaan nadrukkelijk in zich op. Hij lijkt oprecht in zijn woorden. En ze moet toegeven, de uren waren omgevlogen. Voor het eerst sinds tijden kwam ze los van haar mobieltje en de hoop iets van Chris te horen.

'Ik zou je graag beter willen leren kennen, Mila. Zonder bijbedoelingen. Ik hoop dat ik je binnenkort een keer mee uit lunchen mag nemen.' Sebastiaan steekt zijn hand uit, een uitnodigend gebaar. 'Vrienden?'

Mila legt haar hand op de zijne. 'Is goed, vrienden kun je nooit te veel hebben.'

'Ik loop nog een stukje met je mee, als je het goed vindt.'

Mila knikt.

Zwijgend lopen ze samen de steile helling af. Sebastiaan wijst naar een zwerm vuurvliegjes die voor hun ogen lijkt te dansen.

'Prachtig,' zegt Mila. 'Ik heb ze laatst ook al zien dansen. Als kind heb ik er ooit een paar gevangen in een glazen potje en ik was ontroostbaar toen ze geen licht meer gaven.'

'Vanavond heb ik deze voor jou geregeld. Ze spelen dadelijk nog een verzoeknummer. Iets met Love is in the air.'

Hij zingt een couplet en Mila moet enorm lachen. 'Wat een kwibus ben jij, zeg!'

'Ach, alles om je te laten lachen, hè? Nou, Mila, hier scheiden onze wegen voor vanavond, want daar links staat mijn huis. Ik hoop dat ik nog naar binnen mag,' zegt hij met een knipoog. 'Hier is mijn kaartje. Als jij mij een berichtje stuurt, heb ik jouw nummer ook meteen, want die lunch wil ik snel een keer met je afspreken.' Hij pakt haar hand en drukt er een kus op. 'Je bent niet saai, Mila. Integendeel.'

Ze zwaait en loopt met snelle passen richting haar eigen huis. Ze wonen nog niet eens zo gek ver van elkaar vandaan.

Voor het tuinhek blijft ze even stil staan. De lampen zijn uit. Zou Lucien al slapen? Ze loopt het tuinpad af, pakt de sleutel uit haar tas en gaat naar binnen. Ze voelt zich moe. Vechten tegen de eenzaamheid is zo ontzettend zwaar.

Het kaartje van Sebastiaan heeft ze nog in haar hand. Ze pakt haar mobiel en begint een berichtje te typen. 'Dankjewel voor de vuurvliegjes. Maar jij was het die het meeste licht gaf. Liefs, Assepoester.'

Ze klapt het mobieltje dicht en schakelt het helemaal uit. Misschien komt er van Sebastiaan ook geen antwoord terug en heeft ze zich wederom volkomen voor schut gezet bij een man. Is ze zo naarstig op zoek naar mooie woorden en aandacht? Is zij zelf eigenlijk nog in staat om echt aandacht aan Lucien te geven? Ziet ze Lucien nog wel zoals ze hem ooit zag?

Op haar tenen sluipt ze naar boven. Hopelijk zou Lucien slapen. Ze wil even alleen zijn met haar gedachten.

Mila ziet dat Lucien inderdaad ligt te slapen. Snel kleedt ze zich uit. Bijna heimelijk. Zelfs op fysiek vlak vindt ze het steeds moeilijker om zich aan Lucien bloot te geven. Bang om te zien dat hij werkelijk niet meer van haar onder de indruk is.

Nog even blijft ze wakker, lang genoeg om de kinderen thuis te horen komen. Daarna valt ze in een diepe slaap. Vol met dromen.

HOOFDSTUK 16

Nieuwe verhalen

Het felle licht van de ochtendzon piept door de gordijnen naar binnen. Met moeite opent Mila haar ogen, haar hoofd lijkt vol met watten te zitten. Zoveel wijn had ze gisteren toch niet op?

Lucien slaapt nog. Aandachtig neemt ze hem op. Zijn ademhaling is rustig. Zijn haren steken alle kanten op. Zou ze eens door zijn haren kroelen zoals ze vroeger altijd deed? Ze kon hem toen altijd wakker maken voor een knuffel of meer. Wat ziet Lucien er oud uit en wat heeft het leven veel sporen achtergelaten, denkt Mila weemoedig. De zachtheid lijkt uit hem verdwenen te zijn. Of is zij het die de mooie kanten niet meer wil zien? De molens in haar hoofd maken weer overuren. Waarom is ze nu niet gewoon nog lekker in dromenland? De laatste tijd kost het haar al zoveel moeite om in slaap te vallen en nu is ze ook nog eens veel te vroeg wakker.

Voorzichtig draait ze zich op haar zij, dichter naar Lucien toe. Met haar wijsvinger volgt ze de contouren van zijn gezicht en ze laat haar vinger even rusten op het kuiltje in zijn kin. Dat is haar plekje. Ze heeft zichzelf ooit wijsgemaakt dat alleen haar vinger daar precies in past en daar ook hoorde.

Ze kruipt nog wat dichter tegen hem aan. Ze hoort hem wat mompelen terwijl hij zich omdraait, met zijn rug naar haar toe.

Mila slaat de dekens van zich af en staat op. Waar had ze dan op gehoopt? Dat hij haar smachtend in zijn armen zou nemen? Misschien is hij gewoon echt moe en heeft deze afwijzing niks met haar te maken.

Ze ziet dat het pas half zeven is. Een belachelijk tijdstip voor een zondagmorgen, zeker na de barbecue van gisterenavond.

Mila trekt haar ochtendjas aan, pakt haar mobieltje van het nachtkastje en loopt naar beneden. Lobke staat kwispelend in de gang op haar te wachten. Ze geeft Lobke vers water en een handvol brokken. Daarna loopt ze naar de bank waar ze zichzelf tussen de kussens nestelt. Gewoon even helemaal niks. Wachten tot de kinderen wakker worden zodat ze kan luisteren naar de verhalen over gisteravond.

Uit de zak van haar ochtendjas pakt ze haar mobieltje. Ze zet het ding aan en ziet twee berichten verschijnen. Ze opent de sms van Chris: 'Fijne avond Mila en pas op voor die achterbuurman van je. P.S. mooie foto op FB van Laurie en jou.'

Misschien moet ze maar eens niet meteen reageren en als een hondje achter hem aanlopen. Ze weet dat ze het niet vol zou kunnen houden, maar een ochtend zou toch moeten lukken? Ze heeft de laatste tijd het idee dat het initiatief vooral van haar kant komt. Ja, hij is blij met haar, dat weet ze en voelt ze ook. Maar toch, ze had gehoopt op meer actie van zijn kant. En daarnaast voelt ze zich een beetje een bakvis. Ze tekent nog net geen hartjes in haar agenda, maar het scheelt niet veel. Haar dag wordt te veel geleefd door het wel of niet krijgen van een berichtje van Chris. En als ze dan al een bericht krijgt, is het vaak niet waar ze op gehoopt heeft. Is ze te veel op zoek naar een man die net zoveel behoefte heeft aan warmte en aandacht als zij?

Ze besluit hem toch even een mailtje te sturen zodat ze wat van haar gevoel kwijt kan. Het zoveelste mailtje waarin ze haar onrust uit:

Lieve Chris,

Soms ben ik bang dat ik te veel aan je denk. Dat ik je push met al mijn berichtjes en je daarmee wegjaag. Onze heerlijke skype zit nog zo vers in mijn gedachten en ik ben steeds bang dat jij dat gevoel alweer kwijt bent. En ik... ik zie je soms zó dichtbij dat ik je bijna kan aanraken en dan zie ik je steeds kleiner worden. Vingertoppen die elkaar nog net proberen aan te raken.

Mijn ongeduld komt voort uit de angst dat het ons, elke dag dat het langer duurt voor we elkaar kunnen zien, verder ontglipt. Onzin waarschijnlijk.

En dan... als we elkaar zien... en het is zoals het is... Poehee, dan staat de wereld pas op zijn kop. Maar liever een wereld die op z'n kop staat, want daar kan ik mee omgaan. Daar heb ik invloed op. Kan ik, kunnen wij keuzes in maken. Nu moet ik afwachten. En gelukkig heb ik jouw gezicht in mijn geheugen geprent, zodat het wachten vooral een zoete, heerlijke kwelling is.

Liefs, Mila.

Mila opent het tweede berichtje op haar telefoon. Het is van Sebastiaan. Wat heeft ze in godsnaam gisterenavond nog naar die man gestuurd? Mila kreunt even. Waarom heeft ze überhaupt een berichtje gestuurd?

'Assepoester, voor mij had de avond nog veel langer mogen duren. Dan had ik niet alleen de vuurvliegjes laten dansen, maar met jou ook een poging gewaagd. P.S. stuur je me een berichtje als je wakker bent?' (01:34)

Mila voelt dat haar mondhoeken beginnen te krullen. Meteen heeft ze het gevoel van gisteravond weer terug. Lekker onbezonnen en vrij, gewoon leuk. Ze voegt Sebastiaan toe aan haar Whatsapp lijst.

'Ik wil je best een bericht sturen als ik wakker ben, maar jij ligt toch nog lekker te slapen. Ik ben de open haard aan het vegen. (moet in mijn rol blijven nietwaar?) ☺' (7:01)

Mila merkt dat ze er goede zin van krijgt. Is dit hetzelfde gevoel dat ze in het begin bij Chris ook had? Is het gewoon de spanning en de drang naar interactie en aandacht? Of is ze op zoek naar die ene vonk die haar geloof in de liefde weer kan laten oplaaien?

'Ha! Daar vergis jij je! Ik ben al lang wakker. Heb er al een rondje joggen op zitten. Jongens van twintig blaken van energie. Ik zadel zo mijn paard en kom je redden!' (7:03)

Mila lacht. Zou ze hem wakker gebliept hebben of is hij inderdaad al even op?

'Nou, ik wil vandaag best gered worden van mijn hoofd vol watten. De wijn is niet zo goed gevallen.' (7:04)

Ze ziet dat Sebastiaan alweer bezig is met typen en Mila is benieuwd naar zijn reactie.

'Zolang het watten in je hoofd zijn en je geen krulspelden in je haren hebt, valt het allemaal wel mee, niet? Maar ik heb een idee. Kun je over een kwartier bij het riviertje zijn, daar waar een boom half in het water hangt? Ken je die plek?' (7:05)

Eh ja. Maar waarom? Mila twijfelt. Wat zou hij van haar willen?

'Trust me. Ik zie je daar. Of ben je echt een saaie huisvrouw? (sorry, dat is gemeen).' (7:05)

'Nou, ik kom eraan, eerst mijn krulspelden uit en mijn kunstgebit in. Tot zo!' (7:06)

Mila grist haar spijkerbroek en sweatshirt uit de droger en stapt in haar sneakers. Ze haalt snel een borstel door haar haren en sluipt nog even naar de badkamer om haar tanden te poetsen. Zo, daar moet meneer het maar mee doen. Ze kijkt zichzelf even aan in de spiegel. Is ze gek geworden? Ze geeft zichzelf een knipoog. Ze gaat gewoon Lobke uitlaten en toevallig is hun vaste rondje ook langs het riviertje. Ze kijkt nog even om het hoekje van haar slaapkamer. Lucien ligt nog precies in dezelfde houding als toen ze het bed uitstapte. 'Ik ga mijn leven niet verslapen,' mompelt Mila.

Mila fluit zachtjes naar Lobke en samen gaan ze naar buiten. Hopelijk staat de buurman niet weer op de loer.

Op haar telefoon komt een mailtje terug van Chris. Hij is ook een vroege vogel vandaag.

Lieve Mila,

Nee, hoor, je hoeft niet bang te zijn. Soms heb ik gewoon zoveel dingen aan mijn hoofd dat ik de boel even de boel laat. Jij stuurt me de hele tijd lieve woorden, vraagt natuurlijk van alles, en ik zit hier niet wetend wat ik er mee moet. Dus het spijt me dat ik er even niet was, maar het is niet anders. Ik moet iets bedenken om van deze rare onrust af te komen. Die wil ik helemaal niet. Daar kan ik niet goed mee omgaan. Dus eerst maar eens orde op zaken stellen hier, dacht ik zo. Zodat ik rustiger ben en kan genieten van dit moois.

Kus Chris.

Mila leest de mail twee keer. Haar onrust is weer weg. Hij heeft gewoon te veel dingen aan zijn hoofd. Dat herkent ze wel. Het ligt niet aan haar en ze raakt hem ook niet zomaar kwijt. Gelukkig.

Ze heeft geen zin om te rennen en op haar gemak wandelt ze naar het riviertje. Het dorp is nog in diepe rust. Ze loopt het paadje in dat haar zal laten uitkomen bij de plek waar Sebastiaan haar gevraagd heeft om naartoe te komen. Even voelt ze haar maag omdraaien. Gezonde spanning. Ze recht haar rug en duwt haar schouders naar achteren.

Bij het riviertje aangekomen is er geen Sebastiaan te bespeuren. Ze gaat op een van de rotsen zitten en Lobke stuift rond in de rivierbedding. Even sluit Mila haar ogen. Wat doet ze eigenlijk hier?

Haar gedachten worden onderbroken door een hand die op haar schouder wordt gelegd. Ze heeft Sebastiaan niet horen aankomen. Breed lachend kijkt hij haar aan terwijl hij naast haar op de rots gaat zitten.

'Lekker plekje, hè? Ik zit hier vaak. Vooral wanneer ik na wil denken of juist wanneer ik mijn hoofd leeg wil maken.'

Sebastiaan gooit een paar steentjes in het riviertje en beiden staren ze naar de rimpelingen in het water. Lobke komt wild aanstuiven en hoopt dat er nog wat meer steentjes gegooid worden.

'Hoe is het met de watten in je hoofd? Alweer bijgekomen van onze wilde nacht gisteren?'

Mila schudt haar hoofd. Ze voelt zich niet helemaal fit.

'Hier,' zegt Sebastiaan, 'ik heb een sapje voor je meegenomen. Een eeuwenoud recept van mijn oma, goed tegen watten in je hoofd, katers en allerlei andere dingen.'

Ze kijkt bedenkelijk naar de beker die hij haar voor houdt.

Sebastiaan lacht. 'Kom, het is geen vergif, hoor. Dat zat in het sprookje van Sneeuwwitje toch? Eigenlijk is het gewoon een enorme fruitsmoothie die ik net voor jou heb staan maken. Daarom was ik ook wat te laat,' voegt hij er verontschuldigend aan toe.

Mila neemt een slok en ze moet toegeven dat het heerlijk smaakt. 'Lekker hoor, je moet me het recept maar eens geven. Maak ik dat ook voor mijn kinderen wanneer ze een baaldag hebben. Helpt tegen alles, toch?'

Sebastiaans telefoon begint te zoemen. 'Hè, verdorie, moet dat precies nu?'

Hij neemt op en Mila hoort een vrouwenstem aan de andere kant van de lijn. Dat zal vast zijn vrouw zijn. Sebastiaan staat op en gaat een eindje verderop staan. Zijn stem is gedempt en veel van het gesprek vangt Mila niet op. Zou hij op zijn donder krijgen omdat hij niet thuis sap aan het persen is voor zijn vrouw?

'Ja, ik kom er zo aan. Dan praten we verder.' Sebastiaan klapt zijn telefoon dicht en met een norse blik loopt hij naar Mila toe. 'Sorry, prinses, de plicht roept.'

Mila kijkt hem vragend aan.

Sebastiaan zucht en gaat weer naast haar zitten. 'Het was Linda. Ze heeft het de laatste dagen nogal moeilijk. Haar zus is net dertien weken zwanger en hoe blij ze ook voor haar is, Linda's eigen gemis doet haar toch vreselijk veel verdriet natuurlijk. Haar zus heeft het geniale plan bedacht om Linda als speciale tante naar voren te schuiven. En Linda wil nu eigenlijk op stel en sprong terug naar Nederland om daar verder te gaan met ons leven. Ik voel echt met haar mee, maar ik kan hier niet alles zomaar uit mijn handen laten vallen. Althans, niet meteen. En daar hebben we nogal wat ruzie over. Volgens mij heeft ze nu haar koffer gepakt en is de keuze aan mij of ik meega of niet.

Begrijp me niet verkeerd. Ik voel het gemis ook, we hebben er van alles aan gedaan. Misschien hadden we na de laatste ivf behandeling gewoon nog verder moeten gaan. Weet ik veel. Maar dit is ook mijn leven en dat glipt langzaam uit mijn vingers. Ach, ik weet ook niet waarom ik jou hiermee lastig val. Het is voor het eerst dat ik zo mijn hart binnenstebuiten keer.'

Mila zoekt de ogen van Sebastiaan, vol van verdriet en dicht bij wanhoop. Weg is de flirtende charmeur, weg is de prins op zoek naar zijn Assepoester. Even raakt ze zijn arm aan. 'We zijn elkaar niet voor niks tegengekomen. Hopelijk helpt het je om je verhaal kwijt te kunnen. En de volgende keer ben ik aan de beurt om mijn hart te luchten, toch? Scheelt in ieder geval weer een berg aan kosten voor de psycholoog. Neem je sapje mee en ga naar je vrouw. Zij heeft jou nu nodig. Mijn advies is om in gevallen van crisis dicht bij elkaar te blijven en elkaar proberen te begrijpen in plaats van je af te wenden. Ga maar snel en mocht het helpen, ik wil best een keer met Linda praten.'

Sebastiaan raakt even het moedervlekje op Mila's wang aan. 'Dat diamantje zit daar niet voor niks, hè? Nou, ik baal echt enorm, je moest eens weten welke plannen ik allemaal met je had.' Sebastiaan staat op en geeft Mila een dikke knipoog.

Mila lacht. 'Gelukkig, meneer de charmeur is weer terug. Ik was bang dat je echt week aan het worden was.'

Sebastiaan schudt met zijn hoofd. 'Ik ben geen charmeur, dat zeg jij steeds. Maar goed, een watje ben ik ook niet. Ben wel gewoon een man van vlees en bloed, hoor. Ik heb trouwens nog iets anders voor je meegenomen. Van mijn oma geweest. Ze zei me dat dit boek nog wel eens van pas zou komen tijdens mijn leven. Vangen!'

Sebastiaan gooit een dun boekje naar haar, ze kan het nog maar net opvangen. 'Joh, met een boekje van je oma mag je wel iets zuiniger doen, het lag bijna in het water!' zegt Mila verschrikt. 'Maar jij denkt dat ik dit boek nodig heb? Bridges of Madison County?'

Sebastiaan knikt. 'De hoofdpersoon doet me aan jou denken. Kijk maar wat je ervan vindt en of je er iets mee kunt. En nu ga ik, want dadelijk is Linda echt met de noorderzon vertrokken.'

Hij zet een sprintje in en Mila kijkt hem na.

Ze kijkt op haar telefoon. Het is kwart over acht. Ook voor haar is het tijd om terug te gaan. Misschien is de belangrijkste les van vanmorgen dat zij zich ook iets meer Linda-achtig moet gaan opstellen. Sebastiaan zit zichtbaar goed onder de plak. Hoewel, dat is het niet. Ze krijgt het idee dat hij zich gewoon ontzettend verantwoordelijk voelt voor zijn vrouw. Hij is met haar begaan. En daar maakt Linda duidelijk gebruik van.

Mila vindt Sebastiaan echt leuk. Grappig en ontwapenend. Iemand die probeert om het beste uit het leven te halen, ook al is het niet wat hij er van gehoopt had. Dat doet zij ook met haar plannen rondom haar olijfboomgaard. Dat wil ze graag nog eens met hem bespreken, even lekker sparren. Ze zijn aan elkaar gewaagd, dat heeft ze gisteren al gemerkt.

Langzaam staat Mila op om naar huis te gaan. 'Lobke! Kom!'

Onderweg begint haar telefoon te rinkelen. Ze neemt snel op. Dadelijk is het halve dorp wakker. 'Met Mila.'

'Met Sebastiaan. Wou alleen even sorry zeggen voor mijn snelle aftocht. Ik heb niet eens gevraagd hoe het met jou was en met je man. Hij was toch de grote afwezige gisteravond?'

'Ja, dat klopt,' zegt Mila. 'Hebben wij weer, twee afwezige partners. Ik ga het er dadelijk over hebben. Misschien kunnen Linda en ik dan samen terug naar Nederland.' Ze zei het met een knipoog, maar het rommelt onrustig in Mila's lijf. Ze weet dat ze 'het' echt eens moet gaan bespreken met Lucien.

'Ik wil je ook even laten weten dat ik vandaag vast niet zoveel kan appen, heb genoeg te bespreken thuis. Maar ik denk wel aan je. Ik ben er nu bijna. Ik spreek je later.'

'Sterkte. Tot later.' Mila verbreekt de verbinding. Wat raar dit. Gistermiddag was Sebastiaan de arrogante man die haar net voor was met het kopen van een T-shirt en nu zegt hij dat hij aan haar zal denken vandaag. Iemand die laat weten dat hij even niet kan appen en dus rekening met haar houdt. Chris is soms dagenlang offline en dan moet ze maar raden wat er aan de hand is. Heel vaak denkt ze dat het aan haar ligt en dan voelt ze zich vertwijfeld en rot. Meestal is het een raar soort opluchting om dan achteraf te horen dat hij het gewoon druk heeft gehad met allerlei ditjes en datjes. *Nog belachelijker dat ik Sebastiaan met Chris vergelijk.* Eigenlijk is het ongelofelijk bijzonder om zomaar iemand te ontmoeten waarmee het zo klikt en waarmee je in een mum van tijd zoveel kunt delen. Ze pakt haar telefoon weer uit haar broek en plaatst een Facebook update:

Mila van den Elzen

2 seconden geleden

'Eens uitzoeken wat Bruggen en Vuurvliegjes met elkaar te maken hebben. Straks lezen in een boek dat ik vandaag heb gekregen van een vriend. En dat terwijl ik hem gisteren nog niet eens kende. Hoe bijzonder is het leven. Het was een donder, een bliksem. Dat idee. Maar dan gewoon leuk.'

Vind ik leuk · Reageren · Delen

Mila weet dat dit weer een raadselachtige update is, maar ze zoekt een uitlaatklep voor haar gevoel. Facebook is dan ideaal. Luchtig, maar toch met een soort dagboekfunctie.

'Kom Lobke, een beetje sneller.' Mila zet er stevig de pas in. Ze wil naar huis.

Als ze bijna thuis zijn ziet ze dat Lucien de kranten van gisteren uit de brievenbus haalt. Ze zwaait en zucht. Vandaag wil ze rustig met Lucien praten, misschien kunnen ze een stuk gaan wandelen.

De moed zakt haar in de schoenen als hij haar groet niet beantwoordt en het huis binnenloopt zonder even te wachten tot zij er ook is. *Misschien heeft hij me gewoon niet gezien.*

Mila stapt naar binnen. De kamer ruikt naar verse koffie. Haar maag begint te knorren. Ze heeft honger. De buitenlucht heeft haar goed gedaan.

Lucien zit aan de keukentafel met de kranten om zich heen. 'Was je weer aan de wandel?' vraagt hij terwijl hij niet van zijn krant opkijkt.

'Ja, even mijn hoofd leeggemaakt, gisteren te veel wijn gedronken.' Ze stopt even. Zou hij haar nog vragen hoe het gisteren was of vertellen waarom hij niet gekomen is? Het blijft stil. 'Zullen wij vanmiddag samen een stuk gaan wandelen? Ik heb een mooi plekje gevonden. Ik zou graag eens rustig met je praten. Dat is er sinds onze verhuizing niet meer van gekomen.'

Lucien kijkt op vanachter zijn krant. 'Moet dat per se vandaag? Mijn hoofd staat er niet naar en volgens mij valt er niet zoveel te praten. Jij doet toch vooral waar je zelf zin in hebt.'

Mila balt haar vuisten. 'Hoezo doe ik waar ik zelf zin in heb?' Haar stem slaat over.

'Ach, dat bedoel ik. Met jou valt niet eens te praten. Je maakt er weer een emotioneel ding van. Wat heb jij sinds we hier wonen gedaan om mij te steunen, Mila? Denk daar maar eens over na. En voordat je uit je slof schiet, er heeft gisteren nog iemand voor je gebeld. Een of andere edelsmid. Hij wil weten wanneer we naar Nederland komen om zijn spullen te bekijken. Ik heb gezegd dat ik nergens vanaf weet en dat hij dat maar met jou moet regelen.'

Mila's woede maakt even plaats voor nieuwsgierigheid en opwinding. 'Is het dan al klaar?'

Lucien haalt zijn schouders op. 'Geen idee. Ik heb niet verder gevraagd. Dat zijn jouw zaken, niet de mijne.'

Mila moet zich vasthouden aan de tafel. De woede die ze voelt opstijgen is zo groot. 'Mijn zaken? Onze zaken. Het gaat over de as van onze zoon. Je weet wel. De zoon die er niet meer is. Dat zijn geen zaken, dat is gevoel. Dat is verdriet. Maar daar is geen winst mee te maken, hè? En wat ík heb gedaan om jou te steunen? Kerel, kijk eens om je heen! Wij hebben onze levens opgegeven zodat jij je hier met jouw zaken bezig kon houden. Ben je boos omdat ik vanmorgen geen koffie voor je heb gemaakt? Dat is werkelijk het enige waar ik nog goed voor ben, hè? Je koffie zetten en zorgen dat het eten op tafel staat! Je zoekt het maar uit. Ik vertrek vandaag voor míjn zaken naar Nederland en ben over een week terug. Je weet hoe de koffiemachine werkt, je zult je wel redden. Ik ga nu een warm bad nemen en daarna mijn koffer pakken.'

Mila draait zich om en loopt weg. De trilling over haar hele lichaam probeert ze te negeren. Ze is er nu echt even helemaal klaar mee.

Ze stapt de badkamer binnen en draait de deur op slot, ze wil niet gestoord worden. Ze draait de kraan van het bad open en gooit de hele fles badschuim leeg. Ze controleert of het water warm genoeg is en zakt dan langs de muur naar beneden. Ze laat haar tranen nu de vrije loop. Is dit het leven waar ze zo op gehoopt had? Ze probeert haar gedachten te ordenen. Wat voelt ze nu? Wat doet het idee met haar, dat haar koffers pakken misschien echt het einde van haar huwelijk is?

Haar hoofd begint te bonzen en haar ogen voelen dik en gezwollen aan. Het is een enorme stortvloed die er nu uitkomt. Ze huilt met lange uithalen.

'Mila?'

Ze schrikt, ze heeft Lucien niet naar boven horen komen. Gelukkig heeft ze de deur op slot gedaan. Ze staat op van de vloer en kleedt zich uit.

'Laat mama maar even, ze is moe…' hoort ze Lucien mompelen. Blijkbaar heeft ze haar kinderen ook wakker gemaakt.

Als het warme water haar lichaam troost, stromen de tranen weer over haar wangen. Kan ze haar kinderen gewoon een week lang achterlaten? En wat als Lucien en zij uit elkaar gaan, hoe moet dit dan? Zou Lucien de kinderen dan willen zien en hoe vaak? Mila voelt haar hart uit elkaar knallen en ze snakt naar adem. Haar kinderen, haar alles. Ze dompelt zich helemaal onder in het water en even voelt ze zich vrij van al haar verdriet en onmacht.

Ze komt weer boven water. Haar hoofd voelt zwaar. Ze draait de kraan open om er nog wat warm water bij te laten lopen. Haar mobieltje zoemt, er komt een sms'je binnen. Mila leunt met haar bovenlichaam uit het bad, pakt de pijp van haar broek vast en trekt hem naar zich toe. Ze wrijft haar handen af aan de handdoek die naast haar hangt en pakt het mobieltje.

'Je bent stil vandaag. Ben benieuwd hoe je avondje uit was. X Chris.'

Even denkt ze na. Dan beginnen haar vingers snel te typen: 'Ik vertrek vandaag naar Nederland. Kunnen we eindelijk ontdekken hoe die kus smaakt. Laat je me weten wanneer we elkaar kunnen ontmoeten?'

Mila voelt dat ze opstandig is. Haar woede naar Lucien toe reageert ze af op Chris. Alsof het haar recht is om met hem te zoenen. Bijna meteen krijgt ze een sms terug.

'Oei, je overvalt me wel, hoor. Ik moet even kijken wat ik thuis kan regelen. Ben natuurlijk wel benieuwd naar die kus! Je hoort van me.'

Het eerste gedeelte van zijn sms bevalt haar helemaal niet. Het klinkt afwachtend en terughoudend. Het tweede gedeelte geeft weer hoop. Gevoelens waar Mila zich de laatste tijd tussen heen en weer geslingerd voelt. Het voelt niet als honderd procent voor iemand gaan, het voelt niet als het terugvinden van je ware liefde. Waarom wil ze altijd alles klip en klaar hebben? Zij weet toch ook helemaal niet of ze alles wil laten vallen voor hem? Misschien is hij helemaal niet meer zo leuk als ze denkt dat hij is. Misschien smaakt de kus wel helemaal nergens naar. Misschien had het verlangen van de skype-sessies niks met Chris of met haar te maken. Misschien was het een natuurlijke drang naar seks en erotiek?

Ze probeert haar negatieve gedachten weg te duwen. Terug haar droomwereld in. Terug naar het verlangen naar die ontmoeting met Chris die ze al zo vaak in haar hoofd had afgedraaid als een film. De ene keer nog romantischer dan de andere. Niks wat hen nu tegenhoudt. Zou hij haar optillen en ronddraaien? Zou hij haar vastpakken en zeggen dat ze nog steeds zo aanvoelt als twintig jaar geleden? Zullen hun monden elkaar vinden en niet meer loslaten?

Ze wil zich wentelen in warmte. In de armen van Chris. Ze wil het vuur in zijn ogen doen oplaaien. Ze wil een vrouw zijn waar een man naar verlangt. Ze wil weten of zij nog zo'n vrouw is. Ze typt een berichtje terug naar Chris. 'Ik verlang naar je.'

Ze sluit haar ogen. De telefoon laat ze uit haar hand op de grond glijden. Met haar handen tast ze haar lichaam af. Zou Chris haar borsten aanraken? Zou hij haar tegen zich aantrekken? Zou ze voelen dat hij opgewonden door haar raakt? Zou hij zijn handen op haar billen leggen om haar nog dichter naar zich toe te trekken? Ze voelt haar lichaam warm worden en de opwinding giert door haar lijf. Het verlangen om te vrijen welt in haar op.

Zachtjes hoort ze geklop op de deur. 'Mam, gaat het met je?' Het is Laurie. 'We wachten op je met het ontbijt. Pap heeft zelfs een eitje voor je gekookt.'

'Ja. Het gaat goed. Ik kom er zo aan. Begin maar vast met eten.' Mila hoopt dat haar stem niet zoveel anders klinkt dan normaal. Het gewone leven roept. Weg uit de droomwereld. Ze zal moeten doorzetten en echt haar koffer moeten pakken. Ze kan en wil zich niet laten inpalmen door het eitje dat er opeens voor haar gekookt is. Langzaam staat ze op uit het bad. Ze wikkelt zich in een grote handdoek. Snel smeert ze wat crème op haar gezicht, ze wil niet dat haar kinderen schrikken van haar opgezwollen ogen.

Ze pakt haar mobieltje en typt een bericht naar Alina: 'Ruzie met Lucien. Ik ga een weekje bijkomen in NL. Zie ik je dan?'

Meteen volgt er een reactie van haar beste vriendin. 'Ik ben er voor je. Doe rustig aan! Meteen maar reserveren bij de Thai? (voor de hele week) ☺'

'Hèhè, je doet maar. Ik bel je later. X Mila.'

Ze ziet dat Sebastiaan ook online is. Ze typt een paar zinnen en wist deze weer. Ze mag hem nu niet lastig vallen, hij heeft andere zaken aan zijn hoofd. Alhoewel, een klein berichtje kan geen kwaad: 'Hé, jij daar. Ik stop dat boek van je in mijn koffer. Ga eens kijken hoe Nederland erbij ligt. Hopelijk bij jullie alles goed…' (9:59)

'Assepoester, ben jij koffers aan het pakken? Weet niet wat er gebeurd is. Hoop niks geks.' (10:00)

'Ach, gewoon gedoe thuis. Ben er nu gewoon echt even klaar mee. Jij wel alles opgelost en uitgepraat?' (10:01)

'Wat maken mensen het elkaar toch altijd moeilijk, hè? Geloof jij in de ware? Of in eeuwige liefde? Linda is naar Nice vertrokken, ze wil nadenken. Met mijn creditcard.☺' (10:02)

'Dat doet ze dan goed! ☺ Moet toch eens met haar afspreken!' (10:03)

'Nee, a.u.b. niet! Twee vrouwen op oorlogspad, dat kan ik niet aan! Maar even zonder dollen. Als je wilt praten. Ik ben er voor je, hoor.' (10:03)

'Andersom ook, hè? Ik ga me weer eens onder de mensen vertonen, had me even strategisch verstopt in de badkamer. Maar naar ik heb begrepen, heeft mijn man een ontbijt voor me gemaakt. Met een ei. De wonderen zijn de wereld nog niet uit. Hoop aan de horizon. Een week naar Nederland en hij kookt een vijfgangen menu.'☺ (10:05)

'Er gaat een hoop schuil achter die grapjes van jou, hè Mila? Je hoeft niet altijd sterk te zijn, hoor. Je mag jezelf ook gewoon eens verliezen. (en ik zal je weer vinden…)' (10:06)

'Weet je, ik weet niet wat dit allemaal is tussen ons. Het voelt fijn. Het idee dat jij en je vrouw teruggaan naar Nederland gaf me even een angstig gevoel. Alsof ik mijn maatje kwijt raak. Belachelijk toch? Hoe lang kennen we elkaar nu? Een glimp in de winkel en een avond op de barbecue.' (10:08)

'Ja, en niet te vergeten onze ontmoeting van vanmorgen. Ik zal nooit vergeten hoe het licht met je haren speelde. Je zag er betoverend mooi uit. En ja, voor mij voelt het ook zo. Alsof ik je al jaren ken. Weet zelf ook niet wat ik ermee moet. Wil je graag leren kennen. Wil weten wat jou drijft in dit leven. Heb het idee dat ik veel van je kan leren.' (10:11)

'Zucht. Vanmorgen zat ik aan een riviertje. Nu net heb ik de tranen uit mijn hoofd gejankt. En nu ga ik een eitje eten. Hoe bizar kan het zijn? En morgen ben ik in Nederland, klaar om me in een avontuur te storten waar ik ook steeds minder zeker van ben. Zou ik je daarom tegengekomen zijn? Ben jij de ridder die me moet beschermen tegen alles wat niet klopt of ondoordacht is?' (10:13)

'Ha, Assepoester. Geen idee waar jij het nu over hebt. Je ridder wil ik wel zijn en ik wil je ook overal tegen beschermen. Maar wees vooral ondoordacht. Daar hou ik van. Dat brengt je verder. We leven al te veel in keurslijven. Me included.' (10:14)

'Je bent lief. Dank je. Fijn je nog even gesproken te hebben. Ik ga nu snel mijn keurslijf weer in. Maar zal je tip onthouden. Living on the edge dus! ☺' (10:15)

'Living on the edge!! Eet smakelijk. En tot later, hoop ik.' (10:11)

'See you!' (10:16)

Mila klikt haar telefoon uit. Hoe krijgt die man het voor elkaar? Ze heeft een glimlach om haar lippen. Zelfs de ruzie met Lucien lijkt niet belangrijk meer. Maar dat is het wel. En ze moet nu doorzetten. Niet terugvallen in haar keurslijf. Snel trekt ze haar kleren aan. Ze zal eerst gaan ontbijten en daarna de edelsmid terugbellen zodat ze haar plan kan maken. Dan kan ze Chris ook laten weten wanneer ze voor zijn deur staat.

Beneden zit iedereen aangekleed en wel aan tafel. Laurie kijkt haar moeder bezorgd aan. Mila hoopt dat ze geen moeilijke vragen gaat stellen. Lucien probeert Mila's ogen te vinden. Hij wil zeker peilen hoe erg het is. Ze negeert hem en draait de knop resoluut om naar de moeder-stand.

'Zo, dame en heer, is het nog laat geworden gisteravond? Nog leuke mensen ontmoet?'

Laurie en Lucas struikelen over hun woorden. Het was een topavond en ze hebben allerlei afspraken geregeld voor de komende tijd.

Mila lacht. De kinderen hebben hun draai gevonden, dat is wel duidelijk.

'Mam, ik zag jou nog met de T-shirtman praten.'

Mila verslikt zich in haar jus d'orange. 'T-shirtman, dat is grappig van je, Laurie. Zijn naam is Sebastiaan en hij komt oorspronkelijk uit Eindhoven, dus het was vooral leuk om een landgenoot te spreken.' Ze heeft geen zin om dieper op de T-shirtman in te gaan.

'Misschien kunnen we die T-shirtman dan eens uitnodigen,

kan ik dat shirt ook eens bekijken, want het schijnt wel heel bijzonder te zijn.'

Laurie slaat een arm om haar vader heen. 'Ach papa, niemand die aan jou kan tippen, toch mam?'

Mila knikt. Ze heeft geen zin in gevlei. Ze schraapt haar keel.

'Jongens, ik moet dadelijk even bellen met de edelsmid. Ik denk en hoop dat hij klaar is met zijn ontwerpen. Wanneer dit zo is, dan ga ik er heen om de as…' Even wordt het gevoel haar te heftig. 'Dan ga ik er heen om de sieraden op te halen. En nee, jullie kunnen niet mee. Het is helaas nog geen vakantietijd. En daarnaast wil ik dit echt alleen doen. Papa en ik moeten nog even de planning doorspreken, maar wellicht dat hij een paar dagen gewoon wat eerder uit zijn werk kan komen, zodat hij er is wanneer jullie uit school komen.' Ze negeert de protestgeluiden van de kant van Lucien en probeert zelfverzekerd over te komen. De kinderen mogen niet merken dat ze het er zelf moeilijk mee heeft, dan zouden ze een loopje met haar gaan nemen. 'Dus als jullie klaar zijn met eten, dan ga ik even bellen en dan bespreek ik daarna met papa de details. Ruimen jullie de tafel even af?'

Vanuit haar ooghoeken ziet ze Lucien ongemakkelijk op en neer schuiven. Wat zou die man nu toch denken? Zou hij zich irriteren of heeft hij het er gewoon ook moeilijk mee? Er zijn zoveel dingen die ze niet van hem weet. Ze kan hem niet meer aanvoelen of doorgronden. Heeft ze dat eigenlijk ooit gekund?

In haar broekzak trilt haar telefoon. Ze ziet een bericht van Chris. Ze zucht. Die man heeft ook een timing.

'Ik ook naar jou. Maar moet even kijken of ik tijd vrij voor jou kan regelen. Voor ons.'

Mila raakt licht geïrriteerd. Naar me verlangen, maar tijd vrijmaken is lastig. Andersom zou ze alles laten vallen. Net zoals ze altijd voor Lucien heeft gedaan. Misschien is dat ook wel de fout. Misschien moet ze veel meer een take-it-or-leave-it-houding aannemen? Maar dat is eigenlijk ook niet wat ze wil. Ze wil iemand die voor haar vecht. Iemand die werkt voor de liefde.

Ze pakt de huistelefoon en belt de edelsmid terug. Dit is even belangrijker dan Chris. De edelsmid legt uit dat hij tevreden is over de ontwerpen die hij heeft gemaakt en dat ze wat hem betreft kan komen om naar zijn voorbeelden te kijken.

Mila wrijft over haar slapen, ze voelt een stevige hoofdpijn opkomen. Het is de spanning. Het brengt het afscheid van jaren terug weer erg dichtbij. En aan de andere kant wil ze niks liever dan Liam dichtbij haar dragen. Ze spreekt met hem af dat ze dinsdag voordat de winkel opengaat bij hem langskomt en hangt op.

Mila loopt naar Lucien, die nog steeds aan de keukentafel zit. 'Ik vertrek zometeen. Ik neem onderweg een hotel en dan hoop ik maandagmiddag in Nederland te zijn. Dinsdag kan ik de voorbeelden bekijken en gaat hij aan de slag. Hij zal een paar dagen nodig hebben om de echte ontwerpen te maken. Ik verwacht dat ik uiterlijk zaterdag weer terug ben.' Haar stem klinkt helder en duidelijk. Ze is in haar advocatenrol gekropen.

Lucien kijkt haar recht aan. 'Hoe denk je dat te regelen met de kinderen? Ik moet gewoon werken, hoor. Dat heet een baan.' Zijn stem klinkt hard.

Mila wil zich hierdoor niet laten raken. En ze wil zich vooral niet laten ompraten. 'Luister, Lucien. Het spijt me, maar jij bent toch echt degene die iets moet regelen. Ik ga mijn koffers pakken en vertrek.'

Ze rent de trap op, haar hart bonkt in haar keel. Zou Lucien het wel redden met de kinderen? Vast, ze moet zich niet zo aanstellen.

Heel even gaat ze op hun bed liggen, haar ogen gesloten. Geen idee waar deze reis naar Nederland haar zal brengen. Wat het haar en Lucien zal brengen.

'Mam?' Ze voelt een hand door haar haren gaan. Laurie is naast haar komen liggen. 'Gaat het wel met je?'

Mila trekt haar dochter tegen zich aan.

'Hebben jij en papa ruzie?' Laurie kijkt haar doordringend

aan. 'Ben je boos op hem omdat hij gisteren niet meeging?'

Mila zucht. 'Ach, Laurie. Ik weet het niet. Ik ben vooral erg moe de laatste tijd. Het is voor ons allemaal een enorme omschakeling geweest, deze verhuizing. Ik moet mijn ritme nog vinden. Het klopt dat ik een beetje boos ben op je vader, maar dat komt wel weer goed. Maak je daarover geen zorgen. Help me liever met mijn koffer pakken, want ik schiet voor geen meter op. Enne, Laurie, als er iets is, dan bel me gewoon, hè? Dan maak ik meteen rechtsomkeer.'

'Volgens mij ben jij diegene die zich geen zorgen moet maken. Wij redden ons wel. Lucas en ik zullen papa ook eens onder handen nemen. Heropvoeden. Misschien maakt papa je olijfboomgaard wel af.'

'Jij bent grappig. Als Pasen en Pinksteren op één dag vallen zeker.'

Ze krijgen een enorme lachbui. 'Hou op!' roept Mila terwijl ze naar haar buik grijpt.

'Ja, en we leren hem meteen koken...'

Mila geeft haar giechelende dochter een knuffel en staat dan op om haar kleren bij elkaar te zoeken.

Laurie duikt ook Mila's kast in. 'Hier mam, deze jurk staat je mooi, die heb je te weinig aan. Wie weet wie je daar nog tegen het lijf loopt,' zegt ze er met een knipoog achteraan.

Mila stopt de jurk in haar tas. Geen idee of het ding nog past. *Misschien doe ik deze wel aan wanneer ik Chris ontmoet.* Ze schrikt van de gedachte. Chris ontmoeten. Geen idee of dat nog wel zo'n goed idee is. Ze kijkt naar Laurie die nog wat shirts uitzoekt. Zou ze het haar kinderen ooit aan kunnen doen om weg te gaan bij Lucien? Als advocate heeft ze zoveel ellende gezien waarmee de kinderen van gescheiden ouders worden opgezadeld, dat zou ze toch echt moeten zien te voorkomen. Misschien is een ontmoeting met Chris wel goed, dan zou ze zien dat het gras ergens anders heus niet veel groener is. Hoogstens net gemaaid en daarom frisser. Mila pakt haar telefoon voor een Facebook update:

Mila van den Elzen

2 seconden geleden

'Zou in Nederland het gras groener zijn?'

Vind ik leuk · Reageren · Delen

'Laurie, wil je een kop thee voor me maken, dan kom ik zo naar beneden. Alleen nog even mijn toilettas inpakken en dan ben ik klaar.' Als de deur achter Laurie sluit, zucht ze. Nog even en dan zal ze de urn van Liam inpakken en zullen ze samen de reis naar Nederland maken. Ze probeert haar gedachten weg te duwen. Ze wil nu niet denken aan de ochtend waarop ze Liam uit het ziekenhuis mee naar huis namen. De ochtend dat hij gestorven was. Mila knijpt haar ogen stevig op elkaar. Ook al is het zo lang geleden, haar herinneringen nemen een loopje met haar.

Ze hoort Lucas roepen. 'Mam, ik heb de steen in een doosje gedaan.' Mila snuit haar neus en dept haar ogen. Snel smeert ze nog wat crème op haar gezicht.

Als ze haar kamer uitloopt, botst ze tegen Lucien aan. Heeft hij al die tijd voor hun kamer gestaan? Ze kijkt hem aan. Als hij haar nu gewoon in zijn armen zou nemen, dan is dit alles niet nodig. Moet zij die eerste stap weer zetten? Mila's hoofd tolt van de afwegingen die ze in enkele seconden maakt. Als zij hem zou omhelzen, geeft ze daarmee dan aan dat hij gelijk heeft? Of laat ze zien dat ze nog voor hem en voor elkaar wil vechten? Het feit alleen al dat ze deze rationele afwegingen maakt stemt haar niet vrolijk. Wat zou Luciens reactie zijn als ze hem zou omhelzen?

Mila stapt naar voren en slaat haar armen om hem heen. Even probeert ze of ze zijn armen om haar middel kan leggen, maar ze voelen slap aan. Zou hij nog bijdraaien? Wat wil hij in godsnaam van haar? Ze stapt weer naar achteren. 'Ik ga nog even thee drinken met de kinderen en daarna pak ik de urn van Liam in. Ik zal bellen wanneer ik in het hotel ben. Laat jij mij tussendoor horen hoe het hier gaat?'

Lucien knikt. 'Ik hoop dat je er goed over na hebt gedacht wat je allemaal gaat doen, die week dat je weg bent. Je weet dat jij me nu achterlaat met een groot probleem. Ik moet deze week een overname regelen. Je bent nog egoïstischer dan ik dacht, Mila.'

'Zijn dit de woorden waarmee jij me nu laat vertrekken? Is dit werkelijk het enige wat je me te zeggen hebt? Wil je dat ik blijf, zodat jij je overname kunt regelen? Weet je wat ik deze week ga doen? Nadenken! Over mijn leven. Mijn eigen leven. Want ons leven lijkt niet meer te bestaan.'

Mila loopt naar beneden. *Mijn leven, dit is inderdaad mijn leven.* Beneden zitten Laurie en Lucas in de woonkamer. Mila gaat tussen hen in op de bank zitten en trekt ze beiden tegen zich aan. 'Pas goed op papa en het huis, oké, jongens?' Ze ziet dat er bij Lucas een traan over zijn wang loopt. Het mannetje probeert zich groot te houden, dat merkt ze aan alles. Mila is ook nog nooit zonder kinderen weggeweest. Het schuldgevoel laait in haar omhoog. Kan ze het zelf wel zo lang uithouden zonder die twee?

'Mam, je neemt wel tien pakken hagelslag mee terug, hè?' Laurie verbreekt de spanning.

Lucas overhandigt met een serieus gezicht het doosje met zijn lievelingssteen.

'Dank je wel, lieverd. Ik ben benieuwd naar het eindresultaat. Kom, ik drink de thee op en dan ga ik.' Opeens heeft Mila haast. Het afscheid uitstellen heeft geen zin en maakt het voor iedereen extra moeilijk.

Ze krijgt met moeite de thee weggewerkt. Dan staat ze op en loopt naar de urn in het notenhouten kastje. Ze wrijft erover.

'Pap!' roept, Laurie. 'Mama gaat vertrekken. Draag jij haar tas naar de auto?'

Mila verwacht niet dat Lucien dit zal doen. Ze zit er eigenlijk ook niet echt op te wachten. Het afscheid boven was al pijnlijk genoeg. Tot haar verbazing komt Lucien toch uit zijn werkkamer gelopen. Hij pakt Mila's tas en samen lopen ze naar buiten.

Mila legt de urn voorzichtig op de stoel naast haar. Dan loopt ze naar Laurie en knuffelt haar. 'Tot snel, moppie. Ik ga je missen. Let jij een beetje op Lobke?'
Laurie knikt. Ze heeft opeens niet zoveel praatjes meer.
Lucas gooit zich bijna in Mila's armen.
'Kom op, kerel. Ik ben weer terug voordat je er erg in hebt en bovendien is er nu niemand die oplet of je niet te veel achter je computer zit. Maar ik ga jou ook missen.' Ze geeft Lucas een extra kus op zijn wang en hij laat het gewillig toe.
Vanuit haar ooghoek ziet ze dat Laurie haar vader een zetje geeft. Lucien loopt naar haar toe en geeft haar een kus op haar wang.
'Hier, dit boek lag op de bank, misschien wil je het nog meenemen voor als jij je verveelt daar.'
Mila voelt zich even kleuren. Het boek van Sebastiaan. 'Dank je wel, Lucien. Ik stop het meteen in mijn handtas.'
'Rij je voorzichtig?'
Ze voelt de tranen weer achter haar ogen prikken en ze omhelst hem. 'Komt het weer goed tussen ons, denk je?' fluistert ze, zodat de kinderen het niet horen.
Lucien wrijft een lok van Mila's haar aan de kant. 'Ik hoop het, Mila. Ik hoop het echt.'
Ze geeft hem een kus op zijn mond. Misschien is deze reis echt ergens goed voor.

HOOFDSTUK 17

Het verleden heel dichtbij

Mila rijdt het erf af en toetert nog een keer. Ze hoort Lobke blaffen. In haar achteruitkijkspiegel ziet ze dat Lucien zijn arm om Lucas heenslaat. Misschien is het goed voor iedereen om even afstand te nemen van elkaar. Ze rijdt verder en ziet dat de buurman zijn hand opsteekt en naar haar zwaait. Zou hij ook zo hunkeren naar aandacht en warmte net als zij? Ze zwaait niet terug.

Mila stopt even langs de kant van de weg om toch maar even de TomTom in te stellen. Bovendien is er dan iemand die af en toe tegen haar praat. Ze tikt een bericht in op Facebook:

Mila van den Elzen

2 seconden geleden

'Samen met Tom onderweg naar Nederland. De weg vinden was nog nooit zo makkelijk.'

Vind ik leuk · Reageren · Delen

Eens kijken wie van haar vrienden weer vragen gaan stellen. Een aantal vrienden is ronduit jaloers wanneer Mila melding maakt van etentjes of lunches met onbekende mannen. De sociale controle op Facebook is enorm. Of ze geven gewoon echt veel om me, denkt Mila met een glimlach.

Ze tikt een Whatsapp berichtje naar Sebastiaan. 'Was bijna je boek vergeten, hoe dom is dat? Ben nu onderweg, benieuwd wat die reis me brengen zal.' (13:32)

Ook stuurt ze een bericht naar Chris. 'Ben vertrokken. Geen idee hoe laat ik morgen in NL ben. Zal ik je gewoon bellen en dan zien we wel? X Mila.' (13:33)

Ze ziet Lucien ook online in haar Whatsapp scherm. Zou hij dingen voor werk aan het regelen zijn? 'Ben niet ver buiten het dorp. Moest mijn TomTom nog instellen. Hoop dat het goed gaat daar met jullie. Ik mis jullie nu al.' (13:34)

Ze wil wegrijden als ze een bericht van Sebastiaan ziet verschijnen.

'Rij voorzichtig, geniet van het landschap nu het nog kan, straks alleen maar snelweg rijden. In de pauze gewoon een stukje uit het boek lezen, misschien haal je daar wat energie uit. Zet 'm op kanjer!' (13:34)

Mila tikt een smiley terug met een kushandje. Iets anders weet ze niet te bedenken. Het is gewoon een lief antwoord.

Chris heeft ook gereageerd. 'Fijn dat ik je morgen ga zien en vasthouden. Ik heb geregeld dat mijn kinderen morgenmiddag bij mijn broer zijn. Dus een paar uurtjes samen hebben we in ieder geval.'

Mila stopt haar telefoon in haar tas. Ze weet niet goed wat ze van zijn bericht moet denken, maar dat gevoel overvalt haar wel vaker de laatste tijd. Het bevalt haar ook niet dat ze Chris niks laat weten van dit gevoel. Is ze zo bang dat hij dan op haar afknapt? Loopt ze nu al op haar tenen voor hem? Ze weet dat ze morgen inderdaad bij hem op de stoep zal staan, zich zal schikken naar de tijd die hij voor haar heeft weten vrij te maken. Waar is toch die Mila gebleven die als het moest over lijken ging?

De TomTom wijst haar de weg en ze probeert de omgeving goed in zich op te nemen. Frankrijk is erg mooi. Ze had gehoopt hier meer van te genieten. Ze is in ieder geval van plan om vanavond een mooi hotel te nemen en zich onder te dompelen in luxe. *Gewoon, omdat ik het waard ben.*

Naast haar op de stoel lijkt de urn haar aan te kijken. God, wat zou ze ervoor over hebben dat Liam nu gewoon naast haar in de auto zat. De eerste jaren na zijn dood zat hij ook bij haar in de auto. Zijn kinderstoeltje had ze er niet uit willen halen. Pas toen Lucas een eigen stoeltje nodig had, haalde ze de stoel van Liam eruit en zette hem weg op zolder. Ze weet nog goed dat ze die dag aan het schoolplein stond om Laurie op te halen en dat de tranen over haar wangen rolden. Mijlpalen in het nemen van afscheid, noemt ze dat soort momenten. Mila schaamt zich nooit voor haar huilmomenten, het maakt deel uit van haar realiteit. Haar kwetsbaarheid.

Lucien heeft daar meer moeite mee, hij toont zijn verdriet niet in het openbaar.

Alina had Mila er wel eens op aangesproken. 'Wat wil je dat ik tegen je zeg, als ik zie dat je het moeilijk hebt?'

Mila wist het antwoord ook niet. 'Daar is geen kant-en-klaar-recept voor. Soms zou ik willen dat mensen vragen hoe het met me gaat. Dan wil ik dat ze zeggen dat ze Liam ook missen. En soms wil ik juist met rust gelaten worden. Maak het niet erger dan het vandaag al is. En ik hoop maar dat de mensen begrijpen dat ik mijn gemoedstoestand niet kan reguleren. Ik zelf moet ook leren omgaan met het feit dat ik een moeder ben van een kindje dat er niet meer is, maar wel deel van mijn leven blijft uitmaken. Elke dag, elke minuut. Ik probeer Liam met elke ademhaling in te ademen. Ik probeer hem met elke slag van mijn hart te blijven voelen.'

Alina had Mila vastgepakt en samen hadden ze gehuild.

Met Alina besprak ze haar diepste gevoelens over het verdriet om Liam. Over de relatie tussen haar en Lucien die met de dag verslechterde. 'Hij trekt zich helemaal terug. Bouwt een muur om zich heen. Dat is zijn manier om ermee om te gaan. Terwijl ik hem nodig heb. Elke avond zitten we aan tafel te eten en stappen we in bed. Dan voeren we, denk ik, ieder onze eigen gesprekken in ons hoofd. De eerste keer dat hij weg was voor werk, na de dood van Liam, was ik zo opgelucht. Ik hoefde niet te luisteren naar die zwijgende, nare stilte.'

'Jullie hebben hulp nodig, Mila.'

Die zin had ze Alina de laatste jaren vaak horen zeggen.

Mila klemt haar handen om het stuur. Kan ze het aan om terug te gaan naar de dagen van Liams ziekte en zijn dood?

Een auto haalt Mila in. Ze ziet twee kinderen achterin zitten. Ze zwaaien naar haar en ze zwaait terug. Liam vond het ook altijd leuk om te zwaaien naar auto's die langsreden.

Mila's gedachten gaan terug naar de avond waarop Liam ziek werd. Hij wilde niet eten, zei dat hij moe was en naar bedje wilde. Mila had zijn koorts opgemeten, maar had al aan zijn hoofd gevoeld dat zijn temperatuur aan de hoge kant was. Zijn handjes waren koud. Zou hij weer keelontsteking hebben? Ze zou de volgende dag met de kno-arts bellen om een afspraak te maken om zijn amandelen eruit te laten halen.

De film in haar hoofd speelt zich verder af. Hoe ze die nacht naast hem lag. Hij haalde onrustig adem en werd veel wakker. Elke keer pakte ze zijn hand vast en dat leek hem te kalmeren. Ze maakte Lucien wakker. 'Lucien, kun jij morgen vrij nemen en bij Liam blijven, ik heb een zitting die niet verplaatst kan worden.'

Lucien had even gemopperd. 'Je ouders zijn morgen toch hier om op te passen? Of ik er nu ben of zij, dat maakt voor Liam geen verschil.'

En weer komt de vraag in Mila naar boven: 'Waarom heb ik hem toen niet naar het ziekenhuis gebracht?' De nacht leek om te kruipen en zowel Mila als Liam vielen pas tegen de ochtend in een diepe slaap. Het was Lucien die haar wekte met de mededeling dat hij ging vertrekken en dat Laurie nog sliep en dat het al acht uur was. Mila schoot overeind. Verdorie, Laurie zou te laat op school komen op deze manier. Voorzichtig was ze uit bed gestapt om Liam niet wakker te maken.

'Lucien, kom op, had jij niet even Laurie wakker kunnen maken, zodat ze op tijd zou komen voor school? Ik heb de hele nacht bij Liam gelegen en ben doodmoe.'

Zijn reactie was voorspelbaar geweest. 'Ja, daar heb je toch zelf voor gekozen?'

De stoom was uit haar oren gekomen, maar ze had zich ingehouden toen ze het slaperige gezichtje van Laurie zag.

'Is Liam weer beter, mama? En kom ik nu te laat op school?'

Mila had haar opgetild en geknuffeld. 'Maak je geen zorgen, het komt allemaal weer goed met ons kleine mannetje. Hij slaapt nu lekker. Ik zal jou eens even snel helpen met aankleden en dan kan papa jou naar school brengen. Je boterham kun je onderweg opeten.'

'Mila, ik ben al laat! Lucien's stem klonk nors.

'Je denkt toch niet dat ik Liam wakker maak zodat ik hem mee kan zeulen naar school?' had ze hem toegebeten. 'Je wacht die tien minuten maar even. Ik blijf vandaag thuis en die zitting kan me gestolen worden. Ik maak me echt zorgen om Liam.'

Toen ze even later aan zijn voorhoofdje voelde schrok ze. Hij gloeide enorm. Zijn handen waren ijskoud. 's Morgens is de koorts toch altijd lager, zo was haar altijd verteld. Voorzichtig wilde ze Liam wakker maken. Dit lukte haar amper. Hij was heel ver weg. In paniek had ze Lucien gebeld. Hij nam niet op.

Liam had opeens zijn ogen wagenwijd open gedaan en begon te kermen. Mila zag zijn ogen wegdraaien en voelde zijn lijfje helemaal slap worden. Ze twijfelde geen seconde en belde de buurvrouw. 'Kun je nu komen? Ik moet direct met Liam naar het ziekenhuis.'

In de auto probeerde ze nogmaals Lucien te bereiken en belde ze haar ouders om te laten weten wat er aan de hand was en opvang voor Laurie te regelen.

Toen ze eindelijk het ziekenhuis bereikt hadden, leek Liam nog amper lucht te krijgen. Ze rende de eerstehulppost binnen en riep om hulp. Liam werd op een bed gelegd en naar een kamer gebracht. Mila hield zijn handje vast.

Een arts kwam binnen. Een lange man. Zijn naam verstond ze toen niet. Het interesseerde haar niet. Ze gaf kort antwoord op alle vragen die ze afvuurden. Ondertussen waren twee andere artsen met Liam bezig. Hij reageerde amper. Hij voelde niet eens dat er bloed afgenomen werd. Liam werd aangesloten op een monitor, die heel vaak en veel piepte.

'Dokter? Wat is er aan de hand met mijn zoontje?' Een verpleegster bracht haar een glas water. Ze sloeg het bijna uit haar handen. Ze wilde geen water, ze wilde weten wat er met hem aan de hand was.

De dokter bekeek Liams huid. Kleine paarse vlekjes. Hij probeerde ze weg te drukken, maar dat lukte niet.

Een verpleegster had een arm om haar heengeslagen. Het viel haar op hoe kinderlijk ze tegen haar praatte. 'Mevrouw, kunt u ons het nummer van uw man geven? Het is belangrijk dat hij nu hierheen komt.'

Als een robot had ze zijn telefoonnummer opgenoemd. De verpleegster liep weg en Mila hoorde dat ze Lucien aan de lijn had. Ze deelde bevelen aan hem uit. 'Er is haast bij,' hoorde ze de zuster zeggen.

De lange dokter liep naar haar toe. Ze zag zijn mond bewegen. Dat is geen goed nieuws, had ze nog gedacht. De kamer leek opeens leger te zijn geworden. Minder verpleegsters. Toen hoorde ze wat ze niet wilde horen. Als in slow motion.

De verpleegster legde de kabeltjes aan de kant zodat Mila naast Liam kon gaan liggen. Ze sloeg haar arm om hem heen, drukte hem stevig tegen zich aan. Ze hield hem vast, wilde hem nooit meer loslaten. Hoe lang ze daar heeft gelegen, weet ze nog steeds niet. Iets in haar zei dat ze moest onthouden hoe het voelde om hem vast te houden.

Ze had een kort verhaaltje in zijn oor gefluisterd. Over een beertje en de sterren. Over hoeveel ze van hem hield. Dat hij haar kleine prins was. Dat hij niet ziek mocht zijn, dat bij beter moest worden. Dat mama niet zonder hem kon. Dat Laurie met hem wilde spelen. Dat hij vanavond bij papa en mama in bed mocht slapen.

Het apparaat begon te piepen. Ze zag zwarte lijnen. Ze begroef haar hoofd in het kuiltje van zijn nek en voelde dat hij er niet meer was.

Mila voelt dat ze moet overgeven. Ze stuurt haar auto naar de kant, een picknickplek langs de snelweg. Ze stapt uit, gooit de deur dicht en rent de berm in. Ze geeft over totdat ze niet meer kan. Ze voelt zich leeg. Maar de leegte in haar lijf is niks vergeleken met de leegte in haar ziel.

Ze staat langzaam op uit haar knielende houding. Ze voelt zich vies. Haar kleren plakken aan haar lijf en het braaksel lijkt in haar haren te zitten. Het is de eerste keer sinds lange tijd dat ze het heeft aangedurfd om de film in haar hoofd weer af te spelen. Maar het heeft haar niks opgeleverd. De verwijten die ze zichzelf maakte na de dood van Liam maakt ze niet meer, dat is de enige winst die ze na zoveel jaren heeft behaald. Ze legt twee handen op haar buik en probeert haar ademhaling weer rustig te krijgen.

Met de natte verfrissingsdoekjes die standaard in het handschoenenvakje van de auto zitten, knapt ze zich wat op en ze drinkt een flesje water leeg.

Als ze voldoende gekalmeerd is, stapt ze weer in de auto en besluit nog een uurtje te rijden om het dan voor gezien te houden. Ze snakt naar een warm bad en een fris bed.

Haar TomTom geeft een overnachtingspunt aan en ze hoopt dat het nog niet is volgeboekt. 'Joie de Vivre' is de perfecte naam voor een bed & breakfast.

Ze verlaat de snelweg zoals de TomTom het aangeeft en rijdt een dorpje in. Ze stopt bij een werkelijk schitterende boerderij. Dit moet haar overnachtingsplek zijn. *Typischer dan dit kan Frankrijk niet zijn.*

Ze pakt haar mobieltje en maakt een foto van de boerderij. Zo wil ze dat haar eigen bed & breakfast ook gaat worden. Ze lacht, wat een plannen terwijl die olijfboomgaard nog niet eens af is. De entourage is hier gewoon prachtig. Alles past precies in het plaatje en roept: je bent welkom.

Ze stuurt de foto door naar Sebastiaan met als bijschrift: 'Hoe bijzonder de dag soms kan verlopen. Ik voel me opeens Alice in Wonderland in een Du Pain, Du vin commercial.' (19:32)

Ze stapt uit en loopt naar de deur waar ze aanklopt. Een vriendelijke oudere man laat haar binnen en handelt de formaliteiten af aan de receptie. Ze heeft geluk, er is nog een gite beschikbaar.

De man helpt haar met haar koffer en opent de deur van

haar gite. Ze wordt overspoelt door zoveel sfeer en warmte, dat ze zich meteen thuis voelt. Hij vertelt haar dat hij dadelijk een mandje met lekker stokbrood en wat kaas komt brengen en ook een fles wijn. Het water loopt Mila in de mond, nu pas merkt ze dat ze honger heeft.

Ze appt de foto ook nog even door naar Laurie. 'Mooi hier, maar mis jullie. Alles goed? X aan papa en Lucas!' (19:35)

Ze krijgt meteen een berichtje terug: 'Wacht maar tot je thuiskomt, wij zijn ook met iets moois bezig. X terug.' (19:36)

Mila reageert met een reeks vraagtekens, die Laurie beantwoordt met een smiley en de tekst: 'Wacht nou maar af. Ik moet weer aan de slag. Xxx.' (19:37)

Mila loopt naar de badkamer en laat het bad op sierlijke pootjes vollopen. Haar telefoon zoemt. Met een glimlach op haar gezicht ziet ze dat het Sebastiaan is die een appje heeft teruggestuurd.

'Alice in Wonderland is beneden jouw niveau. Je bent en blijft een Assepoester uit een olijfboomgaard. Wacht maar tot de goede fee met haar toverstafje zwaait.' (19:38)

Mila grinnikt. Zijn woorden voelen warm aan. Niet opdringerig of flirterig, maar gewoon lief. Alsof ze een spel spelen met woorden om elkaar een fijn gevoel te geven. Spelen met woorden, dat deed ze ooit met Chris. De Chris uit het verre verleden die ze morgen gaat ontmoeten. Hoe goed kennen ze elkaar eigenlijk nog? Ondanks het feit dat via Skype de vonken ervan af vliegen. Het rare is dat wanneer ze samen met Chris online is, alles goed en prettig aanvoelt. Maar zodra ze offline zijn, komt het gevoel van eenzaamheid dreigend op haar af. Alsof ze elke keer opnieuw weer verbinding met hem moet maken. Hoort dat bij liefde? Dat het zwaar is?

Ze hoort een klopje op de deur. De oudere meneer staat voor de deur met een mandje met etenswaar en een fles wijn.

'Heerlijk,' zegt Mila. 'Het is hier werkelijk prachtig. De gite is zo smaakvol ingericht, ik voel me hier helemaal op mijn gemak. Dank u.'

Hij knikt trots, zegt gedag en draait zich om.

Het bad is ondertussen volgelopen. Mila wil zich in het bad laten glijden, maar bedenkt zich. Ze pakt het boek van Sebastiaan uit haar tas en neemt dat mee de badkamer in. Een begin kan ze in ieder geval maken. Ze is nieuwsgierig op welke manier zij op het hoofdpersonage lijkt. Het is lang geleden dat ze de tijd en de rust heeft genomen om een boek te lezen. Ze pakt ook de fles en zet die op een stoel naast het bad. Ze schenkt een glas in en maakt een proostend gebaar. De wijn streelt haar tong, heerlijk. Vervolgens laat ze zich in de weldadige warmte van het bad zakken.

Ze houdt het boek in haar handen en even voelt ze een diepe verbinding met Sebastiaan. Zijn ogen hebben deze bladzijden ook gelezen en zijn vingers hebben die omgedraaid. Zou ze kunnen voelen wat hij dacht toen hij het verhaal las? Ze leest de achterkant van het boek en vraagt zich af of zo'n dun boekje in staat is om neer te zetten wat het zegt dat het doet. '…and shows us what it is to love and be loved so intensely that life is never the same again.'

Heeft ze daar niet altijd van gedroomd? Een liefde die ervoor zorgt dat issues als de afwas en rondslingerende sokken bijzaak worden wanneer je in elkaars ogen kijkt? Hopeloos romantisch, dat is ze.

Ze slaat het boek open en verdwijnt in de zinnen die haar meevoeren in het leven van twee voor elkaar onbekende mensen die in vier dagen tijd elkaar vinden en weer los laten.

Mila verslindt de bladzijden en gaat op in het leven van Francesca Johnson en Robert Kincaid. Francesca is een getrouwde huisvrouw en woont op een boerderij. Haar man en kinderen zijn een paar dagen weg naar een of andere beurs. Een knappe vreemdeling klopt bij haar aan en vraagt haar naar de weg.

Mila pakt haar telefoon van de stoel en tikt een bericht naar Sebastiaan. 'Fijn hoor, eerst noem je me Assepoester en nu vergelijk je mij met die Francesca uit het boek. Zij is inderdaad echt saai en hopeloos ouderwets…' (20:15)

Ze ziet dat Sebastiaan meteen terugschrijft.

'Wacht nu maar af en lees nog een paar bladzijden verder...' (20:16)

'Oké,' typt Mila terug. 'Ik gun je het voordeel van de twijfel.' (20:17)

Maar het boek heeft haar al gegrepen. De schrijver heeft er gevoel voor om emoties sterk neer te zetten op een eenvoudige manier. Ze voelt de eenzaamheid van Francesca door de bladzijden sijpelen. Ze voelt ook meteen de klik met Robert. Aantrekkelijk, ruig maar met diepe gronden. Een fotograaf die een fotoreportage maakt van verschillende bruggen. Het is werkelijk mooi om te zien hoe er bij Francesca een knop om gaat waardoor zij kan genieten van het moment. Van deze mooie man in haar keuken. De aantrekkingskracht tussen de twee mensen is subtiel, maar daarmee enorm intens. En Francesca is alles behalve saai, ze zat in een keurslijf en daar brengen vier dagen met Robert verandering in. Haar hele leven komt op zijn kop te staan. Ze komt erachter helemaal niet gelukkig te zijn in haar huwelijk en had veel meer van haar leven willen maken dan het huisvrouwenbestaan dat ze nu leidt. Het is heerlijk om te lezen hoe Robert een ogenschijnlijk grijze muis als Francesca laat stralen. Hoe ze van een voorzichtige, bijna preutse vrouw verandert in een femme fatale.

Mila sluit haar ogen. Is Chris een Robert? Is zij een grijze muis? Ze slaat de bladzijde om. De scene in de keuken waarin Francesca de groenten snijdt is zo erotisch, dat Mila terugdenkt aan haar skype gesprek met Chris. Intense aantrekkingskracht zonder elkaar aan te raken, hoe mooi is dat? Robert neemt Francesca in zijn armen en ze dansen. Mila zucht. Ze voelt het ritme van hun harten, het ritme van hun lichamen die hunkeren naar een antwoord op hun gevoel. Mila draait met haar voet de heetwaterkraan open, ze is zo opgegaan in het boek dat het water lauw geworden is. Ze neemt nog een slok van haar wijn.

Haar mobieltje zoemt. Het is Sebastiaan. 'En, snap je al wat ik bedoel? Hoe het leven kan veranderen door een simpele ontmoeting. En dat liefde bitterzoet kan zijn? Zie je ook hoe sterk deze Francesca is?' (21:17)

Mila typt terug. 'Ik ben gegrepen door het boek. Had niet eens door dat mijn bad al lauw geworden was. Ik moet zelfs nog eten. Geen idee hoe lang ik hier al lig te soppen. Maar het is prachtig. Het verhaal snijdt door mijn ziel en eerlijk gezegd kon ik bij de liefdesscène in de keuken geen adem meer halen.' (21:19)

'Lig jij in bad? Aargh. Sommige dingen kun je me beter niet vertellen. Ik ben enorm visueel ingesteld en dit beeld krijg ik er nu niet meer uit.' (21:19)

'Nou, is dat zo erg dan?' (21:20) Mila weet maar al te goed waar hij op doelt, maar een beetje dollen met Sebastiaan kan geen kwaad.

'Jij moest eens weten wat je met mensen doet. Je bent al net zo naïef als Francesca. Dag Assepoester, ik hoop dat je een beetje aan me denkt tijdens de volgende liefdesscène in het boek.' (21:21)

'Het loopt toch wel goed af, hè, dit verhaal? Ze gaat er vast en zeker vandoor met de fotograaf, toch?' (21:21)

'Ik verklap niks. Lees maar verder. Het einde is bloedstollend mooi, maar niet het einde waar we op hopen.' (21:22)

'Grmpf! Wacht maar, ik krijg je nog wel. ☺' (21:23)

'Slaap lekker en succes morgen met je verdere reis. Vertel me nog maar een keer wat je precies gaat doen en wat er thuis allemaal gebeurd is. Heb veel aan je gedacht vandaag.' (21:24)

'Dat zal ik doen. Ik ga nu lekker verder lezen. Dag T-shirtman!' (21:24)

Mila heeft geen zin meer om in bad te liggen en slaat snel een handdoek om zich heen. Al druppend loopt ze het slaapvertrek in en gaat met de handdoek nog om op haar bed zitten. De kussens in haar rug voelen heerlijk aan. Ze leest snel verder. Het liefst zou ze naar de laatste bladzijde gaan, maar ze weet zich te beheersen.

Een uurtje later legt Mila het boek naast zich neer. Ze weet niet goed hoe ze zich moet voelen. Wat een liefdesdrama vol keuzes, verlangens en dromen. Francesca heeft de liefde van haar leven gevonden in Robert, maar kiest uiteindelijk voor haar gezin. Althans, fysiek kiest ze voor haar bestaan op de boerderij. In haar hart weet ze dat Robert haar man is. En ook Robert heeft gekozen voor zijn Francesca. Wanneer hij sterft, wil hij zijn as laten uitstrooien bij de brug waar hij samen met Francesca was. Als Francesca jaren later ook sterft, zijn haar kinderen verbaasd over haar laatste wil om haar as bij een brug te laten uitstrooien. Gelukkig heeft Francesca haar liefdesverhaal opgeschreven in drie dagboeken en kunnen haar kinderen achter het ware verhaal van hun moeders wens komen. Hun moeder hoopt dat ze hiermee haar kinderen laat zien dat je moet kiezen voor het ware geluk en echte liefde. Voor de kinderen natuurlijk een enorme klap om erachter te komen dat hun moeder heel veel jaren van een andere man dan hun vader gehouden heeft. Mila voelt de pijn van Francesca en Robert toen ze de keuze maakten om niet met elkaar verder te gaan. Ze schenkt nog een beetje wijn in. Dit hele verhaal moet ze laten bezinken.

Ze typt nog een bericht aan Sebastiaan. 'Bedankt hoor. Ik zit hier met een kater. De helse pijn van verlangen heeft een zoete smaak. Ik ga ook maar een dagboek bijhouden voor mijn kinderen, je weet nooit waar het goed voor is. Welterusten!' (22:36)

'Je bent me er eentje! Slaap zacht.' (22:37)

Mila gooit de handdoek van zich af en haalt snel een slipje en haar nachthemdje uit haar koffer. Ze kan haar ogen bijna niet meer open houden. Ze rolt zich op in haar bed en slaapt al voordat ze het kussen raakt.

Die nacht schrikt Mila wakker uit een nachtmerrie. Haar nachthemd plakt aan haar lichaam. Ze knipt het schemerlampje aan. Ze pakt haar mobieltje dat naast haar op het nachtkastje ligt. Het is drie uur 's nachts. Wat een rottijd om wakker te worden. Opeens komt de ruzie met Lucien weer naar boven. Zij staan met hun relatie op een kruispunt. Gaan ze samen rechtdoor of kiezen ze ieder een eigen pad? Verdomme, die Francesca heeft toch ook gewoon voor haar gezin gekozen en zich erbij neergelegd dat sommige dromen niet uitkomen. Is zij zo egoïstisch?

Mila merkt dat ze Lucas en Laurie op dit moment echt enorm mist. Ze probeert te graven om te ontdekken of er een gevoel van gemis aan Lucien naar boven komt, maar dat blijft weg. Ze schrikt ervan. Ze denkt terug aan het app gesprek met Sebastiaan. Dat was fijn en voelde goed. Zou ze niet beter aan Chris denken? Dat is de man waar ze morgen heen gaat. De man waar ze vurig mee zal kussen, althans, dat heeft ze met zichzelf afgesproken. Ze gaat voor een Francesca momentje.

Ze zucht diep. Ze voelt dat de slaap haar weer wil omarmen. Maar ze verzet zich. Ze pakt haar iPad uit haar koffer en opent haar mailprogramma. Er moet haar iets van het hart en wel nu meteen.

Lieve Lucien,

Ik lig hier in een prachtig bed en een mooie kamer. Alleen in bed. Ik ben wakker geschrokken uit een nachtmerrie. En die nachtmerrie wil ik met je delen. Ik weet dat jij altijd een hekel hebt aan die dromen van mij, vooral wanneer je door mij wakker schrikt. Ik voel me dan altijd schuldig. Maar weet je, ik droom zoiets niet expres. En eigenlijk zou ik het fijn vinden wanneer je niet boos werd, maar me in je armen zou nemen en zeggen dat het maar een droom was.

Ik droomde dat ik over een touwbrug liep en dat Lucas en Laurie aan de andere kant stonden en me riepen. Toen hoorde en zag ik dat de brug scheurde. Gelukkig werd ik wakker voordat ik het ravijn in kukelde.

Deze avond heb ik een boek gelezen. Je gaf het me toen ik vanmorgen vertrok, weet je nog? Het boek gaat over een liefdesaffaire. De vrouw is getrouwd en heeft twee kinderen. Ze ontmoet een man die haar laat stralen. Ze kiest uiteindelijk voor haar gezin. Maar in haar testament neemt ze op dat ze gecremeerd wil worden en uitgestrooid wil worden naast de liefde van haar leven. Pijnlijk mooi. De tot de dood ons scheidt krijgt hier een heel andere gestalte. Je moet het boek ook maar eens lezen of beter de film kijken. Samen een film kijken hebben wij al heel lang niet meer gedaan. De tijd raast aan ons voorbij. Soms ben ik bang ook zo'n vrouw te worden als in het boek...

En dat wil ik niet. Ik wil jou terug. Ik wil ons terug. Ik weet niet eens of jij dit ook zo voelt; die afstand tussen ons. Elke dag vecht ik om je te vinden.

Ik schrijf je deze brief als een soort reddingsboei. Te lang praat ik tegen je in mijn eigen hoofd. Het is tijd om die stilte te doorbreken. Hoe moeilijk ook. Maar ik wil niet langer laf zijn. Al die dingen die ik in mijn hoofd tegen je zeg, moet ik tegen jou zeggen. Want ik mag er niet vanuit gaan dat jij kunt raden wat ik denk. Het is erin gesleten. Ook jij praat niet meer met me en ik vraag me angstig af wat jij allemaal in je hoofd tegen me zegt. Te lang zie ik je niet meer zoals je was. Maar hetzelfde geldt ook omgekeerd, zie jij mij nog zoals ik was? Een maand na onze ontmoeting zei je dat ik je betoverd had. Nu voelt het soms alsof ik je behekst heb.

We maken ruzie om de kleinste dingen, maar ze voelen elke keer als een afwijzing. Ik weet niet eens waarover we ruzie maken. Om alles en om niks.

Ik wilde dat ik je al deze dingen had durven zeggen. Ik weet ook niet of ik je deze brief ga sturen, misschien is het voor mij een manier om mijn gevoelens op een rijtje te zetten. Ik lijk de weg wel kwijt. Ik hoop dat deze week in Nederland ons verder brengt. Tijd om na te denken en tijd om te voelen. Ik vraag me af of jij mij mist. Of je aan me denkt? Of je hoopt dat ik goed aankom in Nederland? Ik denk wel aan jullie.

Ik wil niet dat deze brief klinkt als een verwijt. Ik begrijp dat jij het druk hebt met je baan en dat het niet altijd even makkelijk is. Je werkt hard en je knokt ervoor. Maar Lucien, vergeet mij daarin niet. Vergeet niet te knokken voor nog iets anders: namelijk de rest van ons leven. Je werk houdt ooit op en de kinderen zijn dan het huis uit. Wat hebben wij dan? Dat gevoel maakt me soms zo angstig. Zijn wij dan twee vreemden onder een dak? Of vlucht jij weg door een hengel te kopen en te gaan vissen? En ik, ben ik dan continue online en probeer virtueel een kopje koffie te drinken met mijn vriendinnen? Kunnen wij de weg naar elkaar nog terugvinden? Willen we dat?

En ja, ik ben misschien ook niet meer de Mila die ik was. Een stukje van mij is weggenomen op de dag dat Liam van ons is weggegaan. En rond die dag is zoveel onuitgesproken. Ik wil het daar nu niet over hebben, ik denk dat we daar hulp bij nodig hebben. Ik denk dat wij ons beiden zo eenzaam hebben gevoeld in ons verdriet. Misschien waren er ook nog stille verwijten naar elkaar. Misschien zijn die er nog. Maar Lucien, weet jij nog hoe het voelde toen hij de dag voordat hij ziek werd binnen kwam gerend met een regenworm in zijn handen? 'Papa, de slang is stuk...' Hij was zo verdrietig. Niet te troosten. Jij hebt toen een wonder verricht. 'De slang doet het weer,' zei hij. Je had volgens mij heel snel de tuin afgezocht naar een andere regenworm. Zijn gezichtje straalde. Jij was zijn held op dat moment. En dat ben je gebleven.

Kunnen wij toveren, Lucien?

Ik wil niet opgeven. Als ik naar onze kinderen kijk dan voel ik me trots. Kijk naar ze. Bewonder ze. Ze zijn een deel van jou. En een deel van mij. Als jij ziet hoe mooi ze zijn, dan moeten wij elkaar toch ook weer mooi kunnen vinden?

Je wilde naar Frankrijk om een nieuw leven te beginnen. Misschien was dit iets wat we niet hadden moeten doen. Niet opnieuw beginnen, maar gewoon verder gaan.

Ik wil weer van je gaan houden.

Liefs, Mila.

Mila ziet de letters voor haar ogen dansen. Haar hoofd tolt. Tijdens het schrijven van de brief voelde ze allerlei emoties in zich naar boven komen. Vooral verdriet. Had zij er niet hard genoeg voor geknokt? Is ze te laat met een reddingspoging? En waarom gaat ze zichzelf morgen in godsnaam in de armen van Chris gooien? Is dat de ultieme test? Wanneer Chris en zij daadwerkelijk zoenen, betekent dat dan dat de liefde voor Lucien weg is? Ze drukt op verzenden.

Het is de tweede keer in korte tijd dat het drukken op de verzendknop zoveel impact heeft. Eerst het vriendschapsverzoek aan Chris. En nu deze brief aan Lucien. Met een nerveus gevoel in haar maag kruipt ze onder de dekens. Ze hoopt dat haar hersenpan nu weer leeg genoeg is zodat ze nog een paar uur kan slapen. Ze duwt een kussen op haar hoofd in de hoop haar hersens tot zwijgen te brengen.

Mila wordt wakker van het gezoem van haar telefoon. Hoewel er heel veel licht de kamer binnen schijnt, krijgt ze haar ogen amper gefocust. Hebbes! Het is Lucien. *De brief!* Haar maag draait zich om en ze knijpt in haar kussen. Ze moet opnemen, maar ze is zo bang voor wat ze te horen krijgt. Ze kan gewoonweg geen inschatting maken van zijn reactie. Dan drukt ze trillend op groen: 'Hé, met mij, alles goed? Je hebt me wakker gebeld.'

'Ja, met mij. Hier is alles prima. Ik kreeg alleen gisteravond een telefoontje van je ouders en die blijken niet te weten dat je onderweg bent naar Nederland. Wil jij ze zelf even bellen om ze te vertellen waar je mee bezig bent? Want dat kan ik niet voor je doen.'

Mila sluit haar ogen en probeert alles wat ze voelt binnen te houden. 'Ja, klopt, ik heb ze nog niks verteld omdat ik niet precies weet wat mijn planning zal gaan worden. Maar ik bel ze wel, geen probleem. Hebben de kinderen goed geslapen?'

'Ja hoor. We gaan zo meteen ontbijten. Lucas slaapt nog. Laurie staat in de keuken jouw rol over te nemen. Doet ze eigenlijk helemaal zo slecht niet.' Lucien's stem klinkt zacht. Gelukkig maar, want Mila had er al bijna een verwijt in gehoord.

'Heb jij mijn email nog gelezen? Ik werd vannacht wakker en heb je toen een brief geschreven. Ben benieuwd wat je ervan denkt.'

'Ja, ik zag hem, maar ben er nog niet aan toegekomen. Ik ga nu Lucas uit bed halen, want anders staat Laurie voor niks wentelteefjes te bakken. Ik eet die dingen niet. Ik spreek je later!'

Mila zucht. Misschien zit zij gewoon heel anders in elkaar. Zij zou een brief van Lucien meteen gelezen hebben. Is hij dan niet nieuwsgierig? Misschien verwacht ze ook gewoon te veel. Gelukkig lijkt hij zich iets meer van de kinderen aan te trekken en dat is al pure winst.

Het is pas zeven uur, geen wonder dat haar ogen amper

opengingen na zo'n vreemde nacht. Maar voor haar doen heeft ze eigenlijk enorm uitgeslapen. Ze ziet nog een berichtje van Chris, ergens verstuurd om een uur of zeven.

'Heb amper geslapen vannacht. Vandaag ga ik jou gewoon zien!'

Hij kijkt er dus naar uit om haar te zien. Ze voelt een vreemd soort opwinding door haar lijf gaan. Ze voelt zich net een spijbelende puber. Ze tikt een bericht terug. 'Ik heb ook slecht geslapen, dus dat komt goed uit. Misschien vallen we wel naast elkaar in slaap op de bank. ☺'

'Dat denk ik niet. Wij hebben wel iets beters te doen dan dat.'

Ze voelt zich warm vanbinnen worden. Zijn berichtje laat niks te raden over. Ze vindt het heerlijk dat hij nu overkomt als een roofdier dat zijn prooi bijna gevangen heeft. Wat dat betreft is ze misschien ook wel ouderwets. Misschien is dat het gevoel dat ze al zo lang kwijt is. Natuurlijk wil ze geen goedkoop lustobject zijn, maar ze wil ook geen vrouw zijn die het hoofd van geen enkele man meer op hol kan brengen. Even vraagt ze zich af of zij niet de jager is. Brengt zij niet de hoofden van mannen op hol om het gebrek aan opwinding thuis te compenseren? Is zij de vleesgeworden Francesca uit het boek dat ze van Sebastiaan heeft gekregen? En als ze dat al is, wat is daar dan mis mee? De belangrijkste les die Francesca aan haar kinderen had willen meegeven, was om te vechten voor het geluk en je grote liefde.

Hopelijk zou Lucien haar brief lezen en zou het iets in hem losmaken. En hopelijk zou dit genoeg voor haar zijn om zelf ook weer de mooie kanten van Lucien te ontdekken. Eerlijk is eerlijk, ze kan op dit moment ook niet zeggen of ze echt nog van hem houdt.

Met tegenzin toetst ze het nummer van haar ouders in. Ze zullen wel met een heel aantal vragen komen over haar reisje naar Nederland. Hopelijk ruiken ze geen onraad. Mila wil ze er niet mee belasten en aan de andere kant wil ze zich deze week gewoon even vrij voelen. Ze krijgt haar moeder aan de lijn en die zit inderdaad vol vragen.

'Ik heb je oude kamer op orde gemaakt en onze afspraak van vanmiddag afgezegd. Ik neem aan dat je straks bij ons voor de deur staat?' Haar moeders stem klinkt blij en opgewonden.

'Mam, ik laat nog wat weten, maar vandaag kom ik niet langs, ik heb al met Alina afgesproken. Heb haar al lang niet meer gezien en wil echt even bijkletsen.' Ze hoopt maar dat haar moeder de leugen niet oppikt. Hoewel, vanavond zou ze wel bij Alina blijven slapen. Of Chris moet haar vragen om langer te blijven. 'Mam, sorry, maar ik moet nu ophangen en me klaar maken voor vertrek. Ik bel je maandag, dan weet ik meer over mijn plannen.'

Haar moeder sputtert nog even tegen. Mila voelt zich schuldig over haar gedrag, maar ze heeft echt geen behoefte om met haar moeder in discussie te gaan.

Snel springt ze onder de douche, wat haar meteen een beter gevoel geeft. Ze kleedt zich aan en eet van het stokbrood dat ze gisteren heeft gekregen. Niet helemaal vers meer, maar ach. Ze snakt overigens naar een kop koffie. Ze trekt de deur van de gite achter zich dicht en loopt naar de receptie om de overnachting te betalen. Haar maag rommelt als ze geur van vers gebakken broodjes ruikt en ook een heerlijke koffiegeur.

De man gebaart haar mee te komen en ze lopen naar een kleine binnenplaats. Er staan een paar kleine tafeltjes in vrolijke kleuren gedekt met bordjes en bestek. Dat half uur moet ze zichzelf maar gunnen. De man brengt haar een mandje met brood en kleine potjes met verschillende soorten marmelade en een heerlijke kop koffie. Mila knapt helemaal op.

Nadat ze ook haar ontbijt heeft betaald gaat ze op weg. Ze wil proberen het laatste stuk in een keer door te rijden, althans tot aan Nederland en dan daar nog even stoppen voordat ze naar Amersfoort rijdt.

Er komt een berichtje van Sebastiaan binnen. 'Ben je al op weg, Assepoester?' (8:45)

'Stap net mijn auto in en ga eens kijken hoe ver ik kom. Heb net heerlijk ontbeten op een pittoreske binnenplaats. De koffie was lekker en de broodjes ook. Jammer dat er geen goed gezelschap naast me zat. ☺' (8: 46)

Ze doet het weer. Die uitdaging naar Sebastiaan toe. Waarom? Ze moet toegeven dat ze best genoten zou hebben als hij naast haar had gezeten. Zijn verhalen zijn mooi en hun grapjes lijken beurtelingse inkoppertjes waar ze beiden van genieten. Maar Sebastiaan is ondanks zijn mooie woorden en geflirt ook gewoon getrouwd en trouw aan zijn vrouw, ondanks zijn eenzaamheid. Of zou hij ook op zoek zijn naar een fotografe die opeens bij hem op de stoep staat en vraagt naar de weg?

'Zeg me waar je bent. Ik zet de turbo aan en kom naar je toe.' (8:46)

'Hmm, nou, verleidelijk aanbod, maar ik moet echt verder. Hoop dat jij goed geslapen hebt. Ik heb namelijk een behoorlijke nachtmerrie gehad na het lezen van dat boek van jou. Iets met instortende bruggen.' (8:47)

'Oei, dat was niet de bedoeling. Ik hoopte dat je juist een hele mooie droom had en dat ik daarin voorkwam. Ik heb trouwens ook niet zo best geslapen. Linda is in Nice gebleven en ze komt straks thuis om verder te praten over onze toekomstplannen. Ik heb er de hele nacht aan liggen denken. Ik snap dat ze terug wil naar Nederland. Maar ik hoop dat er dan ook wat gaat veranderen aan onze relatie. We leven behoorlijk langs elkaar heen. En ik moet zeggen, dat bevalt me helemaal niet.' (8:50)

'We moeten echt eens met elkaar praten. Over het schuitje waar we beiden inzitten. Misschien kunnen we elkaar wel tips geven. Of we koppelen jouw Linda aan mijn Lucien. Probleem opgelost.' (8:50)

'Ha ha, ja, goeie. En dat betekent dat ik jou krijg?' (8:51)

'Ehm, dat heb ik niet gezegd, hè? Dat maak jij ervan! Misschien kunnen we om te beginnen samen lid worden van een leesclubje of zo. Langzaam opbouwen, hoor!' (8:52)

'Je bent me er eentje! Maar ik zou echt graag een keer met je praten. Ben benieuwd naar jouw dromen en plannen. Voelt goed en leuk, dit contact met jou!' (8:52)

'Idem! Maar ga nu echt rijden. Hou je haaks. X.' (8:53)

'Rij voorzichtig. Tot later. Laat wat weten als je goed aangekomen bent. Ik ga hier ook even aan de slagroom.' (8:53)

'Eh. Stomme autocorrect. Ik bedoel ik ga aan de SLAG. Alhoewel jij best mijn slagroom mag zijn. Grrr, vergeet dat maar. Tot later!' (8:54)

Mila moet lachen. Heerlijk dat Sebastiaan zo duidelijk aanwezig is in haar leven. En met haar meedenkt en meeleeft. Maar wat een flap! Echt een man opgebouwd uit ontelbare componenten. Net als ze hem denkt in een hokje te kunnen plaatsen, ontglipt hij haar weer. Van clown tot macho, van man van de wereld tot gevoelig en fijn.

De reis verloopt gesmeerd. Ze stopt nog een keer in België om te tanken. Ze strekt haar benen en drinkt een kop koffie, de lunch slaat ze maar even over. Ze heeft een Mars gekocht voor de ergste trek. Haar TomTom geeft aan dat ze pas rond vier uur in Amersfoort zal zijn. Ze stuurt Chris een bericht. 'Ik ben wat later vertrokken dan gedacht. Ik ben rond vier uur bij jou. Is dat goed?'

Ze wacht vijf minuten om te zien of er een bericht van Chris terugkomt, maar besluit dan weer verder te rijden. Ze leest het straks wel.

Bij Maastricht stopt ze bij een tankstation om zichzelf wat op te frissen en om een blikje cola te kopen. *Lekker verantwoord bezig*. Ze pakt de telefoon uit haar tas. Ze had gehoopt een reactie van Lucien op haar brief te vinden, maar helaas. Chris heeft haar wel een sms gestuurd.

'Oei, dan hebben we minder tijd dan dat ik had gehoopt. Heb net nog wat met mijn broer kunnen regelen. Ik heb niet veel in huis, maar je kunt bij mij avondeten. De kinderen zijn rond negen uur thuis.'

Mila stuurt een sms terug. 'Is het nog de moeite voor je dat ik langs kom?' En weer betrapt ze zichzelf erop dat ze niet zegt wat ze denkt. Waarom maakt hij niet gewoon wat meer tijd voor haar? Zou hij dat in haar sms lezen, deze ondertoon?

'Natuurlijk is dat de moeite! Jij bent toch de moeite waard.

X Chris.'

Wat moet ze hier nu mee? Hij lijkt wel een magneet die haar beurtelings aantrekt en dan weer afstoot. Ze gaat het maar gewoon meemaken. Ze stapt weer in.

Bij de snelweg rond Eindhoven grist ze snel haar telefoon uit de tas om een foto van het plaatsnaambordje te maken. Leuk om naar Sebastiaan te sturen later.

Anderhalf uur later rijdt Mila Amersfoort binnen. De stad waar ze geboren is. De stad waar ze gekust heeft met Chris. Twintig jaar geleden. Nog vijf minuten en ze staat bij hem voor de deur. Het is half vier.

Ze stopt voor zijn huis, kijkt even in de spiegel en stift haar lippen. Snel spuit ze wat deo onder haar armen. Ze haalt diep adem en stapt de auto uit. Ze belt aan en hoort voetstappen. Ze twijfelt. Ze kan nu nog weg.

HOOFDSTUK 18

Een zoen van toen

De deur vliegt open. Chris heeft een enorm brede grijns en is geen spat veranderd. Hij is het gewoon echt, in levende lijve! Een paar seconden staren ze elkaar aan. Dan trekt hij haar naar binnen en doet de deur achter haar dicht. Hij neemt haar in zijn armen en even lijkt de wereld te tollen. Mila voelt haar hart tegen zijn borstkas aan kloppen en voelt het zijne tegen die van haar. Roerloos staan ze daar, elkaar stevig vasthoudend.

Chris drukt een kus op Mila's haren. 'Je ruikt nog precies zo heerlijk als vroeger.'

Ze maakt zich los uit zijn omhelzing en wiebelt op haar benen.

Chris pakt haar hand vast en neemt haar mee de woonkamer in. 'Kom maar op met die duizenden vragen die je voor me hebt.'

Mila kijkt hem lachend aan. 'Ik heb geen vragen meer, ze zijn allemaal verdwenen. Ik wil gewoon even van je genieten.' Ze trekt hem naast zich op zijn bank. 'Dus hier zit je als je met me skypt?'

'Ja, hier, of boven. Op mijn slaapkamer. Je weet wel.' Chris glimlacht schaapachtig.

Ze vleit zich tegen hem aan en speelt met zijn handen. Ze streelt elke vinger.

'Nu pas besef ik hoeveel ik je gemist heb. Gek eigenlijk, hè, dat ik dit zomaar kan zeggen.'

Ze kijkt hem diep in zijn ogen. 'Weet je Chris, ik heb je ook gemist.'

Hij trekt haar dichter tegen zich aan.

Er stijgen duizend vlinders in haar buik op. Ze heeft het warm. In haar hoofd is een zware strijd aan de gang tussen twee stemmetjes. Het ene zegt vooral haar gevoel te volgen en ervoor te gaan en het andere zegt dat ze vooral weer bij zinnen moet komen en aan haar gezin moet denken. Zou Francesca dit ook allemaal gedacht hebben toen ze met Robert in de keuken stond?

Hij buigt zich naar haar toe en ze vangt de kus op met haar mond en haar hele lichaam. Ze wil weten wat er gebeurt. Ze wil weten of ze überhaupt in staat is om een andere man te kussen. Ze wil weten of ze nog van Lucien houdt. Een kus waar zoveel vanaf hangt.

Ze voelt dat haar lichaam strak staat van de spanning. In haar hoofd heeft ze al met Chris gevreeën. Verschillende keren zelfs. En nu weet ze niet wat ze van deze zoen moet denken. Is dit het nu? Misschien is het ook de angst straks weer een paar dagen niet van hem te horen, alsof hij twijfelt. Of denkt ze dat alleen maar? Iets in haar hapert. Zíj loopt gevaar haar partner, wellicht haar gezin te verliezen door een kus. Hij niet.

'En, was het zoals je gedacht had dat het zou zijn?' Chris kijkt haar onderzoekend aan. 'Wat is er?'

Shit. Hij kon vroeger al precies zien wanneer er iets was. Misschien moet ze ook maar gewoon eerlijk zijn. 'Chris, het was heerlijk, echt waar. Ik heb hier zo naar uitgekeken en nu weet ik niet of het wel zo slim is. Ik voel me een beetje schuldig, terwijl dit tussen jou en mij zo goed voelt.' Ze hoopt dat ze het hiermee niet kapot gemaakt heeft. 'Wat voel jij?' Mila kruipt dieper weg in zijn armen.

'Dat ik dit gehoopt en gedroomd had. En dat het gewoon heerlijk was. Je lippen zijn zo zacht en warm. En dat ik niet weet of ik je wel wil loslaten.'

Mila neemt de woorden helemaal in zich op. Dit is wat ze wil horen. De gedachten aan thuis verdwijnen. Alsof ze bij een andere Mila horen. De Mila die hier nu op de bank zit, wil gewoon verliefd zijn en opgaan in deze mooie man naast haar.

'Wil je wat drinken of wat eten?'

Ze schudt haar hoofd. Ze wil dit magische moment niet verbreken. Het voelt alsof ze op een waterbed dobbert, ergens op de zee met de zon die haar lichaam verwarmt. Aan de andere kant wil ze meer. Meer van Chris. Nog even en ze moeten weer afscheid nemen. 'Laat me de rest van je huis eens zien.'

Chris geeft een kleine rondleiding. Het is een huis dat gezelligheid uitstraalt. Oude tekeningen van zijn kinderen hangen her en der aan de deuren. Ze ziet zelfs nog ergens een kerstkaart hangen.

'Wil je boven ook zien?'

Mila voelt de spanning in zijn stem. *Boven.* Weer gaat er een kriebel door haar lijf. Ze volgt hem de trap op.

Hij laat de slaapkamer van Ruben zien.

Ze lacht. 'Deze kamer verschilt niet zoveel van die van Lucas.'

Hannah's kamer straalt rust uit, ondanks een paar kledingstukken die her en der verspreid liggen. 'Mooie kamers, hoor. Wacht. Ik hang even dit gordijn bij Hannah goed, er is een haakje los, zie je dat?' Ze pakt de bureaustoel en klimt erop. Ze schuift het haakje weer in de bandplooi van het gordijn. Ze voelt Chris' ogen in haar rug prikken. Haar rokje is misschien ook net iets te kort voor zo'n actie.

Hij pakt haar hand en helpt haar van de stoel af. 'Je weet dat ik nu voor altijd aan jou denk wanneer ik in Hannah's kamer ben. Wat lief dat je haar gordijn gemaakt hebt.'

'Gemaakt heb? Ik heb alleen het haakje er weer ingeschoven. Kleine moeite.' Mila lacht. 'Maar in ruil daarvoor mag jij mijn olijfboomgaard wel komen omspitten.'

Ze moeten nu allebei lachen. De spanning is weer even uit de lucht.

'Waar is jouw domein? Of heb je het bed niet opgemaakt en durf je mij nu de kamer niet te laten zien?'

Chris pakt haar bij de hand. 'Kom maar mee dan...'

Mila's hart bonst in haar keel. 'Of zullen we toch maar een broodje eten beneden?' Een zwaktebod, dat weet ze ook.

'Als jij liever naar beneden gaat en een broodje eet is dat ook goed. Zeg het maar. Wat wil je?'

'Nou, we zijn hier nu toch… Dan eten we daarna dat broodje wel.'

'Ach, misschien is dat broodje dadelijk onze redding wel. Ik weet namelijk niet of ik me wel kan inhouden wanneer ik je echt in mijn slaapkamer heb en niet meer via die domme iPad.'

Samen stappen ze zijn slaapkamer binnen. Mila bekijkt de kamer en werpt een blik uit het raam. 'Mooi uitzicht heb je hier.' Ze voelt zich zenuwachtig worden. Nog twee uurtjes en dan moet ze gaan. Gelegenheid maakt de dief of hoe gaat dat spreekwoord? Wat als ze zich overgeeft aan haar gevoel om meer met Chris te doen dan alleen het uitwisselen van een kus? Zou hij haar daarna nog steeds willen zien of verdwijnt hij vervolgens weer van de radar? En zal ze zich in dat geval niet duizend keer rotter voelen dan toen? Betekent die analyse alleen al misschien dat de passie niet allesoverheersend is?

Chris komt achter haar staan, slaat zijn armen om haar middel en trekt haar tegen zich aan. Een siddering gaat door haar lijf. The heat is on. Kon ze haar hersenen maar weer op non-actief zetten, want ze wil niet bij elke scène commentaar krijgen van de twee stemmetjes in haar hoofd.

Ze pakt zijn handen vast. Zijn lippen kussen zacht haar nek en ze voelt hoe alle weerstand uit haar lijf verdwijnt. Ze draait zich om en kijkt hem aan. Ze hoopt dat hij haar optilt en op zijn bed gooit. Zo ging het in haar fantasieën over hun weerzien in ieder geval wel.

'Wil jij je broodje of blijven we hier?'

Mila begrijpt waar hij naar vraagt, maar ze wil er geen antwoord op geven. Ze wil voelen. Ze gaat op haar tenen staan en kust hem op zijn lippen. Gretig kust hij haar terug. Twee tellen later ligt ze op zijn bed en in zijn armen.

Alle gretigheid en opgebouwde spanning van de afgelopen maanden wellen op. Hij neemt haar gezicht tussen zijn handen.

'Je bent echt heel mooi, dat weet je toch, hè?'

Ze voelt dat ze bloost. Hij heeft het vaker tegen haar gezegd tijdens hun skypegesprekken, maar nu voelt het nog heftiger aan. 'Ik ben mooi omdat jij me mooi maakt.'

Chris schudt zijn hoofd. 'Nee, Mila, dat doe je helemaal zelf. Ik kan het amper geloven dat ik je nu hier in mijn bed heb. Ik heb er zo over gefantaseerd.'

Er loopt een traan over haar wang.

Chris veegt hem weg. 'Als je liever niet wilt, dan moet je het zeggen.'

'Nee, sorry, dat is het niet. Het voelt gewoon allemaal zo heftig. Mixed emotions. Maar het voelt vooral heerlijk!'

Chris kust het puntje van haar neus. 'Misschien moeten we dat broodje maar gaan eten. Ik weet ook niet of ik me kan inhouden.'

Ze trekt hem dichter tegen zich aan. Ze wil niet dat dit moment verbroken wordt.

Hij kust haar vol op de mond en gaat in slow motion met zijn mond naar haar hals. Hun monden vinden elkaar weer, onderzoeken elkaar, ze wisselen het tempo van hun zoenen af. Dan trekt hij haar bovenop zich.

'Nu lig ik echt boven op je.' Plagend gaat Mila op haar knieën zitten, haar onderlichaam op dat van hem gedrukt. Ze voelt dat hij enorm opgewonden is en dat geeft haar een heerlijk gevoel. Tijdens het skypen zei hij al dat hij opgewonden door haar raakte, maar nu kan ze het zelf ervaren. 'Gek hè, zonder iPad ertussen?' Ze voelt dat Chris zijn heupen zachtjes beweegt en dat is heerlijk. Ze drukt haar heupen en haar billen naar achter zodat het lijkt alsof hun onderlijven precies passen. Even gaan ze op in hun ritmische bewegingen. Hoe heviger deze bewegingen, hoe heftiger hun zoenpartij wordt. Mila voelt dat ze de controle over haar lichaam verliest. Zachtjes kreunt ze. Weer komt ze overeind zodat ze Chris in de ogen kan kijken. Ze ziet twee ogen vol passie. Zijn mond nog geopend, wachtend tot de vrijpartij verder gaat.

Net een vis die naar adem hapt. Ze voelt een lachbui opkomen en dat is misschien maar goed ook. Twee tellen geleden had ze bijna zijn en haar kleren uitgerukt.

'Wil je stoppen?' Chris kijkt haar onderzoekend aan.

'Nee, even op adem komen. Dit was heerlijk heftig. Maar wil je meer?' Ze zit nog steeds boven op zijn middel. Ze schuift een stukje naar achteren en haar handen proberen zijn riem los te maken. Ze kijkt hem ondeugend aan. Zijn riem is los en langzaam maakt ze zijn spijkerbroek open. Haar hand baant zich een weg zijn broek in. Ze voelt dat zijn slip stevig gespannen staat en met twee vingers streelt ze de inhoud van zijn onderbroek. 'Beetje weinig plek hier.'

Chris duwt zijn onderlichaam omhoog zodat zij ook even de hoogte ingaat en hij trekt met een ruk zijn broek omlaag. Mila probeert zijn slip omlaag te trekken maar die zit zo strak om zijn lichaam dat ze hem aanmoedigt dat ook zelf te doen. Ze bekijkt hem nu even van een afstandje. Daar ligt hij. Te wachten op wat komen gaat. En zij is degene die alles bepaalt.

Hij probeert haar rokje ook naar beneden te trekken, maar ze houdt hem tegen. Ze gaat naast hem liggen. Opnieuw vindt hij haar mond en sleurt hij haar mee in duizelingwekkende zoenen. Haar hand zoekt naar zijn naakte onderlijf en begint hem zachtjes te masseren.

Nu is het Chris die haar hand wegpakt. 'Nee, Mila, niet zo. Ik wil je nu helemaal niet. Ik bedoel… ik wil juist jou verwennen. Ik ben bang dat ik veel te snel… Je weet dat ik geen vrouw meer gewend ben.'

Ze voelt zich verlegen worden. Is ze er aan toe? Wil ze nu verder gaan met hem? Chris probeert haar T-shirt omhoog te trekken. Ze laat hem begaan. Ze moeten samen haar grenzen maar verkennen.

Chris legt zijn handen om haar middel en trekt haar tegen zich aan. Zijn mond kust haar navel en zijn handen proberen de sluiting van haar kanten beha los te maken. Ze grinnikt. Nu is hij het die hulp nodig heeft. Ze maakt haar beha los en steekt haar borsten naar voren. Chris kreunt. Hij trekt haar weer bovenop zich en pakt haar borsten vast. Tergend langzaam begint hij ze te kussen.

Mila wordt verscheurd door emoties. Ze vindt het heerlijk om weer bemind te worden, om weer mooi gevonden te worden en om zo'n teder liefdesspel te spelen. En toch... In haar achterhoofd spookt het. Mag ze dit wel doen? Wat zijn de gevolgen van deze heerlijke, innige liefkozingen?

Zijn handen proberen onder het rokje haar billen vast te pakken. Ze slaakt een klein gilletje.

'Wat ben je mooi. Mag ik je echt niet verder uitkleden? Ik wil je zo graag helemaal naakt zien.'

Ze hoort en voelt de opwinding in zijn stem. Ze weet dat ze hem gek aan het maken is. Is dat wel eerlijk? Maar ze voelt dat ze hier nog niet aan toe is. Zolang zij Chris aanraakt en niet andersom voelt ze zich nog veilig, voelt ze zich niet schuldig tegenover Lucien. Althans, nog niet. Ze kan haar gedachtegang niet helemaal volgen. Mila trekt haar rokje weer omlaag en hoopt dat de hint duidelijk genoeg is.

Ze gaat weer boven op hem liggen, haar knieën aan beide kanten, en haar heupen nemen het ritme aan waardoor ze net bijna in extase raakte. Ze hoort Chris zachte gromgeluiden maken. Hij bijt haar zachtjes in haar oorlelletje. Zijn handen gaan over haar rug, eerst strelen ze zacht en dan duwt hij haar harder tegen zich aan. Mila voelt haar lichaam reageren, ze was vergeten hoe heerlijk het was om op te gaan in het liefdesspel. Ook zij staat op het punt om zich te verliezen en het liefst trok ze haar rokje uit om Chris helemaal in zich te voelen. Maar het idee dat ze dan snel na deze daad weg zou moeten zonder te weten wanneer ze Chris weer zou zien, houdt haar tegen.

'Ben je teleurgesteld als we niet verder gaan dan dit?' Mila gaat op haar zij naast hem liggen en gaat met haar nagels door zijn borsthaar.

Zijn hand glijdt over de contouren van haar lichaam en blijft rusten op haar dij. 'Nee. Dit is al meer dan ik had durven hopen. Maar ik wil nu wel even een broodje eten of nog een stukje lopen. Ik geloof dat al het bloed uit mijn lijf ergens anders naartoe is gestroomd en geen enkele man houdt dit uit. Mila, je bent zo heerlijk.'

'Ik wou dat ik kon blijven. De hele nacht. Naast je wakker worden. Maar je kinderen komen bijna thuis en dat was het dan weer voor ons, hè? Je weet dat ik een week hier ben, denk je dat we elkaar nog zien?'

'Oh, kom hier jij.' Chris trekt haar tegen zich aan. 'Ik wil je nog even voelen. Ik zou ook willen dat je blijven kon. En ik hoop echt dat we elkaar deze week nog kunnen zien, maar ik kan daar nu nog niets zinnigs op zeggen. Juist deze week heb ik een aantal ouderavonden staan. Ik laat het je weten.'

Mila voelt haar hart even in elkaar zakken. Ze had gehoopt dat hij nu al een afspraak met haar zou plannen. Zich ziek zou melden voor haar part. En weer is er dat stemmetje dat zegt dat het maar goed is dat ze niet echt met hem naar bed is gegaan.

'En nu hup mijn bed uit, Mila, want anders hou ik je niet alleen voor deze nacht, maar voor altijd hier.' Hij geeft haar een klopje op haar kont en stapt het bed uit.

Mila bekijkt de achterkant van zijn lichaam. Zijn billen zijn mooi. Zijn benen zijn wat aan de magere kant. Ze grinnikt. Ze maakt haar beha vast en trekt haar shirtje weer aan. Ze woelt even door haar haren. 'Zie ik er niet al te woest uit nu? Ik ben bang dat de hele wereld kan zien dat ik net met een mooie man in bed heb gelegen.'

Chris neemt haar op van top tot teen. 'Je ziet er prachtig uit. Je hebt blosjes op je wangen, maar voor de rest zie ik aan niks dat je net een femme fatale was. Ik kijk ernaar uit om vannacht mijn bed in te kruipen en ik hoop dat ik jouw geur dan nog ruik. Ik zal deze hele middag en avond zeker nog een paar keer terughalen in mijn herinnering.'

Hij pakt haar bij de hand en samen lopen ze naar beneden. 'De volgende keer dat je hier bent, draag ik je de trap op.' Chris is duidelijk nog niet afgekoeld.

Mila giechelt. 'Begin dan maar vast met trainen. We zijn de jongsten niet meer, hè? Jij wat minder sterk en ik wat minder licht.'

'Jij? Jij bent nog steeds zo licht als een veertje.' Chris staat beneden aan de trap, tilt Mila op van de onderste tree en draait haar rond. Hij zet haar weer neer en kijkt haar doordringend aan. 'Heb je er geen spijt van, Mila?'

Ze pakt zijn handen vast. 'Nee, ik heb er geen spijt van. Ik hoop juist dat ik er geen spijt van krijg dat we zijn opgestaan in plaats van verder te vrijen.'

Chris geeft haar een knipoog. 'Nou, we hebben nog een half uur. Je zegt het maar.'

'Als je het niet erg vindt, dan ga ik nu. Ik haat het om afscheid te nemen. Het lijkt me beter om op het hoogtepunt te vertrekken.' Ze glimlacht. 'Dat hoogtepunt is er natuurlijk nog niet geweest, maar je snapt wat ik bedoel. Ik wil wel nog even een slokje water en dan ben ik weg. Kun jij je nog even opfrissen voordat je dochter allerlei vragen stelt over dat woeste uiterlijk van jou.'

'Goed. Het waren een paar heerlijke uren met jou. En we moeten het afscheid niet dramatischer maken dan het al is.'

Hij haalt een glas water en Mila drinkt het met overgave leeg. Ze zet het glas neer en pakt Chris stevig vast. 'Laat me je nog even voelen. Nog even met je zoenen. Bah, ik ga je echt zo vreselijk missen.'

Roerloos staan ze tegen elkaar aan. Alsof ze elke detail van hun lichamen willen graveren in hun hoofd. Ze voelt dat Chris alweer of nog steeds opgewonden is. Zachtjes maakt ze zich los. 'Chris, ik ga. Ik voel dat ik anders enorm ga staan huilen.'

'Mila, niet doen. Geniet van het moois dat we hier hadden. Ik wil niet dat je hier verdrietig om wordt. Het moet je juist een mooi gevoel geven.'

Hij drukt nog een kus op haar mond en dan gaat ze de voordeur uit. Ze kijkt niet meer om. Ze stapt de auto in en rijdt weg. Waarheen weet ze nog even niet. Gewoon weg.

HOOFDSTUK 19

De worsteling

Mila voelt haar hart bonken. Nog geen half uur geleden lag ze in de armen van Chris, haar blote borsten op zijn lichaam. Het had niet veel gescheeld of ze had zich helemaal verloren in hun liefdesspel. Heeft ze nu, na deze ontmoeting waar ze al maanden naar had uitgekeken, duidelijkheid over haar gevoelens voor Chris? En betekent het iets voor haar relatie met Lucien?

Ze zet haar auto aan de kant in een woonwijk. Ze pakt haar telefoon en typt een bericht naar Chris: 'Het was geweldig om je te zien. Ik heb het idee dat wij samen in dezelfde trein zitten, maar dat we nog niet weten waar we gaan uitstappen. Zie jij dit ook zo?'

Ze krijgt meteen een berichtje terug. 'We zitten zelfs in dezelfde coupé. Het was heerlijk. Ik voel je lichaam nog overal. Ik lig nog even na te genieten op bed.'

Ze is blij met zijn antwoord, maar toch knaagt er nog iets aan haar. 'Laat je me ook weten wanneer jij uitstapt of wanneer je toch een andere trein pakt?'

'Dat zal ik doen. Ik ben nu offline, want mijn kinderen komen zo thuis. Fijne avond, dikke kus en ik denk aan je. Chris.'

Op dat moment is het voor haar duidelijk dat het een juiste beslissing was om niet toe te geven aan haar verlangens om met hem naar bed te gaan. Misschien verlangt ze ook te veel van hem. Misschien kijkt ze te veel naar romantische films op tv, maar ze had eigenlijk gehoopt dat hij haar achterna zou rennen toen ze wegreed en dat ze uit zou stappen en dat hij haar in haar armen nam om te vertellen dat hij niet snapte hoe hij ooit een dag zonder haar had gekund. Natuurlijk, ze zijn beiden geen achttien meer, maar ze wil meer dan alleen een mooie en lieve vrouw zijn wanneer het hem uitkomt. Waarom laat ze dit niet aan Chris weten, en houdt ze deze gedachten voor zich?

Ze grinnikt. Het beeld van de vis die naar adem hapt komt weer naar boven. Misschien verwijt de pot ook wel de ketel, want wat zou ze gedaan hebben als Chris daadwerkelijk achter haar was aangerend? Zou ze alles hebben opgegeven voor hem? Ze wil van hem horen dat hij van haar houdt en dat hij naar haar smacht, maar zelf toont ze ook de nodige voorzichtigheid.

Ze schudt haar hoofd, ze wil er nu niet verder over nadenken. In de tijd dat zij lag te rollebollen, zijn er allerlei Whatsappjes binnengekomen. Alina vraagt hoe laat ze er denkt te zijn. En Sebastiaan lijkt een heel boekwerk te hebben geschreven. Die berichtjes bewaart ze voor later vanavond. Eerst Alina maar even bellen om te zeggen dat ze eraan komt.

'Ha, Mila. Ben je er al bijna?' vraagt Alina als ze opneemt.

'Ik ben er over een kleine twintig minuten. Ik kan niet wachten om je te zien, moet echt mijn hoofd leegmaken. Dus hoop dat je wijn hebt en heel veel chocolade!'

'Wijn, chocolade en een warm dekentje voor op de bank. Ik zie je zo.'

Mila twijfelt nog of ze Lucien zal bellen. Hij zal de brief nu toch wel gelezen hebben? Misschien is het goed om hem het initiatief te laten nemen en bovendien voelt ze zich ook niet helemaal op haar gemak om te bellen na haar escapade. Is ze echt zo slecht? Ze wil geen vrouw zijn die haar man bedriegt. Ze leert haar kinderen om altijd eerlijk te zijn en wat doet ze nu zelf? Mila ziet haar knokkels wit worden, zo hard knijpt ze in het stuur. Ze weet het ook even niet meer. Haar enige zekerheid is, dat ze op dit moment haar kinderen vreselijk mist. Ze start de motor en begint te rijden. Ze probeert de herinnering aan de vrijpartij van vanmiddag terug te halen zodat ze kan nagenieten, maar op een of andere manier komt de film niet meer terug in haar hoofd. *Dan niet.*

Mila parkeert haar auto op de oprit. Alina komt de voordeur uitgesprongen en geeft haar een stevige omhelzing. Samen lopen ze naar binnen.

'Ik dacht, ik zet eerst maar even een potje thee en dan gaan we daarna aan de wijn. Heb je al gegeten?'

Mila voelt nu pas dat haar maag leeg is. 'Ik heb best wel een beetje trek, dus als je een boterham of zo hebt…' Ze grinnikt bij het woord boterham.

Alina fronst haar wenkbrauwen en loopt de keuken in. Ze komt terug met een dienblad vol diverse hapjes.

Mila doet haar schoenen uit en nestelt zich onder de deken op de bank. Ze geniet van de warme thee en kijkt verlekkerd naar de hapjes.

Alina komt naast haar zitten en kijkt haar ernstig aan. 'Ik maak me een beetje zorgen om je, dus begin maar te vertellen, wat is er allemaal aan de hand?'

Typisch Alina. Ze spreken elkaar niet zo vaak meer en toch weet ze precies hoe zij zich voelt. Daarom is ze ook naar haar gevlucht, beseft ze.

'Ik weet niet eens waar ik moet beginnen. Het is allemaal verwarrend en weet je, ik voel me zo'n trut.'

Alina wrijft Mila even over haar schouder. 'Voordat je dadelijk gewoon bij het begin begint, eerst even dit: je bent geen trut. Wat je me ook gaat vertellen, ik ken geen liever iemand dan jij. Dus kom maar op met dat verhaal van je. Ik heb zakdoeken bij de hand. En mocht het iets met die man van je te maken hebben, dan hoop ik dat je hem eens een flinke schop onder zijn kont hebt gegeven.'

Mila glimlacht zwakjes. 'Bij het begin beginnen. Moet ik dan terug naar de dag dat Liam stierf, omdat dit misschien het begin was van die enorme kloof tussen Lucien en mij? Ik weet het niet. Het leven in Frankrijk is in ieder geval niet wat ik ervan gehoopt had. Ik zie Lucien amper en als ik hem zie, lijkt hij zich aan me te irriteren.'

'Wat had je dan gedacht, Mila? Dat hij opeens minder hard zou werken? Had je werkelijk gedacht dat verandering van spijs doet eten?'

'Misschien. Ik had gehoopt dat onze problemen zich vanzelf zouden oplossen. Dom van me.'

Alina grinnikt. 'Ach, een beetje naïef misschien. Jullie moeten gewoon echt eens hulp gaan zoeken in plaats van weg te duiken in verwijten. Maar vertel verder.'

'Ik weet niet goed hoe ik het moet zeggen, maar ik heb denk ik iemand ontmoet.' Ze ziet dat Alina rechterop is gaan zitten. De boodschap is aangekomen. 'Jij kent hem ook. Althans, uit mijn verhalen van vroeger. Je weet toch dat ik ooit stapelgek was op Chris?'

Alina knikt heftig van ja. 'Chris, die gast waarmee je ooit de zoen der zoenen hebt uitgewisseld, of hoe noemde je dat toen? Waar ben je hem tegengekomen? Kom jij daar soms net vandaan?' Alina's ogen worden groot. 'En dat vertel je me nu pas?' Ze knijpt Mila even zachtjes in haar arm.

Mila is blij dat Alina zo'n snelle denker is en de grote lijn snel te pakken heeft. Ze begint te vertellen hoe het allemaal is gelopen. 'Ik heb er niet eens spijt van, dat is het erge eraan. En ja, ik was net bij hem. Na al die maanden op afstand met elkaar te kletsen over wat we voor elkaar denken te voelen, hebben we elkaar nu eindelijk gezien.'

'Hoe was het?'

Alina stelt een simpele vraag, maar voor Mila voelt het alsof ze haar scriptie weer verdedigt tegenover een intimiderende afstudeercommissie. 'Het was vertrouwd. Het was leuk en vooral bijzonder om hem te zien. Maar ik weet niet meer wat ik voel of wat ik wil. Hoe geweldig Chris ook is, ik kan niet alles voor hem aan de kant zetten. Eerlijk gezegd denk ik dat hij dat ook niet voor mij wil doen. Het contact is geweldig, maar het vreet ook aan me. Soms zit ik dagenlang te wachten op een berichtje van hem. Altijd is er wel een logische verklaring, maar in die periode voel ik me dubbel eenzaam. En misschien moet ik me ook niet zo druk maken om wat ik voel voor Chris, maar eerst oplossen wat er thuis aan de hand is.'

Alina geeft een glas rode wijn aan Mila. 'Hier, drink lekker op. Wil je weten wat ik denk?'

Mila knikt.

'Ik denk dat je het gewoon moet laten gebeuren. Je hebt het blijkbaar nodig nu. Misschien is Chris gewoon een soort "bij-man".'

Mila schatert het uit. '"Een bij-man". Hoe kom je erbij!' Alina stoot haar glas tegen dat van Mila.

'Op "de bij-man"...'

Even drinken ze zwijgend van hun wijn.

'Mila, ik denk echt dat je met Lucien moet praten. Hij zal toch ook niet gelukkig zijn met de situatie zoals die nu is? En ik zie jou ook niet de rest van je leven op afstand zitten te zwijmelen met die Chris. Jij bent een iemand die behoefte heeft aan veel liefde en ook veel liefde te geven heeft. Ik kijk altijd met verbazing naar al die mannen die om je heen dwarrelen op Facebook. Verbazing is trouwens niet het goede woord. Je bent altijd al iemand geweest waar de mannen voor in de rij stonden, je zag het alleen zelf nooit. Het was een kwestie van tijd voordat jij je open zou stellen voor aandacht van buitenaf. Jij bent gewoon een prachtig mens en dat zou Lucien ook weer moeten zien. Misschien drukt die Chris hem weer met de neus op de feiten. En helpt het jou om duidelijker naar Lucien te worden. Je weet nu toch wat je mist?'

'Ik weet zeker wat ik mis. Iemand die naar me luistert. Iemand die samen met mij er iets van wil maken. Iemand die meer zijn best doet voor Laurie en Lucas. God, Alina, ik ben vertrokken en heb mijn kinderen gewoon daar gelaten!'

'Kom op, Mila. Je kinderen zijn oud en wijs genoeg, die kunnen heus even zonder je. En Lucien is geen monster. Hij kan echt wel voor ze zorgen. Misschien is dit voor jou ook een goede les. Je moet durven loslaten zodat Lucien meer aan bod moet of kan komen. En dit is geen verwijt aan jou, echt niet. Ik heb zelden een moeder gezien die zo lief is voor haar kinderen. Maar ik zie ook een moeder die werkelijk alles aan de kant zet voor die twee. Je moet jezelf niet vergeten, liefje, jij bent er ook nog. Oh nee, kom, Mila, niet huilen.'

'Nee, het is goed dat je eerlijk tegen me bent. Dat heb ik af en toe nodig. Het is me gewoon allemaal wat veel. De laatste tijd merk ik dat ik Lucien in mijn hoofd af en toe een eikel noem. Ik schrik daar zelf van. Soms denk ik dat als we geen kinderen gehad zouden hebben, ik al lang weg was geweest. En aan de andere kant denk ik juist dat ik door die kinderen vecht voor wat er ooit was. Dat ben ik aan Liam verplicht. Anders lijkt zijn dood helemaal zo zinloos. Ik heb hem beloofd dat wij altijd samen blijven als gezin en dat hij er altijd bij zal zijn.' Haar lip begint te trillen.

Alina pakt haar vriendin vast. 'Mila, niet jij, maar jullie moeten vechten voor wat er ooit was. Jij kunt niet alles in je eentje goed maken. Ik weet dat je tot veel in staat bent, maar cijfer jezelf niet zo weg. Lucien zal ook moeten inzien dat jij het vechten meer dan waard bent.'

'Weet je wat het is? Ik ben zo bang dat ik niet meer terug kan vinden waarom ik ooit verliefd op hem ben geworden...'

'Volgens mij moeten jullie daar samen naar op zoek gaan. Aan de andere kant, laat het gewoon even gaan. Geniet van de momenten die je nu met Chris hebt. Haal er je energie uit, maar bewaak je eigen grenzen.'

'Het klinkt zo simpel uit jouw mond, Alina. Maar vind je me dan geen slecht mens? Dat met Chris net was wel meer dan alleen een knuffel.' Mila bloost even.

'Ach, meid, maak je niet druk. Iedereen is wel eens toe aan iets meer dan een knuffel. Jij loopt nu op een randje en je zet er af en toe een voetje overheen. Je weet zelf wanneer je te ver gaat. Maar ik ben ook geen specialist op dit vlak, hè? Ik vind het al knap hoe je het allemaal voor elkaar krijgt. De kinderen, je verhuizing. Gewoon alles. Ik zou gek geworden zijn zonder baan. En jij maakt er gewoon het beste van.'

'Lief van je. Ik voel me een stuk beter. Ik moet vaker hier komen voor zo'n peptalk. Maar nu duik ik die zolder van je op om te gaan slapen, want ik ben doodmoe. Morgen wil ik op tijd vertrekken naar de edelsmid. Dat zal ook een heftige ochtend worden.' Mila staat op van de bank.

'Weet je wat? Ik breng jou morgen daarnaartoe. Je belt me maar wanneer je klaar bent en dan haal ik je ook weer op. Kunnen we in de auto nog wat bijpraten.'

'Ik zou je aanbod bijna aannemen, maar ik moet dit echt alleen doen. Dit is mijn reis met Liam. Het spijt me heel erg, maar ik ben geloof ik deze week de wispelturige logee zonder vaste plannen. Misschien niet heel handig, maar ik weet gewoon niet wat deze week mij brengt. Het liefst ga ik morgen weer terug naar mijn kinderen. Aan de andere kant hoop ik Chris ook nog even te zien, zodat ik erachter kom wat er nu speelt tussen ons.'

Alina knikt. 'Ik snap het. Doe maar gewoon even je eigen ding. Je weet dat ik mijn werk flexibel kan indelen, dus ik ben gewoon hier deze week. En wat die Chris betreft, ik wil niet klinken als een pastoor, maar let je op dat niet alles van jouw kant afkomt? Hij mag ook wat moeite doen voor jou. Ik ken de ins en outs natuurlijk niet, maar dat is mijn eerste reactie op je verhaal, naast het feit dat ik al zei dat je gewoon moet genieten! Welterusten, liefie.'

Mila trekt snel haar pyjama aan, poetst haar tanden en kruipt in bed. Ze voelt zich hier altijd zo op haar gemak. Op het nachtkastje naast het bed staat een oude foto van haar en Alina. Ze glimlacht.

Ze knipt het schemerlampje aan en scrolt nog even door haar telefoon. Ze tikt een welterusten bericht naar Chris. Ze zou best nog even met hem willen nagenieten. Van Lucien nog steeds taal noch teken. Sebastiaan ziet dat ze online is en stuurt een berichtje.

'Ha vreemdelinge. Je was erg stil vandaag. Ik hoop dat alles goed is.' (23:35)

Mila lacht. Op Sebastiaan kan ze rekenen, dat blijkt wel weer. 'Ha jij. Ik lig nu lekker in het logeerbed van mijn beste vriendin. Net heerlijk met haar aan de wijn gezeten en nu al bijna in dromenland. Heb nog aan je gedacht toen ik voorbij Eindhoven reed. Wel vaker trouwens.' (23:37)

'Fijn te horen dat je aan me denkt. Anders is het ook zo'n

monoloog die ik voer, ha ha. Ga maar lekker slapen. Ik kruip er ook in.' (23:37)

Mila zet haar telefoon uit. Heeft ze dat trouwens vandaag echt gedaan, aan Sebastiaan gedacht? Het boek dat ze van hem heeft gekregen, zit in ieder geval wel steeds in haar hoofd. *Hadden die andere mannen van mij maar iets meer van Sebastiaan weg. Zo attent en warm en belachelijk knap bovendien.* Toch kan ze zijn gedrag naar haar toe ook niet helemaal plaatsen. Wat zou hij van haar willen?

Mila zet haar telefoon weer aan. Ze tikt nog een berichtje aan Sebastiaan: 'Pssst. Ben je nog wakker? Lig ik toch nog even aan je te denken. Bijzonder hoe het wegkapen van een T-shirt kan leiden tot appberichtjes midden in de nacht. Maar eerlijk gezegd weet ik niet wat jij voor bedoelingen met mij hebt. Zo, dat is eruit. Hoop dat je het niet erg vindt. Het spookt namelijk een beetje door mijn hoofd.' (23:49)

'Ha ha, Assepoester kan niet slapen! Geen probleem, ik heb er zelf natuurlijk ook over nagedacht, want ik lig normaal niet te appen met een andere vrouw. Ik kan er ook geen zinnig antwoord op geven, ik ken alleen de context waarbinnen we (of ik) kunnen bewegen. Jij bent getrouwd. Ik ook. En als ik ergens een hekel aan heb, zijn het mensen die zich ergens tussen willen wringen ten koste van een ander. Ik weet dat ik met je flirt, maar volgens mij kunnen we dat beiden hebben. Ik heb gemerkt dat jij het beste in mensen naar boven brengt. Weet je nog die ochtend bij de rivier, toen ik je het boek gaf? Ik ben toen als een haas naar mijn vrouw gerend, dat zou ik normaal niet zo snel doen. Ik heb het wel een beetje gehad met haar grillen. Maar toen ik jou daar zo zag zitten, stelde ik me voor dat jij het was die belde en me nodig had. Dan zou ik ook gevlogen hebben om bij je te zijn. En ik dacht, misschien heeft mijn vrouw me ook gewoon nodig. Jij gaf me dat besef. Niet met zoveel woorden, maar gewoon door er te zijn. Klinkt raar, hè? Ik voel me sinds lange tijd weer jong en fris. Het zijn niet per se de zinnen die je zegt, maar het is de manier waarop je ze uitspreekt. Jij hebt een uitstraling, een warmte, daar voelt iedereen zich prettig bij. Ik hoop je snel weer te zien, Mila. Denk je dat dit kan? Ik mis blijkbaar echt een maatje in mijn leven.' (23:54)

Mila knippert even met haar ogen. Heeft ze werkelijk zo'n impact? Ze hoopt dat Sebastiaan gewoon weer over gaat tot flirten, daar kan ze beter mee omgaan dan met deze lieve woorden. Zijn vrouw boft maar. Aan de andere kant, is het niet altijd makkelijker om lief en aardig te zijn voor mensen die je net leert kennen, zodat die alleen je beste kant zien? 'Goh, wat een stortvloed aan woorden. Dat ben ik niet gewend van een man. Je laat dit toch niet stiekem door je secretaresse typen, hè?' (23:55)

'Flauwe kip. Stort ik daar mijn ziel en zaligheid uit en krijg ik een sneer van je. ☺' (23:56)

'Sorry, humor is mijn wapen wanneer ik met mijn mond vol tanden sta.' (23:56)

'Dat zal dan wel vaak lachen geweest zijn in de rechtbank, of niet?' (23:57)

'Nou, zo vaak sta ik niet met mijn mond vol tanden, hoor!' (23:57)

'Hahahahaha, ben je nu boos?' (23:58)

'Nee, ik amuseer me kostelijk. Maar ik ga nu echt slapen. Enne, om even terug te komen op je verhaal. Ik ben ook blij met jou als maatje. Dus zorg ervoor dat je nog lang in Frankrijk blijft. (zo nu zie je dat ik helemaal niet zo aardig ben, wil je gewoon daar houden, terwijl jouw vrouw je terug naar NL wil halen).' (00:00)

';-) Slaap lekker, Mila!' (00:01)

Na een nacht vol dromen en een hectische rit, stapt ze met klamme handen de auto uit. Ze veegt ze af aan haar broek, pakt de urn en stapt op de deur af. Ze heeft een afspraak met iemand van het crematorium om een heel klein beetje as uit de urn te laten halen. Voor ze aanbelt, zet ze haar telefoon uit. Ze wil niet gestoord worden, door niemand niet. Dit is haar moment. Van haar en Liam. De herinneringen aan de dag van de crematie komen naar boven. Mila drukt ze weg. Niet nu.

Mila mag plaatsnemen in een wachtkamer en een tijdje later staat ze weer buiten met de monsters voor de edelsmid. Als een robot rijdt ze naar de winkel van de edelsmid. Ze belt aan en glimlacht als ze het deuntje van de bel hoort, het lijkt op het liedje van de Efteling.

De deur zwaait open en onthult een vrolijk kijkende man met een enorme dikke buik. 'Komt u binnen, u moet Mila zijn!'

'Klopt. Bedankt dat ik hier al zo vroeg op de stoep mag staan.'

'Ga lekker zitten, dan laat ik zien wat ik gemaakt heb.'

Mila neemt plaats op de stoel die hij aanwijst. Ze haalt de krijtsteen van Lucas uit haar tas. 'Dit is de steen van mijn zoon Lucas.'

De edelsmid bekijkt hem en knikt instemmend. 'Prima, hoor. Hier is de steen waarmee ik gewerkt heb. Zie je? Ik maak in het midden een uitkerving en zorg dat de as een eigen plaatsje krijgt. Daarvoor zet ik een stukje kristal waar je doorheen kunt kijken en polijst de steen dicht.'

Mila neemt hem in haar handen. 'Ik weet zeker dat Lucas dit heel mooi zal vinden.'

De edelsmid doet de steen van Lucas in een fluwelen zakje en knoopt het dicht. 'Ik ga hier dadelijk meteen aan beginnen, maar wil er wel de tijd voor nemen. Ik verwacht het donderdag aan het einde van de dag klaar te hebben.' Hij schuift een la open in de kast naast hem en pakt daar twee hangertjes uit. 'Kijk, dit zijn de andere twee.' Hij legt ze in Mila's hand.

'Ze zijn prachtig...' Mila moet even slikken. 'Hoeveel as heeft u eigenlijk nodig?' Mila's stem bibbert een beetje terwijl ze deze vraag stelt. Het idee om echt gescheiden te worden van Liam benauwt haar.

De edelsmid wrijft even over haar hand. 'Het blijft moeilijk, hè? Ik neem de monsters even mee naar achteren en breng de twee hangertjes zo naar je terug. Die kun je al meteen meenemen. Even geduld, het zal ongeveer een half uurtje duren.'

Mila knikt. Ze geeft de as mee en blijft roerloos op haar stoel zitten. Ze voelt een beetje hoofdpijn opkomen, sluit haar ogen en probeert een paar mooie herinneringen aan Liam naar boven te halen. Over hoe hij op een dag binnen kwam met een mooie steen, vol fonkelende 'mantjes'. Diamanten bedoelde hij daarmee. Mila had moeten lachen. Hij had een stuk asfalt in zijn handjes gehad. Ze had het nooit durven weggooien. Ze is blij dat er ook 'mantjes' in haar hanger verwerkt zijn.

Mila is zo in gedachten verzonken dat ze de edelsmid niet terug heeft horen komen. Misschien is ze ook wel gewoon even ingedut.

'Alstublieft. Hier zijn de hangertjes.' Hij laat ze in haar hand glijden. 'Ik zou u de hanger wel om willen doen, maar ik kan me voorstellen dat u dit even in alle rust zelf wilt doen.'

Mila's ogen zijn gevuld met tranen. 'Het is prachtig geworden. Wilt u ze voor mij terug in de doosjes stoppen? Ik wil er inderdaad een mooi moment voor uitkiezen. Ik ben blij dat ik deze stap gezet heb. Nogmaals bedankt. Zal ik de hangertjes vast afrekenen?'

'Nee, dat komt donderdag wel. Ik bel u als de krijtsteen klaar is, goed?'

Mila drukt de edelsmid de hand en loopt met de doosjes in haar tas naar buiten. Daar staat ze dan. Het zoveelste moment deze week dat ze het even niet meer weet. Het begint al aardig te wennen. Ze besluit terug te rijden naar Alina.

In de auto zet ze haar telefoon aan. Ze toets het nummer van Lucien in. Geen idee of hij er op zit te wachten maar ze wil dit moment met hem delen.

'Met Lucien. Mila, kan ik je zo terugbellen? Ik stap net een meeting in.'

Voordat ze iets kan zeggen heeft hij al opgehangen. Even voelt ze zich uit het veld geslagen, maar toch wil ze haar boodschap kwijt. Ze tikt een sms: 'Ik heb de sieraden opgehaald, dat wilde ik je even laten weten. Hoop dat thuis alles goed is?'

Lucien stuurt meteen een berichtje terug. 'Hoop dat ze mooi geworden zijn. Thuis is alles goed. P.S. je brief was erg mooi.'

Mila voelt haar hart even een sprongetje maken. Wat fijn

dat Lucien positief reageert. Misschien is het einde van hun huwelijk toch nog niet in zicht. Ze weet dat ze er samen heel hard voor moeten gaan knokken. Aan de andere kant weet ze ook dat ze deze sprongetjes van haar hart vaker heeft gevoeld. Maar dat het niet bij sprongetjes alleen moet blijven staat vast, dit gevoel zal zich door moeten zetten.

Ze stuurt een berichtje naar Chris: 'Je kwam vannacht nog even voor in mijn droom. Denk aan je. Raar idee om zo dicht bij je in de buurt te zijn. Zal ik anders in je pauze even langskomen? Een kus stelen?'

Verdorie. Waarom doe ik dit? Ben ik op twee paarden aan het wedden? Mila start de auto en rijdt weg. Ze weet dat ze geen sms van Chris terug zal krijgen, hij is immers aan het werk. Ze is gewoon een kei in zichzelf pijnigen. Maar het idee om Chris' armen nog eens om haar heen te voelen, lijkt haar heerlijk. Ze voelt een golf van opwinding door haar lichaam sidderen. Ze schrikt ervan. Ze had gedacht dat dit soort gevoelens eigenlijk alleen bij mannen voorkwam, omdat die per dag wel vijftig keer aan seks denken of zo. Zij heeft er zelf nu ook last van. Ze voelt dat ze haar onderlichaam wat steviger tegen de zitting van de stoel duwt. *Heeft die vrijpartij van gisteren dit allemaal in me los gemaakt?* Gelukkig heeft Chris geen tijd vandaag, want anders zou ze zich niet meer kunnen inhouden.

Ze schaamt zich een beetje. Ze vindt het allemaal veel te plat. Seks is immers maar seks en voorbij in een wip. Ze lacht even. Die gedachten zal ze maar niet op Facebook gooien. Ze heeft altijd gedacht dat ze de seks en de opwinding nodig had om zich een aantrekkelijke vrouw te voelen, nu voelt ze dat ze een vrijpartij ook nodig heeft om zelf vrouw te zijn. Misschien durft ze dat nu pas aan zichzelf toe te geven en heeft ze zich te lang gedragen als een meisje dat wacht op de eerste kus van een prins op het witte paard. Het gebrek aan lichamelijke affectie van Lucien ligt ook voor een deel aan haarzelf. Na de dood van Liam had ze er gewoon geen zin in. Behalve dan om zwanger te raken van Lucas.

Mila draait de oprit van Alina op. Met het gevoel van opwinding nog in haar lijf stuurt ze een sms aan Lucien. 'Denk je nog wel eens aan onze vrijpartijen van vroeger? Ik mis dat.' Ze vindt het eng om te doen, maar aan de andere kant, waarom zou ze niet proberen juist haar eigen man te verleiden?

Ze typt ook een berichtje aan Sebastiaan: 'Hé jij. Heb jij je vrouw ervan kunnen overtuigen om in Frankrijk te blijven? Misschien moet je vanavond eens de sterren van de hemel vrijen met haar. Gewoon doen. Wie weet brengt dat jullie dichter bij elkaar. Mila weet raad. Ha ha.' (11:47)

Lucien heeft een bericht terug getypt. 'Ik mis dat zeker. Maar nu wil ik er niet aan denken, ik zit nog steeds in een meeting. ☺' (11.48)

Sebastiaan is online gekomen. 'Weer een geweldig idee van jou. Ik weet alleen niet of mijn vrouw daar zo op zit te wachten. Voor haar hangt een vrijpartij enorm samen met het niet hebben van kinderen. Maar ik zal mijn best eens gaan doen. Als ik meer tips nodig heb, dan app ik je.' (11:48)

Mila fronst haar wenkbrauwen. Ze is zich weer ergens mee aan het bemoeien waar ze eigenlijk niet genoeg over weet. Het zal voor Linda ook niet makkelijk zijn om haar grote droom te hebben moeten opgeven. Ze heeft met haar te doen. Maar ook met Sebastiaan, die duidelijk zijn gevoelens niet kwijt kan.

Opeens krijgt Mila een idee. Het jubelt in haar van top tot teen. Ze stapt de auto uit, trekt een sprintje naar de voordeur en drukt hard op de bel.

Alina doet de deur open en probeert het gezicht van Mila te peilen. 'Je ziet er uit alsof je net een miljoen gewonnen hebt. Kom binnen en vertel!'

'Ja, sorry, maar ik ben even helemaal hyper. Herken je dat moment waarop je ineens uit het niets een idee krijgt en gewoon weet, nee niet weet, maar *voelt* dat je er iets mee moet doen? Ik heb het gevoel dat mijn energie terug is. Dat ik mijn eigen leven weer een beetje kan oppakken. Misschien was dat bezoekje aan de edelsmid echt heel goed. Het heeft een op hoop spanning bij me weggehaald. En Alina, de hangertjes zijn prachtig geworden. Ik laat ze je nog niet zien, want ik wil dat

Laurie er de eerste blik op kan werpen. Maar geloof me, ze zijn prachtig. Ik hoop dat Lucien de hanger bij me om wil hangen.'

Alina kijkt haar vriendelijk aan. 'Pas je op dat jij je verwachtingen niet weer te hoog stelt? Wat als hij dat niet wil?'

Mila wuift deze terechtwijzing van haar vriendin weg. 'Dat zien we dan wel weer. Hij wil zelfs weer een keer met me vrijen. Er gloort dus hoop aan de horizon! En wil hij dat niet, kan ik nog altijd naar mijn "bij-man".' Mila lacht. Alina ook.

'Wat heerlijk om je weer zo vrolijk te zien. Vertel op, wat is dat lumineuze idee van jou? Ik zet ondertussen even een kopje thee en mocht het dadelijk echt te gek worden, dan gaan we heel vroeg aan de wijn.'

Mila loopt mee de keuken in. 'Toen ik nog advocate was werd ik gek van alle scheidingszaken die ik deed. Het verdriet van de echtparen over het mislukken van hun huwelijk ging me aan het hart. Vaak vond ik dat ze te vroeg hadden opgegeven. Nu ik zelf wekelijks denk dat ik misschien mijn spullen moet pakken om te vertrekken, kan ik me verplaatsen in de lange weg die zij hebben doorgemaakt. Mensen zakken zo diep weg in verdriet en ruzies dat ze elkaar niet meer kunnen zien zoals ze ooit waren. En ja, natuurlijk kun je in therapie en soms helpt het gelukkig ook. Achter elk huwelijk dat slaagt of faalt zit een verhaal. Van beiden verhalen kun je leren. Je moet er wel de tijd voor nemen. En nu komt het: ik wil mijn bed & breakfast een andere functie geven dan alleen een overnachtingsplek op een mooie locatie met een lekker ontbijt. Ik wil er een plek van maken waar stelletjes met relatieproblemen naartoe kunnen om op adem te komen. En ik wil ze coachen. Ik weet dat het maar voor een paar dagen is, maar ook binnen een paar dagen kunnen wonderen gebeuren. En als ze kinderen hebben ga ik ervoor zorgen dat die kinderen goed worden opgevangen zodat de ouders even tijd voor elkaar hebben. Ik zie het helemaal voor me, Alina. Ik kan mezelf weer nuttig maken. Ik kan zelfs mijn oude beroep en kennis gebruiken, maar dan in het voortraject, voordat ze gaan scheiden.

Alina klapt in haar handen. 'Geweldig. Je geeft de mensen

tijd en rust. En dat is volgens mij wat vaak ontbreekt. Ik ken de statistieken natuurlijk niet, maar ik schrik van de verhalen van vrienden om me heen die vertellen dat ze zich door een relatie heen zwoegen. Bij mij op kantoor zie ik mannen overwerken om maar niet thuis te hoeven zijn. Je hebt wellicht het befaamde gat in de markt gevonden.'

'Goh, Alina. Ik moet nog zoveel uitzoeken. Maar ik heb er echt zin in. Misschien moet ik nog een cursus volgen zodat ik echt aan relatiebemiddeling kan doen. Laurie kan bijverdienen door op te passen op de kinderen die meekomen. Ja, ik zie het echt helemaal voor me.'

'Je weet dat ik allerlei cursussen heb gevolgd, hè? Je kunt me altijd inhuren om wat sessies te komen geven! Zijn die avonden zwoegen van mij ook niet voor niks geweest. En bovendien zie ik jou dan ook wat vaker!'

'Dat zou helemaal super zijn. Ik kan natuurlijk maatwerk leveren door na een eerste intake op zoek te gaan naar de beste methodiek om mee te werken. Jou huur ik graag in!'

Ze drinken rustig van hun thee en komen om beurten met een mogelijke naam voor Mila's bed & breakfast idee.

'Voor Wijn en een goed gesprek, misschien is dat iets?' vraagt Alina.

'Ha ha, ja zoiets. Blijf maar meedenken.' Mila heeft al een lijst met twintig namen aangelegd. 'Ik zal ook eens aan mijn Facebookvrienden vragen wat een leuke naam is.'

Alina's telefoon gaat. Ze neemt op en Mila maakt uit het gesprek op dat Alina even een brandje op haar werk moet gaan blussen.

'Sorry, Mila, ik moet er een paar uurtjes van tussen. Doe alsof je thuis bent, maar dat weet je. Ik ben rond vijf uur weer terug.'

'Haast je niet. Ik trakteer vanavond op een etentje. Als jij zegt waar ik moet reserveren, zorg ik dat het geregeld is. Kan ik ook iets voor jou terugdoen!'

'Lief van je. Ik app je wel. Tot later.'

Alina stormt de deur uit en Mila laat zich achterover vallen op de bank. Rust. Even een middag helemaal niks. *Dat is het! Rustpuntje is een goede naam voor haar project!* Glimlachend stuurt ze deze naam door naar Alina.

Er komt een berichtje van Chris binnen. Ze was hem helemaal vergeten. Is dat een goed of een slecht teken? Ze leest dat hij vandaag en morgen in ieder geval geen tijd heeft vanwege een paar lastige gesprekken op school. *Vandaag is het dinsdag. Hun dinsdag.* Ze heeft geen zin om dat erachteraan te appen.

Ze belt naar huis. Als het goed is zijn de kinderen nu terug van school.

Laurie neemt op. 'Hoi mam!'

Mila hoort Lucas op de achtergrond brullen dat hij haar ook wil spreken. Ze vertelt over de mooie hangers en dat ze hem pas om zal hangen wanneer ze thuis is. Laurie is erg benieuwd. 'Gaat het daar allemaal wel? Is papa vanavond op tijd thuis voor jullie?'

Ze hoort Laurie grinniken.

Opeens hoort ze de stem van Lucien. 'Ja, papa is op tijd thuis!'

Mila voelt zich gelukkig. Wat fijn dat hij er is voor de kinderen. Ze heeft zich zorgen gemaakt om niks. Alina had gelijk.

'Zal ik je vanavond nog even bellen?' vraagt Lucien. 'Ik ben nu het diner aan het klaarmaken, drie gangen, hoor!'

Ze krijgt Lucas aan de lijn. Hij klinkt vrolijk. 'Ja, mam, drie gangen. Soep, worstjes en brood.'

Ze wisselen even de dagelijkse dingen uit en Mila hangt met een goed gevoel weer op.

Die avond krijgt ze weer een berichtje van Chris: 'Ik denk aan je. Ik hoop dat ik je nog in mijn armen kan nemen deze week.'

Tsja, dat hoopt zij zelf ook maar aan haar zal het niet liggen. Ze heeft niet eens zin om iets terug te sms-en. Lucien heeft 's avonds ook niet meer gebeld. Ach, misschien is hij het gewoon vergeten. Eigenlijk zou ze uit die drie mannen van haar de ideale man moeten kunnen samenstellen, gewoon bij de gamma. "Flexibele componenten op elk gewenst moment toe te voegen naar eigen smaak en behoefte".

Na een gezellige avond met Alina valt Mila in slaap. Haar telefoon heeft ze niet meer aangeraakt. Ze is toe aan rust.

De volgende morgen vliegt om met een ontspannen saunabezoek. Af en toe checkt Mila haar telefoon om te zien of er nieuws is van Chris. Ze is van plan om vrijdag weer naar huis te gaan, maar ze zou dat eventueel met een dag kunnen uitstellen wanneer hij iets heeft kunnen regelen. Sebastiaan reageert wel op haar berichtjes en is, nadat ze haar idee heeft uitgelegd, zelfs mee aan het denken welke marketingstrategie ze erop los kan laten.

'Wie is Sebastiaan?' vraagt Alina nieuwsgierig.

Mila legt uit hoe ze hem ontmoet heeft en hoe hij in het leven staat. Ze vertelt ook dat ze binnen de kortste keren goede vrienden zijn geworden. Ze laat een van de appjes lezen waarin staat dat het contact met Mila voelt als thuiskomen.

Alina klakt met haar tong. 'Alleen vrienden, Mila? Volgens mij focus jij je op de verkeerde "bij-man".'

Mila wuift Alina's opmerking weg. 'Nee joh, Sebastiaan is zo trouw als een hond aan zijn vrouw. En dat siert hem.'

Alina geeft echter niet zo snel op. 'En wat als hij wel vrij zou zijn? Wat dan?'

'Geen idee. Echt nog geen moment bij stilgestaan. Ik weet wel dat ik het vreselijk jammer zou vinden wanneer hij uit Frankrijk zou vertrekken. En ik voel dat er een enorme klik is, maar die is volgens mij echt alleen mentaal. We zijn aan elkaar gewaagd qua grapjes, maar ook qua diepgang. En ik zie er naar uit om binnenkort eens met hem te gaan lunchen.'

'Pas maar op dat de sterren dan niet allemaal op een rij staan. Ik krijg er een heel ander gevoel bij. Je kent het gezegde, toch? Als twee honden vechten om één been, loopt de derde er mee heen.'

'Ach, je ziet ze vliegen. Weet je wel hoe knap die Sebastiaan is? Totaal out of my league En nogmaals: HIJ IS GETROUWD!'

'Oké, twee dingen, Mila en dan hou ik erover op. Jij bent óók getrouwd en je was maandag toch óók bij Chris. En ten tweede, kijk eens naar jezelf! Hou me in ieder geval op de hoogte.'

Sebastiaan? Nee, ze wil die gedachtelijn helemaal niet doortrekken. Een vriendschap is meer waard dan duizend zoenen, toch? En eigenlijk wil ze dat Sebastiaan symbool staat voor de goedheid van de mens. Dat, hoe slecht het ook gaat in een huwelijk, een man zich niet laat verleiden door welke vrouw dan ook. Ze wil er absoluut niet achter komen dat hij wel te verleiden zou zijn door haar.

Mila voelt zich behoorlijk gammel wanneer ze na een onrustige nacht opstaat. Ze droomde dat ze de hanger van Liam om haar nek had en dat hij opeens begon te lekken. Al zijn as stroomde eruit en ze kon het niet tegenhouden, wat ze ook deed. Het werd meer en meer. De wind blies de as alle kanten op. *Ik moet hem loslaten…*

Ze pakt haar mobiel van het nachtkastje. Geen bericht van Chris. Moet zij dan weer een bericht sturen om te kijken of ze elkaar nog gaan zien vandaag of eventueel morgen?

Ze besluit nog één poging te ondernemen. Ze belt zijn nummer en hangt na twee keer overgaan weer op. Zo, nu heeft hij gehoord dat zijn telefoon is gegaan en ze tikt er meteen een bericht achteraan: 'Ha Chris. Ik wil je graag nog zien, maar dat wist je al. Kun jij mij laten weten of dit vandaag of morgen nog gaat lukken? Wellicht zeur ik te veel, maar ik moet thuis ook laten weten wanneer ik eraan kom.'

Even vraagt ze zich af of ze hem die maandagmiddag misschien gruwelijk is tegengevallen. Misschien had hij er meer van verwacht. Die gedachten schudt ze van zich af. Nee, zo zit Chris niet in elkaar. Hun band gaat veel dieper dan alleen het wel of niet hebben van een wilde nacht.

Misschien was het makkelijker geweest als Chris afgelopen maandag de deur open had gedaan en ze beiden de slappe lach hadden gekregen en er helemaal geen klik bleek te zijn. Maar die was er dus wel.

Tijdens al die keren dat ze via Skype spraken, gaf Chris aan dat hij in gedachten al tien keer naar Frankrijk was verhuisd of dat zij al twintig keer bij hem was ingetrokken. Diezelfde scenario's had Mila ook door haar hoofd laten gaan. Ze had zichzelf en de kinderen al met hun koffers op zijn stoep zien staan. Mila checkt haar Facebookaccount, misschien heeft Chris daar wel een bericht achtergelaten. Er is echter geen spoor van hem te bekennen. Ze besluit voor de zekerheid daar ook nog maar een S.O.S. bericht te plaatsen.

Ze ziet een vriendschapsverzoek binnenkomen en Mila lacht. Sebastiaan! Ze had hem er bij hun eerste ontmoeting wel naar gevraagd, maar hij had erom moeten lachen. Hij gebruikte social media vooral zakelijk en zocht zijn vrienden wel in het echte leven op. Hij was dus toch overstag gegaan. Ze accepteert zijn verzoek en plaatst een leuk berichtje op zijn tijdlijn.

Via Whatsapp krijgt ze een berichtje binnen. Natuurlijk, Facebook zal hem automatisch van haar actie op de hoogte gesteld hebben.

'Mogguh! Lekker geslapen? Ik vannacht amper. Werd in mijn droom aangevallen door een orkaan. Eerste keer dat ik bewust droom en dan is het zoiets naars. Geen Mila in een bikini.' (8:34)

'Gaap. Hier ook een slechte nacht. Gek genoeg ook iets met een storm.' (8:35)

'Geef me dan de volgende keer een seintje, dan kom ik je redden! (of jij mij).' (8:36)

'Dat is goed. Waar spreken we vannacht af? Haha.' (8:36)

'Trouwens, ik zie dat jij je eerste stappen op Facebook hebt gezet! Tien punten voor jou!' (8:37)

'Klopt. Aangemaakt toen ik vannacht wakker werd van die orkaan. Eigenlijk heb jij mij min of meer ontmaagd. Op social media vlak dan, hè?' (8:37)

'Oeh, af en toe zeg jij toch dingen! Het is dat ik weet dat jij zo'n brave jongen bent, maar anders…' (8:38)

'Ha, ik heb nooit gezegd dat ik braaf ben!' (8:39)

'Al moet ik nu wel mijn afspraak in, ben al negen minuten te laat. Maar je weet het, het meisje gaat altijd voor…' (8:39)

'P.S. wanneer ben je weer terug in Frankrijk? Heb een super lunchlocatie gevonden om je mee naartoe te ontvoeren.' (8:40)

'Ga jij maar aan het werk, piraat! X Mila.' (8:41)

Mila stapt uit bed en gaat zich douchen. Haar telefoon legt ze op de rand van de wastafel. Ze hoort hem zoemen en glibberig van de douchegel stapt ze uit de cabine. Zou het een bericht van Chris zijn? Verdorie, het is een of andere reclamemail. Ze stapt weer terug onder de douche en stelt vast dat ze wel een wanhopige puber lijkt. *Niet normaal!*

Ze laat het warme water haar vermoeidheid wegspoelen en loopt lekker fris naar beneden. Alina zit op de bank een tijdschrift te lezen. Het huis ruikt lekker naar vers brood.

Ze ontbijten samen en Mila vertelt dat ze wacht op het telefoontje van de edelsmid en dat ze daarna ook naar huis wil rijden. 'Ik heb mijn Liam dan weer bij me en het voelt niet goed om nog langer te blijven. Laurie en Lucas zijn ook benieuwd naar hoe het geworden is.'

'Heb je niks meer van Chris gehoord dan?'

'Ik dank je voor deze subtiele vraag. Nee, niks meer gehoord en ik ga er ook niet meer op wachten.' Ze zucht. 'Oké, dat zeg ik nu wel heel stoer, maar ik vind het echt jammer. En ik snap het eigenlijk ook niet zo goed.'

'Wacht nou maar gewoon af, alles heeft een reden. Maar jeetje, dan moet ik je weer gaan missen. Ik vond het juist zo gezellig met jou.'

'Ja, ik ook. Maar ik verlang ook erg naar huis. Zeker nu ik al die plannen in mijn hoofd heb. Je zorgt maar dat je snel weer naar ons toe komt.'

Ze drinken nog een kopje thee als Mila het telefoontje van de edelsmid krijgt. Zijn kunstwerkje is af en hij is er erg tevreden over. Mila geeft aan dat ze er over ongeveer een uur zal zijn.

Ze staat op en gaat naar boven om haar spullen te pakken. Het is niet veel, dus ze is zo klaar. Ze checkt nog een keer of ze een berichtje heeft. *Verdomme, Chris. Had gewoon iets laten weten.* Een steek trekt door haar hart.

Alina loopt mee naar de auto om afscheid te nemen. Ze geven elkaar een flinke knuffel en Mila beseft hoeveel geluk ze heeft met een vriendin als zij. 'Ik ga je echt missen. Maar nu ga ik, want ik ben de laatste tijd nogal een emotioneel wrak. Dadelijk sta ik hier weer te janken. Kus. Tot snel weer.'

Ze doet de deur open en het belletje van de winkel speelt weer het vrolijke deuntje.

De edelsmid komt vanachter zijn werkplaats naar voren gelopen. Hij schenkt Mila wederom een gulle glimlach. In zijn handen heeft hij de krijtsteen van Lucas.

Mila slaat haar handen vol ongeloof voor haar mond. 'Het is erg mooi geworden.'

'Ik ben er ook trots op.' De edelsmid wrijft met zijn handen over de steen. 'Het was een hele uitdaging, maar ik ben tevreden. Ik hoop dat je zoontje hier ook blij mee is. Laat je wat weten?'

'Beloofd.' Ze wil nu snel de winkel uit en naar huis. Ze heeft waarvoor ze gekomen is. Ze rekent af met de edelsmid en bedankt hem nog een keer voor zijn goede zorgen.

Mila loopt naar buiten en ademt diep in. Haar hand legt ze beschermend op haar tas. Ze draagt nu iets heel kostbaars bij zich.

In de auto moet ze even op adem komen. Het was maar een paar minuten lopen, maar elke stap had moeite gekost. Ze checkt haar mobieltje. Geen bericht van Chris. Wat zal ze doen? Tijd rekken, rondrijden en hopen dat hij haar alsnog iets laat weten? Of haar gevoel volgen en naar huis gaan?

Ze draait de sleutel in het contactslot en typt op haar TomTom het woordje 'Thuis' in. Haar gevoel twijfelt nog, maar haar verstand heeft het overgenomen. 'Kom, Liam. We gaan naar huis.'

Mila rijdt op haar gemak en bij de borden Eindhoven maakt ze opnieuw snel een foto. Leuk om straks weer naar Sebastiaan te sturen.

Ergens in België neemt ze pauze en koopt bij een benzinepomp een paar stukken chocolade voor bij de koffie. Niet echt een gezond tussendoortje, maar ze heeft er gewoon behoefte aan. Ze tikt een berichtje naar Sebastiaan en stuurt de foto van het bord afslag Eindhoven mee: 'Eindhoven bestaat nog steeds. Maar volgens mij heeft PSV verloren. Misschien moet je toch terug naar Nederland om die ploeg weer aan de gang te krijgen. ☺' (13:56)

Ze stapt weer in de auto, besluit nog drie uurtjes te rijden en het dan voor gezien te houden.

Bij een klein charmant hotelletje in Frankrijk stopt ze en vraagt of er nog een kamer vrij is. Het hotel ziet er wat vervallen uit, maar Mila is geraakt door de heldere blauwe kleur.

'Bien sur, madame,' is het antwoord van een jongeman achter de glimmende balie van de receptie.

Je zou dat koper eens moeten oppoetsen, kan ze niet nalaten te denken. Ze haalt haar spullen uit de auto en is blij als ze de kamerdeur achter zich dicht doet. Ze is moe van de rit, ook al heeft ze het rustig aan gedaan. Ze bestelt roomservice, want ze heeft geen zin om haar kamer nog te verlaten.

Een half uur later wordt er op de deur geklopt en krijgt ze een heerlijke salade met brood, een glas wijn en een fles water voorgeschoteld. Daar moet ze de avond wel mee doorkomen.

Ze zoekt de Wi-Fi toegang van het hotel op en is weer online. Ze gooit haar kleren uit, trekt haar pyjama aan en gaat met haar bord op bed zitten. Ze maakt een foto van zichzelf en haar glas wijn.

Sebastiaan heeft gereageerd op haar Eindhovenfoto, ziet ze: 'Ik zal de trainer bellen dat-ie de volgende keer voor een andere opstelling kiest. Belangrijker is dat jij dus onderweg naar huis bent?' (18:58)

Mila stuurt de foto van zichzelf naar hem toe. 'Ja, en weer op Franse bodem. Even een tussenstop en morgenvroeg de laatste loodjes naar huis. Proost.' (18:59)

Dan komt er een sms van Chris binnen: 'SORRY! Mijn oplader lag op werk, had mijn telefoon thuis laten liggen, maar helemaal leeg. Ik zie nu pas je berichtjes. Ik zou morgen iets kunnen afspreken. Ik kan alleen maar hopen dat je nog niet vertrokken bent. De dagen zonder jou waren erg leeg!' En meteen komt er nog een sms achteraan. 'Kunnen we anders even bellen? De kinderen zitten aan hun huiswerk.'

Mila voelt zich verdrietig worden. Zou het een smoesje zijn geweest van die lege telefoon? Hij had haar toch via Facebook iets kunnen laten weten of een email kunnen sturen? Aan de andere kant weet ze ook dat hij geen communicatiejunkie is zoals zij. Voor haar maakt het niks uit welk medium ze gebruikt. Ze besluit Chris te bellen.

'Ben je nog in Nederland?' valt hij gelijk met de deur in huis.

'Nee, helaas. Ik zit nu op mijn hotelkamer en ben morgen weer thuis bij mijn kinderen. Misschien is het ook maar beter. Ik weet het eigenlijk niet.'

Even is het stil aan de andere kant van de lijn. 'Dat spijt me, Mila, het is echt helemaal mis gegaan. Niet alleen met die stomme oplader en telefoon. Maar ook met mij. Het heeft me allemaal overweldigd. Jij. Jouw bezoek. Mijn reactie op jou. En eigenlijk hadden we daar ook gewoon over moeten praten.'

'Ja, dat hadden we zeker. Vooral jij. Zo kan ik je toch nooit leren kennen?' Mila gooit deze zinnen eruit. 'Het voelde deze dagen erg raar. Maandag was zo mooi en intens en het voelde alsof we echt dicht bij elkaar waren. En de dagen erna waren leeg.'

'Ik weet het, Mila. Maar het is gewoon niet anders. Zullen we straks skypen? Heb jij je iPad bij je? Ik wil je graag nog zien.'

'Ja, heb ik bij me. Ik ga nu eten en als ik niet in slaap val, dan skype ik je. Daaaag!'

Zou Chris hebben meegekregen dat ze niet echt staat te springen om te skypen? "Het is niet anders" heeft ze net iets te vaak gehoord. Ze schudt haar hoofd.

Ze eet haar salade op en neemt een slok wijn. Ze heeft geen zin om op dit moment de balans op te maken. Morgen is ze weer bij haar gezin en ze is benieuwd wat haar afwezigheid met iedereen gedaan heeft. Voor met Lucien. Ze kan niet wachten om haar bed & breakfast idee aan hem uit te leggen. Dit gaat háár ding worden en ze laat het niet door hem wegwuiven als een projectje.

Mila werkt haar Facebook bij door te reageren op de postjes van wat vriendinnen. Ook bekijkt ze de pagina van Sebastiaan, maar daarop is nog weinig activiteit te bespeuren. Ze gluurt even met een schuin oog naar de pagina van Laurie, maar daar gebeurt momenteel ook niet veel. Ze opent haar Skype programma en ziet dat Chris inderdaad online is. Normaal stuurt ze hem altijd een berichtje met de vraag of ze hem kan bellen, maar daar heeft ze nu geen zin in. Ze belt gewoon. Jammer dan als zijn kinderen ook in de kamer zitten.

Ze ziet zichzelf onder in beeld komen. Ze kruipt wat verder onder de dekens. Dan ziet ze het lachende gezicht van Chris. Hij zit ook in zijn slaapkamer en heeft een strak wit T-shirt aan. Voor Mila valt er niks meer te raden, ze weet sinds maandag wat er onder dat T-shirt zit. Ze kijken elkaar lange tijd doordringend aan.

'Hier lag jij maandag nog,' zegt Chris terwijl hij naast zich op het bed klopt. Ik ben van plan het bed niet meer te verschonen.'

'Tsja, daar had ik nu gewoon weer kunnen liggen...' Het is eruit voor ze er erg in heeft. Ze wil dit soort dingen helemaal niet zeggen, want daar hebben ze het immers aan de telefoon al over gehad. 'Sorry, vergeet die opmerking maar. Ik voel me gewoon even alleen hier op de hotelkamer. Nog net niet thuis en te ver bij jou vandaan. Chris, mag ik je vertellen hoe ik me voel?'

'Ja, ik luister. Al weet ik wel waar jij mee zit. Maar vertel.' Chris praat zacht, bijna sussend.

'Als we bij elkaar zijn, zoals nu of nog beter zoals maandag, dan klopt de wereld. Maar de dagen erna, wanneer ik je niet spreek, dan voelt het als een enorme leegte. Alsof alles wat er was weer opnieuw vorm moet krijgen. Alsof we elkaar steeds opnieuw moeten vinden. En ik ben naar je op zoek, maar ik twijfel hoe hard jij zoekt. Ik geloof echt wel dat er iets is tussen ons, die vonk kunnen we niet negeren. Net was die er ook weer. Of ben ik de enige die dit voelt? Heb ik meer behoefte aan jou dan jij aan mij?' Ze strijkt door haar haren en voelt zich na deze woorden helemaal leeg. Elke keer als ze denkt dat het klaar is met Chris, staat hij weer voor haar met die enorme grijns van hem waar ze niks tegen kan doen.

Chris kijkt alleen maar naar haar. Mila voelt zich warm worden. 'Nu doe je het weer! Je speelt met me.'

'Nee, ik kijk naar je. Je bent mooi.'

'Wil je me weer zien?' Haar vraag is kort.

'Ja, Mila. Ik wil je weer zien. Ik wil ook weten wat er tussen ons speelt, maar we moeten geduld hebben. Niet alles is zomaar te regelen.'

'Weet je wat het is? Ik wil er mijn best voor doen. Ik wil je leren kennen, zodat ik me later nooit de vraag stel of ik je heb laten schieten. Maar ik laat het vanaf nu van jou afhangen. Jij moet aangeven wanneer je wel tijd hebt om me te zien, en dan niet even tussendoor.'

'Ik ga mijn best doen. En ik neem die ongeduldigheid van jou op de koop toe. Ik geniet echt van je aandacht. Ik zei het al eerder, ik lees je berichtjes echt allemaal. Alleen, jij bent zo'n communicatie-monstertje, ik weet soms niet op welke plek ik moet zijn om wat te lezen. In gedachten heb ik dan vaak antwoord gegeven en dat blijkt dan in het echt niet zo te zijn. Ik loop mijlenver op je achter.'

'Ik ben blij dat we elkaar nog even gesproken hebben. Zo krijgt die maandagmiddag toch weer een mooi kleurtje. Je voelt weer heel dichtbij.' Mila blaast een kushandje naar Chris.

'Jij ook, alleen baal ik wel weer van dit scherm. Ik weet nu hoe mooi en lekker je in werkelijkheid aanvoelt.'

'Ik ga nu stoppen, want ik wil morgen op tijd vertrekken. Moet er natuurlijk wel uitgeslapen uitzien morgen. Anders denken ze dat mama alleen maar gefeest heeft. Dikke kus en tot snel.'

'Dag mooie meid. Tot snel!'

Ze zet haar iPad uit en kruipt onder de dekens. Ze voelt zich warm en doezelig. Die Chris heeft het maar makkelijk. Hij hoeft alleen dom te grijzen en ze is alweer verkocht.

HOOFDSTUK 20

Thuiskomst

Mila is vroeg opgestaan en na een paar uur rijden draait ze de oprit van de boerderij op. Ze is verbaasd om te zien dat er een grote baggerwagen in de tuin staat. Ook staat er een busje van een klusbedrijf. Ze stapt uit en pakt haar telefoon om Lucien te bellen. Ze is nog verbaasder om te zien dat Lucien achter uit de tuin komt gelopen. Hij kijkt haar aan en schenkt haar zijn glimlach van vroeger. Het is de eerste keer dat ze hem weer echt naar haar ziet kijken.

Tranen schieten in haar ogen. Ze begint harder te lopen en laat zich in Lucien's armen vallen. Hij knuffelt haar. Onwennig. Ze merkt dat zijn ogen er ook waterig uitzien.

'Kom.' Hij pakt haar koffer en samen lopen ze naar binnen.

Lobke komt aangestormd en rent haar bijna omver. Ze knuffelt haar. Wat fijn om thuis te zijn. Ze komt overeind en kijkt Lucien vragend aan terwijl ze naar buiten wijst. 'Wat is hier allemaal aan de hand? Heb jij dit allemaal geregeld?'

Lucien krijgt geen tijd om te antwoorden, want de deur vliegt open en Laurie en Lucas stormen naar binnen. 'Mam! Ben je al terug?' Laurie klinkt enigszins teleurgesteld. 'We dachten dat je er pas vrijdag of zaterdag weer zou zijn.'

Mila krijgt in de gaten dat ze een grote verrassing heeft verpest door eerder dan gepland weer op de stoep te staan. 'Sorry, jongens, ik miste jullie. Bovendien was ik gewoon eerder klaar met al mijn dingen. Zal ik weer weggaan?' Ze geeft Laurie een kus en omhelst Lucas even. 'Zullen we even gaan zitten? Dan vertellen jullie wat hier gaande is. Het lijkt hier wel een bouwplaats!'

'Nee, kom maar mee. We laten het je zien!' Lucas trekt aan Mila's arm en ze loopt via de veranda mee naar buiten.

Het gebouw achter in de tuin is omgetoverd tot een heuse gite. Haar bed & breakfast lijkt tot leven gekomen te zijn. Mila slaat haar handen voor haar mond. 'Hoe kan dit? Wie heeft dit gedaan? Ik kan mijn ogen niet geloven!'

Laurie huppelt van gekkigheid op en neer.

Lucas zegt dat Mila binnen moet gaan kijken. 'Het is nog niet helemaal af hoor, mam!'

Mila ziet dat de ruwe wanden gestuukt zijn en dat de vloer nu bedekt is met mooie planken. Haar tienjaren-project lijkt opeens in een versnelling terecht gekomen. Ze kan zich nu gaan bezig houden met de inhoud in plaats van noeste arbeid. Ze kijkt Lucien aan. 'Heb jij dit allemaal geregeld?'

Lucien schudt zijn hoofd. 'Dan moet je bij je dochter wezen.'

Mila kijkt Laurie aan die haar schouders ophaalt. 'Facebook weet alles.' Haar ondeugende blik zegt genoeg.

Mila besluit er maar gewoon van te genieten. Ze loopt nog een keer door de gite en ziet helemaal voor zich hoe het gaat worden. 'De muren wil ik behangen, zodat het huisje er nog warmer en knusser uit gaat zien. En dan een mooi hemelbed in die ruimte daar. En daar bij het raam twee relaxstoelen, zodat je weg kunt dromen met een lekker wijntje en het uitzicht op de olijfbomen…'

Ze stapt naar buiten en ze ziet dat de graafmachine bijna klaar is met het omploegen van het land. De olijfbomen die er al staan komen nu beter tot hun recht.

Laurie pakt Mila's hand. 'Morgen komt de rest van de verrassing.'

'Nog meer verrassingen? Meisje, toch. Dit is al meer dan ik had durven dromen. Wij moeten vanavond maar eens praten. Waar heb ik dit toch allemaal aan te danken?'

Lucien staat alles van een afstandje te bekijken. Mila vraagt zich af wat er nu in hem omgaat. En in hoeverre heeft hij met deze metamorfose te maken gehad? 'Kom, jongens, zullen we een hapje eten? Daarna wil ik laten zien wat ik uit Nederland heb meegenomen.'

Ze eten samen soep met brood en Mila luistert naar de verhalen van Laurie en Lucas. Over school, over het olijfboomproject en de dingen die er allemaal mis zijn gegaan, maar waar ze om hebben kunnen lachen. Lucien houdt zich afzijdig, maar Mila ziet dat hij luistert en zijn aandacht erbij heeft. Dat was voorheen wel anders. Wat zou er gebeurd zijn in die paar dagen dat ze weg was? Was het haar brief die hem zijn ogen heeft geopend? Ze kan het maar amper geloven. Het heeft de hare in ieder geval wel geopend. In dat ene moment waarop ze in zijn ogen keek, kon ze weer iets van hun liefde terugvinden. Ze was zo bang geweest dat het allemaal weg was. Alles.

Mila staat op van haar stoel en loopt naar Laurie en Lucas toe. Ze geeft hen allebei een kus op hun wang. 'Had ik al gezegd...'

'Dat je van ons houdt,' zeggen ze in koor.

Mila drukt Lucien ook een kus op zijn wang. Ze ziet dat Laurie Lucas even aanstoot en hem lachend aankijkt.

'Ik ruim de tafel af en dan kan Lucien misschien even koffie zetten en voor jullie wat drinken inschenken. Dan kan ik jullie daarna laten zien wat de edelsmid heeft gemaakt.'

Laurie en Lucas gaan naar de woonkamer. Lucien zet koffie, zonder te morren. Even flitst Chris door Mila's hoofd heen. Ze voelt zich nog steeds niet schuldig. Eerder een beetje verdrietig. Ze zal afscheid moeten nemen van hem, wil ze deze doorbraak met Lucien doorzetten. Dat wil ze. Toch?

Dan hoort ze Alina's stem in haar hoofd. 'Laat het gewoon even gebeuren...' Dat moet ze misschien ook maar doen. Het laten gebeuren. Een lach van Lucien is een beginnetje, maar er zal nog een lange weg te gaan zijn.

Lucien en Mila gaan ook in de woonkamer zitten. Mila is zich heel erg bewust van elke beweging die Lucien maakt. Bijna onwennig. Heeft ze hem te vaak buitenspel gezet? Ze pakt haar tas en haalt er de twee doosjes met de hangertjes en het grotere doosje met de krijtsteen uit. Ze geeft een van de doosjes aan Laurie. 'Deze is voor jou.' Ze ziet dat Lauries handen trillen als ze het dekseltje eraf haalt. Een paar tranen rollen over haar wangen.

'Dank je wel, mam. Ik denk alleen dat ik hem niet durf te dragen, ben zo bang dat ik 'm kwijt raak.'

Mila begrijpt het maar al te goed. 'Je hoeft niet bang te zijn. De ketting heeft een stevig slot, daar hebben de edelsmid en ik naar gekeken. Maar je *hoeft* de ketting niet te dragen. Je kan hem ook gewoon in het doosje laten. Jij moet er zelf aan toe zijn.'

'Wil jij de ketting bij me omhangen? Ik wil het graag.'

Mila buigt zich voorover naar Laurie en hangt voorzichtig de ketting om. Laurie gooit haar haren naar achteren en raakt met haar hand de hanger aan. 'Mooi?'

'Heel mooi. Jij bent mooi. En deze hanger staat je prachtig.'

Laurie staat op, loopt naar de spiegel en bekijkt zichzelf. 'Het is wel een raar idee dat ik mijn broertje nu bij me draag.'

Lucien opent zijn mond en het lijkt alsof hij iets wil zeggen, maar hij doet het niet.

Mila geeft nu het grotere doosje met de steen aan Lucas. Ze gaat naast hem zitten en slaat haar arm om hem heen. Ze heeft misschien te weinig nagedacht over de impact op haar kinderen. Even slaat de twijfel bij haar toe. Heeft Lucien al die tijd gelijk gehad?

Lucas houdt de steen in zijn handen. 'Wauw! Dat is echt mega mooi gedaan!' Hij houdt de steen op zijn kop om zich ervan te verzekeren dat er geen as uit kan lopen.

Mila lacht. Gelukkig geen emotionele reactie van Lucas.

'Laat jouw hanger eens zien, mam!'

Mila opent haar doosje. Ze haalt het hangertje eruit. Ze kijkt naar Lucien, maar die kijkt weg. 'Laurie, wil jij de ketting bij mij omhangen?'

Laurie hangt de ketting om en worstelt even met het slotje. 'Zo, nu zit hij goed dicht. Laat eens kijken, mam.'

Mila strekt haar rug en hals zodat de ketting goed zichtbaar wordt. Haar hart klopt in haar keel. Ze wil nu niet emotioneel worden, maar het liefste zou ze heel hard gaan huilen.

'Heel mooi, mam.'

Mila staat op en loopt naar de spiegel. Ze staart in de ogen van een moeder die haar kind verloren heeft. Ze hoopt ooit weer in de ogen te kijken van een vrouw die zichzelf teruggevonden heeft.

Lucien staat op en mompelt: 'Ik moet nog even een paar mails beantwoorden.'

Mila geeft hem een kort knikje. Ze had gehoopt nog een tijdje bij elkaar te kunnen zitten, maar ze beseft dat ze dit nu niet van hem kan verlangen. 'Ik ga nog even naar buiten met Lobke, wil er iemand van jullie mee?' Mila kijkt haar kinderen vragend aan.

Lucas zegt dat hij nog even wil gamen. Hij staat op en doet voorzichtig zijn steen weer in het doosje.

Mila wil hem zeggen er goed op te passen, maar houdt zich in. Dat vertrouwen moet ze hem geven. En bovendien moet ze hem ook los kunnen laten, hij is geen kleine jongen meer.

Laurie staat op en fluit naar Lobke. 'Kom, dame, we gaan met mam op stap.'

Samen lopen Laurie en Mila door het dorp. Laurie stoot Mila aan. 'Niet omkijken, maar ik zag net de buurman weer toevallig naar buiten lopen. Hij zal je wel gemist hebben.'

Mila proest het uit van het lachen. 'Hoe kom je daar nu weer bij!'

'Nou, ik heb mijn ogen ook niet in mijn zak zitten, hè? Dat heb ik ook aan pap verteld. Dat hij moet uitkijken met al die kapers op de kust.'

'Jij hebt wat?' Mila kijkt verschrikt naar Laurie. 'Wat gaat er allemaal om in dat hoofd van jou?'

'Rustig maar, mama. Ik heb alleen met pap gesproken over dat hij zoveel werkt en dat het fijn was dat hij deze week steeds wat eerder thuis was van werk. En heb toen een grapje gemaakt over de buurman, dat hij jou wel zou missen. Pap vroeg me toen waar ik het over had en ik heb gezegd dat hij volgens mij een oogje op je heeft.'

'En wat zei papa toen?'

'Dat-ie de buurman dan op zijn bek zou slaan.' Laurie schaterlacht. 'Nee, dat zei hij niet. Hij zei wel dat jij meer smaak had. Ik heb toen gevraagd of hij dan zo spannend was, met al zijn geneuzel in boeken en achter de pc zitten. Nou, toen kreeg ik de wind van voren en dat ik me maar met mijn eigen zaken moest bemoeien.'

Mila lacht. 'Nou, in dit geval geef ik papa gelijk. Jij bent inderdaad een wijsneus en de buurman is inderdaad erg saai.'

Laurie trekt een beledigd gezicht. 'Ik een wijsneus?'

'Je weet wat ik bedoel. Maar lief dat jij je zorgen om me hebt gemaakt.'

Mila roept Lobke die opeens een andere kant op lijkt te spurten. Ze luistert niet. Mila zet een sprintje in om Lobke weer terug te halen. Ze grijpt haar in de nek en terwijl ze Lobke aanlijnt valt er een schaduw over haar heen. Ze voelt een hand op haar schouder en een warme tinteling gaat door haar heen. Die hand kent ze. Ze komt overeind en staart recht in de ogen van Sebastiaan. Laurie is naast haar komen staan en Mila ziet dat Sebastiaan een vette knipoog met Laurie uitwisselt.

'Hoi, leuk je weer te zien.' Mila weet er geen andere zin uit te persen. Ze voelt haar adem stokken in haar keel, alsof ze nu pas beseft hoe knap hij is. Zijn pak zit als gegoten en zijn mooie glimlach lijkt het hele dorp te voorzien van energie. De appjes met Sebastiaan waren altijd veilig en op afstand. Nu merkt Mila dat hij, zo dichtbij en zonder waarschuwing, toch een behoorlijke impact op haar heeft. Ze voelt zich met Laurie naast haar ook niet zo op haar gemak.

Sebastiaan pakt Mila's hand en drukt drie zoenen op haar wang. 'Fijn om je weer te zien. Het hele dorp praat over die bed & breakfast van jou. Wanneer is de opening?'

Mila haalt haar schouders op. 'Ik kan het zelf amper geloven. Een week geleden was het nog een droom en nu lijkt alles in een stroomversnelling gekomen te zijn. En het stoort me dat ik niet eens weet hoe en wie dit allemaal geregeld heeft.' Ze knijpt Laurie even in haar arm. Die trekt echter zo'n uitgestreken gezicht dat ze met zijn drietjes moeten lachen.

'Ik moet verder,' zegt Sebastiaan. 'Ik spreek je vast snel weer. Dag dames!'

'Die is minder saai, hè mam?' Laurie lacht van oor tot oor. 'Zie ik je nu rood worden?'

'Ach jij. Bah, ik wist niet dat tienerdochters zo vervelend waren! En Sebastiaan is inderdaad niet saai. Ik vraag me alleen af waarom jullie met elkaar knipoogden. Hij is echt te oud voor jou, hoor.'

Laurie steekt haar tong uit en mompelt iets onverstaanbaars.

Mila laat het er maar bij. Ze voelt haar mobieltje zoemen en ze durft te zweren dat dit een appje van Sebastiaan is. Die zal het haar vast nog even inwrijven. Ze zal er later maar naar kijken, voordat dochterlief haar neus in te veel zaken gaat steken.

Samen lopen ze een half uurtje met Lobke. Laurie gaat met haar hand naar haar hals en raakt de hanger aan. 'Ik doe mijn hanger nooit meer af.'

Mila haakt haar arm in die van haar dochter en mompelt: 'Ik ook niet.'

Het gevoel en de herinneringen aan Liam vullen de stilte op.

Die avond gaat iedereen vroeg naar bed. Morgen is weer een gewone schooldag voor de kinderen en Mila is erg moe van de terugreis en alle emoties van die dag. Voor het eerst sinds maanden of misschien wel langer gaat Lucien met haar mee naar boven. Mila voelt zich onwennig. Ze trekt haar pyjama aan en poetst haar tanden.

Lucien ligt al in bed. Hij ligt op zijn zij en kijkt naar haar als ze de slaapkamer binnenkomt. Ze stapt in bed. Hij trekt haar tegen zich aan terwijl ze met haar rug naar hem toe ligt. Hij streelt zachtjes over haar rug. Ze voelt zijn warme hand door het stof van haar pyjama heen. Ze wil dat dit fijn aanvoelt, zoals toen ze vroeger samen in bed lagen. Of zoals toen Chris haar aanraakte. Mila schrikt van haar gedachten. Ze heeft gewoon haar eigen man bedrogen.

Ze blijft een poosje op haar zij liggen en draait een arm naar achteren, waarmee ze over Luciens arm wrijft. Dan draait ze zich om en kijkt hem aan. Ze aait zijn gezicht. Weer ziet ze dat hij moe is. Zij is ook moe. Ze kruipt weg in zijn armen en doet haar ogen dicht. Ze praten niet. Dit is een eerste stap om elkaar weer te vinden.

Ze hoort aan zijn ademhaling dat hij in slaap is gevallen. Ze friemelt zich los uit zijn armen en zoekt haar eigen plekje weer op. Opeens denkt ze aan de app van Sebastiaan. Die ontmoeting was wel heel bijzonder. *Verdorie.* Nu draaien haar hersenen weer op volle toeren en die stoppen natuurlijk niet voordat ze haar telefoon heeft gepakt. Bijna dronken van moeheid staat ze op en vist haar telefoon uit haar broekzak. Ze kruipt het bed weer in en onder de dekens bekijkt ze haar berichten. Het is inderdaad een berichtje van Sebastiaan: 'Wat ben jij duizelingwekkend mooi als je bloost.' (19:56)

Mila wrijft even in haar ogen. Ja, het staat er echt. Duizelingwekkend mooi. Ze drukt op de letter x en hoopt dat die kus zijn bericht voldoende beantwoord. Ze zet haar telefoon uit en schuift het ding onder haar bed. Klaar nu. Ze wil en moet gewoon slapen.

Mila droomt dat ze in een achtbaan zit. Ze houdt zich stevig vast en probeert te roepen dat ze eruit wil. De woorden komen niet uit haar keel. Ze ziet een hand van opzij komen om haar eruit te trekken. Het is Lucien. Nee, Chris. Of toch Sebastiaan. Ze kan het niet zien. Ze steekt haar hand uit om hem te pakken, maar dan maakt de hand een lange neus naar haar. Er staat niemand om haar te helpen. De achtbaan slaat op hol.

Mila knipt het licht aan en gaat rechtop in bed zitten. Haar ademhaling is gejaagd. Ze ziet dat Lucien zich omdraait en zijn kussen over zijn hoofd trekt. Ze knipt het licht weer uit en krult zich als een klein kind op in foetushouding. Langzaam komt haar hart tot rust en krijgt ze weer grip op de realiteit. *Verdomme. Morgen ben ik weer een vaatdoek.*

De volgende morgen hoort Mila hoe Lucien met de auto vertrekt. Ze zoekt naar de wekkerradio en ziet dat het zeven uur is. Ze stapt uit bed en voelt zich gebroken. Ze sloft de overloop op en kijkt bij Laurie om het hoekje. Die ligt nog heerlijk te slapen. Vanuit de kamer van Lucas hoort ze meer beweging. 'Ah, jij bent wakker. Ga jij eerst douchen?'

Lucas knikt. 'Mam, wat zie jij eruit? En je stem klinkt helemaal nergens naar.'

'Ja, voel me niet al te florissant vanmorgen. Als jullie de deur uit zijn, kruip ik mijn bed weer in.'

'Nou, die andere dagen hebben wij het ook gered, hoor, dus ga nu maar terug naar bed. Lijkt me wel zo handig.'

'Ja, mam, je bed in.' Laurie staat met een wilde haarbos op de overloop. 'Lucas, jij gaat douchen en ik maak even een kop thee voor mam. En daarna moeten we opschieten.'

Mila ziet aan de gezichten van haar kinderen dat ze weinig weerwoord van haar zullen dulden. Ze kruipt snel haar bed weer in. Ze vraagt zich af of Lucien de kinderen ook elke morgen hun gang heeft laten gaan. Ze zal er niet naar vragen, want dan lijkt het alsof ze hem controleert.

Ze moet weer in slaap gevallen zijn, want ineens staat Laurie aangekleed en wel naast haar.

'Mam, we gaan nu. Je thee is al bijna koud. Je hoeft vandaag niet op te staan. Er komen wat werklui, maar die weten de weg. Je hoeft niks te doen of te regelen.'

'Potverdikkie, ik lijk wel een oude oma zo. Ik slaap nog een uurtje en dan ben ik straks vast weer fit.' Mila zwaait naar haar. 'Tot vanmiddag!'

Als ze de deur beneden hoort dichtslaan, vist ze haar telefoontje onder het bed vandaan en zet 'm weer aan. Ze typt een berichtje naar Lucien. 'Sorry dat ik niet samen met jou ben opgestaan. Ben net teruggestuurd naar mijn bed door de kinderen. Ik zie er schijnbaar niet uit. Ik voel me trouwens ook niet zo heel erg lekker.'

Ze schuift de telefoon onder Luciens kussen en sluit haar ogen. *Duizelingwekkend mooi. Ha. Hij moest me nu eens zien.* Mila pakt haar telefoon weer onder het kussen uit. Ze tikt een app naar Sebastiaan: 'Ben net teruggestuurd naar mijn bed door mijn kids. Ik zie er blijkbaar niet uit. Voel me ook totaal belabberd.' (08.45)

Ook stuurt ze een sms naar Chris met ongeveer dezelfde inhoud. Ze wil wel eens zien hoe de heren erop reageren. Beetje kinderachtig, maar ach. Mila neemt een slok van haar thee, die inderdaad koud geworden is. Ze spuugt de thee terug in haar glas, daar heeft ze even geen zin in. Ze voelt haar maag omdraaien. Mila stopt haar hoofd onder het kussen en probeert te slapen, in de hoop zich dadelijk een stuk beter te voelen.

Ze weet niet hoe lang ze heeft geslapen, maar het geblaf van Lobke haalt Mila uit haar slaap. Ze heeft knallende koppijn. Met één oog dichtgeknepen kijkt ze hoe laat het is. Ze schrikt ervan, ze heeft een gat in de dag geslapen. Ze probeert op te staan, maar haar hoofd bonkt te erg. Hopelijk staan er geen werklui aan de deur.

Mila schuifelt uit bed. Ze wil een pijnstiller pakken uit de badkamer, want ze zal toch iets tegen die koppijn moeten doen. Haar hele kaak doet er pijn van. Waarschijnlijk heeft ze een flinke migraine te pakken. Lang geleden dat ze daar last van had.

In de badkamer neemt ze twee pijnstillers en slikt ze een voor een door. Ze merkt dat haar keel wat gezwollen aanvoelt. Misschien heeft ze een griep te pakken. Ze laat het bad vollopen in de hoop dat ze zich daarna beter zal voelen. Het water is heerlijk warm en de pijnstillers beginnen te werken. Ze kan haar ogen in ieder geval weer helemaal open doen zonder dat haar hoofd in tweeën wordt gespleten. Ze vult het water nog twee keer bij met een warme straal en komt dan het bad uit.

Ze trekt een joggingpak aan, want ze voelt er niks voor om zich in een spijkerbroek of iets anders te hijsen. Haar haren zijn aan de onderkant vochtig, dus daar zet ze even een klem in. Ze pakt haar telefoon van de slaapkamer en loopt de trap af. Ze ziet dat Chris en Sebastiaan gereageerd hebben op haar berichtje.

Sebastiaan heeft een paar minuten na haar berichtje iets teruggestuurd: 'Doe rustig aan. Luister naar je kinderen en blijf lekker in bed. Als er iets is, bel je maar. Ik werk vandaag toch thuis.' (08.53)

De sms van Chris is net binnen gekomen: 'Beterschap! Ik voel mezelf ook niet al te lekker, maar moest helaas gewoon gaan werken.'

Ze typt een bericht naar Sebastiaan terug: 'Ik ben weer boven water. Letterlijk en figuurlijk. Heb denk ik een griepje uit Nederland meegenomen. Ga nu eens kijken wat er te eten is.' (14:32)

Sebastiaan typt meteen wat terug: 'Goed van je te horen, had al bijna de hulpdiensten ingeschakeld. Het schijnt te heersen. Mijn zusje in Nederland ligt ook plat met de griep, dus onderschat het maar niet. Mijn aanbod blijft staan trouwens. Als je iets nodig hebt, geef je maar een gil.' (14:34)

Even speelt Mila met de gedachten om terug te typen dat ze hem nodig heeft. Ze zou heel graag in zijn armen wegkruipen nu. Dan kan hij haar uit dat boek van hem voorlezen. Ze drukt de gedachte snel weg. Ze begint een patroon te herkennen. Toen ze van Lucien geen aandacht kreeg, stuurde ze het Facebookverzoek naar Chris. De spanning en de aandacht waren voldoende om haar eenzaamheid te verdrijven. Zoekt ze nu die opwinding bij Sebastiaan? Ze heeft de drie mannen vanmorgen nota bene tegen elkaar uitgespeeld. Degene met de leukste reactie wint? Bah. Haar integriteit is ver te zoeken.

Mila loopt de veranda op en ziet dat het klusbusje er weer staat. De graafmachine niet, die is vanmorgen blijkbaar geweest en haar tuin ziet er begaanbaar uit. Rondom de gite zijn zelfs een paar olijfbomen in de grond gezet. Het liefst zou ze gaan kijken, maar ze voelt zich niet fit genoeg om wie dan ook te woord te staan. Een erg goede gastvrouw is ze vandaag niet.

Ze loopt met een glas verse thee en wat crackers naar de bank. Lobke komt bij haar voeten liggen. Ze wrijft met haar voeten over haar rug. De thee doet haar keel goed en de crackers zijn net licht genoeg om haar maag rust geven en toch het lege gevoel weg te nemen.

Eigenlijk zou ze boodschappen moeten doen, maar haar lijf protesteert. Ze pakt haar telefoon en belt naar Lucien. Hij drukt haar weg. Ze krijgt een sms van hem terug: 'Zit in vergadering.'

Ze tikt een bericht terug. 'Kun jij na je werk even langs de winkel om wat eetbaars te halen? X Mila.'

Hij stuurt een bericht terug met de boodschap dat het laat gaat worden en dat ze toch maar zelf iets moet regelen.

Ze zucht. Waarschijnlijk ligt er nog wel wat eetbaars in de diepvries.

Rond een uur of vier staan Laurie en Lucas weer op de stoep en trekken de kasten open omdat ze honger hebben gekregen van het fietsen. Met een zak chips ploffen ze naast Mila op de bank. De tv gaat aan en Mila laat het zo. Huiswerk maken doen ze straks maar.

's Avonds bakt Mila voor iedereen twee eieren en zelf eet ze een snee geroosterd brood. De kinderen gaan daarna aan hun huiswerk en Mila vertrekt met een boek naar bed. De hoofdpijn is verdwenen, maar haar keel voelt ruw. Van Lucien heeft ze niks meer gehoord, die zal straks wel binnenvallen. Hopelijk is ze dan nog wakker zodat ze even met hem kan bijkletsen. Ze heeft hem nog niks verteld van haar plannen over Rustpuntje.

Laurie en Lucas komen even bij Mila op bed zitten. 'Ik heb Lobke net nog uitgelaten,' zegt Laurie, 'maar ga nu ook slapen. Morgen een proefwerk Frans en ik ben gaar van het leren.'

'Moet ik je nog overhoren?' Mila voelt zich schuldig dat ze zich zo heeft laten gaan.

'Ha ha, dat helpt toch niet. Lauries Frans is echt abominabel slecht.' Lucas heeft duidelijk zin om te sarren.

'Jeetje, soms ben je echt een grote klier!' roept Laurie. 'Ik zal jou nog eens ergens mee helpen.'

'Jongens, geen geruzie nu, oké?' Mila's stem duldt geen tegenspraak. Zij heeft geen zin in gedoe nu. 'Moet ik je overhoren? Ik doe het graag. Al is mijn Frans juist abominabel slecht.'

Laurie schudt haar hoofd. 'Nee, het komt wel goed. Ik ga slapen. Truste, mam!'

Ook Lucas verdwijnt naar zijn kamer.

Mila probeert wakker te blijven voor Lucien, maar het lukt haar niet.

HOOFDSTUK 21

Het huwelijk

De volgende morgen is Mila eerder dan Lucien wakker. Ze draait zich naar hem toe en kruipt tegen hem aan. Ze voelt dat ze weer lekkerder in haar vel zit.

Lucien opent zijn ogen en kijkt haar aan. 'Laat me nog even. Ik was erg laat thuis en de nacht ervoor werd ik wakker van een gillende vrouw naast me. Ik kan niet zoals jij in mijn bed blijven liggen. Heb gisteren ook nog de afwasmachine staan uitruimen…'

'Waarom doe je dit?' Mila zucht diep. 'Nu doe ik een poging om dichter bij je te zijn en je wijst me gewoon af. Je kunt toch ook op een vriendelijke manier tegen me zeggen dat je moe bent. Waarom altijd meteen met verwijten komen? En die afwasmachine had je ook kunnen laten. Dat heb ik gisterenavond ook gedaan, ik had geen zin om te wachten tot de vaat was afgekoeld. En ook ik heb slecht geslapen door die droom van me.' Mila gooit de dekens van zich af en staat op.

Ze ziet dat Lucien zijn schouders ophaalt en zich weer omdraait om verder te slapen. Hij hoeft blijkbaar niet naar zijn werk vandaag.

Mila neemt een douche en voelt dat het water haar ontspant. Ze kleedt zich snel aan en loopt naar beneden. Ze smeert wat boterhammen voor de kinderen en eet zelf een kommetje muesli. Zodra ze eten in haar maag heeft, is zij zelf ook beter te pruimen.

De kinderen komen naar beneden gestommeld en zijn met elkaar aan het bekvechten.

Het gaat vast stormen vandaag. De kids vliegen elkaar in de haren.

Ze post een update op haar Facebook account.

Mila van den Elzen

2 seconden geleden

'Geen weerbericht nodig, de kids vliegen elkaar in de haren. Het gaat vast stormen. Stay strong, guys!'

Vind ik leuk · Reageren · Delen

Vandaag hoopt ze weer wat van Chris te horen, want dat lijkt inmiddels een eeuwigheid geleden. Ze zal vandaag ook met Sebastiaan een lunchafspraak maken. Ze typt een berichtje naar Chris. Die berichtjes aan hem worden steeds lastiger, want ze wil eigenlijk niet als eerste weer aan de bel trekken. Ze hoopt dat hij nu eens het initiatief neemt. Gisteren heeft ze hem ook al een paar berichtjes gestuurd met de vraag wanneer ze elkaar weer zien. *Ik lijk wel een stalker.*

De berichtjes naar Sebastiaan vliegen altijd uit haar vingers. Al denkt ze nu wat dieper na over de woorden die ze intypt. Haar onverwachte ontmoeting heeft haar wel een beetje uit evenwicht gebracht. 'Zeg, ben benieuwd naar die mooie lunchplek van je. Bovendien moeten we het boek over die bruggen nog eens evalueren.' (7:48)

Ze stopt haar telefoon weer in haar broekzak. Even de aandacht bij de kinderen houden. Lucas kan zijn gymtas nergens vinden en ze vist deze uit de krantenbak. Ze lacht. 'Zo, sloddervos, maar goed dat ik weer thuis ben, hè? Anders stond je zonder gymtas buiten.'

Lucas grijnst even. 'Ik ga nu. En ik wil niet op die slome zus van me wachten, die moet natuurlijk eerst haar mascara nog tien keer opnieuw opsmeren. Ik snap niet waarom mensen die spinnenpotenwimpers mooi vinden.'

'Nou, fiets maar. Ik wil ook niet met zo'n puistenkop gezien worden.' Laurie is duidelijk geïrriteerd.

Mila ruimt de tafel af en zet een kopje koffie voor Lucien. Ze wil met hem praten en proberen haar rust te bewaren wanneer hij weer met verwijten komt. Ze zullen hier toch samen uit moeten komen.

Haar telefoon trilt. Ze kijkt naar het berichtje dat binnen is gekomen. Ze lacht. Het is van Lucien! De wonderen zijn de wereld blijkbaar nog niet uit.

'Ik ben wakker en ik mis je. Sorry van daarnet. Ochtendhumeurtje.'

Ze wil iets terug typen, maar dan ziet ze een berichtje van Sebastiaan binnen komen: 'Kleine crisis thuis. Linda heeft een berichtje van jou gezien en nou ja... Maak je geen zorgen. Komt goed. Maar ik ben even offline. Mocht je me zoeken. ☺' (7:54)

Mila voelt een schok door haar lichaam gaan. Verdorie. Dat heeft ze niet gewild. Koortsachtig gaat ze in haar geheugen na wat ze hem allemaal gestuurd heeft. Zij heeft de berichtjes na het versturen meteen gewist, waarom weet ze niet. Dat heeft ze met de berichtjes van Chris ook gedaan. Toch een soort angst om betrapt te worden. Als het nodig is zal ze naar Linda gaan en uitleggen dat er niks aan de hand is tussen haar en Sebastiaan. Wat zou ze eigenlijk tegen Lucien gezegd hebben, wanneer hij een van de berichtjes van Sebastiaan of Chris gelezen zou hebben? Ze speelt met vuur, dat is wel duidelijk. Het wat-als-scenario speelt door haar hoofd. Berichtjes kan ze wellicht nog verklaren, maar haar bezoek en de vrijpartij met Chris natuurlijk niet, dat moet geheim blijven. Waarom zou ze Lucien hiermee kwetsen? En bovendien, die vrijpartij was toen. En toen was er een emotionele kloof tussen haar en Lucien die nooit meer te overbruggen leek. Even vraagt ze zich af of ze ooit last zal krijgen van een knagend schuldgevoel. En nog belangrijker: hoe zal het aflopen tussen haar en Chris? Wil ze hem echt nog een keer zien en de kat op het spek binden? En die lunch met Sebastiaan, die zal wel niet meer doorgaan. Ze voelt zich even heel erg eenzaam. Sebastiaan is in korte tijd erg belangrijk voor haar geworden. Ze kan nog steeds niet omschrijven wat hij eigenlijk voor haar betekent. Is hij een maatje? Of meer een soort zielsverwant? Of toch meer dan dat?

De koffie is klaar. Ze schenkt in en loopt met de mok naar boven. Ze is benieuwd wat Lucien te vertellen heeft en ze is nog benieuwder naar wat zij erbij voelt.

Lucien zit rechtop in zijn bed. Weer valt het haar op hoe moe hij eruit ziet. Ze geeft hem zijn koffie aan en gaat naast hem zitten. Ze slaat haar armen om haar benen heen en legt haar hoofd erop. 'Vertel.'

'Tsja, ik denk ik stuur maar een berichtje om zo mijn vrouw te verleiden.' Lucien lacht een beetje schaapachtig. 'Ik zie je zo vaak op je telefoon, ik weet niet eens met wie jij allemaal aan het appen bent, maar soms ben ik bang dat ik daar niet tegen op kan boksen.' Hij neemt een slok van zijn koffie.

Mila heeft de zinnen al klaar in haar hoofd, maar besluit Lucien aan het woord te laten. Hij is aan zet. Zij heeft haar gevoelens immers in haar brief gezet.

'Ik weet dat we uit elkaar zijn gegroeid en ik denk daar ook vaker over na. Of het zin heeft om na te denken wanneer en waarom dit zo gegaan is, weet ik niet. De vraag is of we weer naar elkaar toe kunnen groeien. Want ik ben nergens bang voor in mijn leven, maar wel als ik denk aan een leven waarin jij er niet meer bent.'

Mila voelt haar ogen waterig worden. Zou hij echt bang zijn om haar kwijt te raken? 'Waarom zou ik niet meer meedoen in je leven?' Ze kijkt Lucien indringend aan.

'Je lijkt soms zo ver weg. En alleen nog maar met anderen bezig. Met je eigen leven. Ik weet niet goed wat jij nog voor mij voelt.'

'Weet jij dat nog wel dan? Wat jij voor mij voelt?' Mila weet dat het niet eerlijk is om meteen een wedervraag te stellen, maar waarom zou zij meteen met de billen bloot gaan? Ze heeft deze vragen al zo vaak aan Lucien gesteld en nooit antwoord gekregen.

'Geef me je hand eens.' Hij pakt Mila's hand en legt die op zijn borst.

Ze voelt dat zijn hart tekeer gaat. Ze kijkt hem aan. Wat wil hij hiermee laten zien?

'Mijn hart is vanaf de dag waarop ik je ontmoet heb in een ander ritme gaan lopen voor jou. Sneller dan normaal. En altijd als ik je zie dan begint dat ding als een dolle te kloppen. Je hoeft er niks voor te doen. Wanneer jij de kamer binnenloopt, dan begint het al. Alleen laat ik je dit te weinig merken. Ik stop dit gevoel te vaak weg.'

Mila is er stil van geworden. Ze heeft haar hand nog steeds op zijn kloppende hart liggen. Ze aarzelt om de volgende vraag te stellen, maar doet het toch. 'Waarom heb ik daar zo lang niks van gemerkt of gevoeld? Ik heb werkelijk gedacht dat al jouw liefde voor mij weg was. Dat ik een vreemde voor je ben. Ik heb gesnakt naar jouw aandacht en dat kwam maar niet. En van anderen kreeg en krijg ik dat wel. Zij vinden me leuk en aardig en zelfs mooi. Ik word er gek van. Er zijn dagen bij dat ik het Spaans benauwd krijg wanneer ik aan onze toekomst denk. Samen oud worden met jou was waar ik altijd van droomde, maar sinds we hier wonen, lijkt een toekomst samen zo ver weg.' De tranen stromen nu over Mila's wangen. De woorden komen van heel diep.

Lucien trekt haar naar zich toe en neemt haar in zijn armen. Hij kust haar voorhoofd en wiegt haar.

'De weg om er samen uit te komen lijkt zo vreselijk lang. We maken elkaar zoveel verwijten. Elke dag denk ik wel een keer dat het misschien beter is als we uit elkaar gaan, wist je dat?' Mila kan zich nauwelijks verstaanbaar maken door haar tranen heen. Ze hapt af en toe naar adem. Ze haalt haar neus op, want die is behoorlijk snotterig. Ze veegt haar neus aan haar trui af. Ze voelt zich klein en intens verdrietig. En opgelucht. Eindelijk heeft ze haar zorgen eruit kunnen gooien. Zonder dat Lucien boos wegloopt.

Lucien blijft haar in zijn armen wiegen en sust haar. 'We maken gewoon kleine stapjes, oké?'

Mila knikt. Langzaam stopt het horten en stoten van haar ademhaling. Ze heeft inmiddels knallende koppijn van haar huilbui gekregen en haar ogen branden. Ze maakt zich los uit zijn armen en gaat tegen hem aan liggen. Hij wrijft haar over haar rug en schouders.

'Ik wil nog iets anders met je bespreken,' zegt Lucien op serieuze toon.

Mila maakt zich los uit zijn armen en gaat weer rechtop zitten. 'Ik luister.' Er bekruipt haar een angstig gevoel dat ze nog niet kan plaatsen.

'Ik zal er geen doekjes omheen winden. Het gaat niet zo goed met de dependance hier in Frankrijk. Ik heb minder omzet gedraaid dan ik gehoopt had. Ik moet deze week terug naar ons hoofdkantoor in Amsterdam en daar gaan we alles op een rijtje zetten.'

Mila slaat haar hand voor haar mond. 'Wat bedoel je met alles op een rijtje zetten? Wat gaat dit betekenen?'

'Misschien biedt het ons de kans om weer terug te gaan naar Nederland. Dan kunnen we daar de draad weer oppakken. Misschien geeft dat ons allemaal weer wat rust.'

Ze schudt haar hoofd. 'Je overvalt me hiermee. Hoe lang speelt dit al? We zijn hier net langzaam aan het wennen. Bovendien, ik ben nu ook plannen aan het maken om hier het een en ander op te zetten. Ik neem aan dat er echt nog wel een plan komt zodat het hier beter gaat draaien, toch?'

'Ik wil hier zelf eigenlijk mee stoppen. Ik werk me kapot en er komt amper iets uit. Ik loop op mijn tenen. Dat heb je misschien wel gemerkt. Ik heb het er met de kinderen over gehad en zij zouden het prima vinden om weer terug te gaan. Mila, ik moet gewoon ook aan mezelf denken nu. Mijn gezondheid.'

Even hapt Mila naar adem. 'Hoezo, heb jij het er met de kinderen over gehad? Kom op, zeg. Zoiets bespreek je toch eerst met mij?'

'Nou, bij deze dus. En ik heb het niet echt besproken met de kinderen, alleen gepolst. Die dagen dat jij weg was hebben mij met de neus op de feiten gedrukt. Of eigenlijk Laurie. Hoe ze het heeft gedaan weet ik niet, maar ik kreeg het idee dat ik als Scrooge uit die kerstfilm meespeelde. Alleen ging het niet om kerst en cadeautjes maar om een vader die alleen op zondag het vlees komt snijden. Als je begrijpt wat ik bedoel.' Lucien moet zelf om zijn vergelijking lachen.

Mila niet. Ze voelt zich in een hoek gezet. Natuurlijk is het mooi dat Lucien meer met de kinderen wil doen, maar dat is vooral een eerst-zien-en-dan-geloven-verhaal voor haar. Het hele Frankrijk-idee draaide toch ook daarom? Om meer rust en aandacht voor het gezin te kunnen hebben? 'Kan ik je misschien helpen om meer omzet te halen voor het bedrijf? En je zou eens kunnen beginnen om hier in Frankrijk al wat meer met de kinderen te doen. Zij zijn er echt aan toe. En ik ook. Ik stel voor dat we er gewoon nu al iets van gaan maken.' Zo, duidelijker kon het niet.

Ongemerkt is ze een stukje bij hem vandaan gaan zitten. De mooie woorden van daarnet lijken opeens verdwenen.. En zonder dat ze het wil glipt Chris weer terug in haar gedachten. Als ze terug in Nederland is, woont ze dichter bij hem. En bij Sebastiaan, als hij tenminste ook echt terug gaat. Zou Sebastiaan op dit moment ook een zwaar gesprek hebben met zijn vrouw, vanwege haar appjes? Misschien vrijen ze nu hun onenigheid wel weg. Ze huivert. Waarom weet ze niet. Is het de gedachte dat Sebastiaan de liefde bedrijft met zijn eigen vrouw, of de gedachten dat zij en Lucien weer zouden vrijen?

'Laten we eerst het gesprek op het hoofdkantoor maar eens afwachten, oké? Daarna zien we wel verder. Ik zal je in ieder geval beter op de hoogte houden van wat er gebeurt. We zullen er samen over beslissen, goed?' Luciens stem klinkt vleiend.

Hij probeert Mila weer tegen zich aan te trekken. Ze geeft hier aan toe en legt haar arm om zijn middel. Ze voelt echter niks. Ze voelt zijn buik, een stuk vlees, maar geen warmte. Eerder leegte. De angst in haar is terug. De angst van het niks meer voelen, behalve dan heel veel irritatie. Bijna afkeer. Ze schrikt. Is het zover? Is haar liefde voor Lucien omgeslagen in iets heel anders? Zou Lucien voelen dat haar arm er voor de show ligt? Of zou hij precies hetzelfde voelen als zij? Zou hij denken dat ze te veel zeurt?

Lucien kust haar lippen. Hij probeert Mila's mond met de

zijne open te duwen. Ze laat het toe. Maar nog steeds voelt ze niks. Ze rolt een stukje van Lucien af. Ze heeft geen zin om nu wat dan ook met Lucien te doen, dat zou hij toch moeten aanvoelen? Of zou ze moeten toegeven? Misschien brengt een stevige vrijpartij hen wel weer samen. Ze twijfelt. Het lijkt wel alsof ze niet meer weet hoe het moet, terwijl een paar dagen geleden haar hele lichaam schreeuwde om de aanrakingen van een man.

Lucien streelt over haar haren. 'Het komt echt allemaal goed, Mila. Als ik terug ben van die paar dagen Nederland, moeten we alles maar eens rustig op een rijtje zetten.'

'Wanneer moet je eigenlijk weg dan? En ben je vandaag vrij?' Mila laat haar stem zo neutraal mogelijk klinken. Ze hoopt dat hij vandaag gewoon gaat werken. Ze wil even alleen zijn met haar gedachten. *Verdomme.* Het leek zo mooi vanochtend hier in bed. En nu weer die afstand. Doet zij dat? Hij zoekt toenadering en zij stelt zich op als een ijsklontje?

'Wil je me weg hebben dan? Liggen we een keer hier samen, het rijk voor ons alleen... Heb straks een afspraak. Na het weekend vertrek ik naar Nederland.'

'Oké. Ik ga opstaan. Zal ik beneden een ontbijtje voor je klaar maken of lunch je op het werk?' Ze kust Lucien op zijn wang. Ze wil de ingeslagen weg van vanmorgen niet helemaal loslaten, maar meer dan deze kus krijgt ze er niet uit.

'Een sapje is prima en ik neem wat fruit mee voor in de auto. Ik weet niet hoe laat ik thuis ben, kan een latertje worden. Dat is trouwens nog een reden waarom ik terug naar Nederland zou willen, Mila. Maar goed, eerst die bespreking afwachten. Laat het maar even bezinken.'

'Nadat je me er zo mee hebt overvallen? Ik moet eerst de shock te boven komen.' Mila perst er een waterig lachje uit. Het heeft geen zin zich nu al druk te maken over van alles en nog wat.

Ze loopt naar beneden en schenkt een sapje voor hem in. Ze hoort dat hij aan het douchen is. Wanneer zou ze weer zin krijgen om dat samen met hem te doen? Ze zucht. Ze houdt niet van kleine stapjes.

Haar mobieltje zoemt. Snel kijkt ze van wie het berichtje is. Sebastiaan. Ze hoopt maar dat hij geen scheiding aan te kondigen heeft. Belachelijk, ze overdrijft. Zoveel schokkends heeft ze hem nooit geschreven. Misschien had die Linda deze wake-up call wel even nodig. Misschien moet ze Lucien ook een berichtje van Sebastiaan laten lezen? Of van Chris. Hoewel, Chris houdt zich aardig stil.

'Met wie sta jij te appen?' Lucien staat plots achter haar.

Waarom krijgt ze de neiging om te vragen wat hem dat interesseert? Hij heeft er nog nooit naar gevraagd. Het is haar ding, niet het zijne. Ze besluit toch maar eerlijk te zijn. 'Met een vriend van me. Ik heb wel eens over hem verteld. Sebastiaan. Hij woont hier in het dorp, maar komt oorspronkelijk uit Eindhoven. Ik geloof dat hij en zijn vrouw een beetje ruzie hebben. Ze staan ook op het punt om een beslissing te maken om wel of niet terug naar huis te keren.'

'Bemoei jij je er dan maar niet mee. Wij hebben al genoeg op ons eigen bordje, lijkt me. Aan de andere kant, misschien kunnen we samen een verhuiswagen huren.' Lucien moet zelf om zijn opmerking lachen.

Mila fronst haar wenkbrauwen. Waarom meteen zo'n belerend antwoord, hoezo zou zij zich er überhaupt mee bemoeien? Ze zou willen dat Lucien zich wat meer interesseerde voor problemen van de mensen om zich heen, dat zou hem een stuk menselijker maken.

Lucien geeft haar een kus en vertrekt. 'Tot vanavond!'

Mila staart peinzend voor zich uit. De verandering in Lucien ten opzichte van twee weken terug is enorm. Hij kust haar wanneer hij thuiskomt en wanneer hij vertrekt. Het sms'je van vanmorgen was helemaal wereldschokkend. Moet ze hem wat meer credit geven een poosje ophouden met zeuren? Ze wil gewoon te veel, dampende vrijpartijen onder de douche, sms'jes dat hij op haar wacht en vlinders in haar buik als hij thuis van zijn werk komt. *Get real, girl. Dat is er na zoveel jaar getrouwd zijn gewoon niet meer bij, toch?*

Haar mobieltje zoemt weer. Tijd om zich even te concentreren op de berichtjes van Sebastiaan.

'Hier is alles weer onder controle. Ik hoop dat ik je niet te erg heb laten schrikken.' (11:12)

'Nou, beetje wel. Was al bang een boze echtgenote met een keukenmes hier binnen te zien vallen. ☺' (11:13)

'Ha ha, nee, zo zit Linda niet in elkaar. Ze zag een X van jou binnenkomen en vroeg aan mij wie er zo vroeg op de ochtend mij kusjes stuurde. En ze zei ook dat ik wel erg veel aan het Whatsappen ben de laatste tijd.' (11:14)

'Nou, wat heb je toen gezegd? Assepoester uit de kledingzaak? Grappig overigens, mijn man vroeg vanmorgen ook naar mijn app gedrag.' (11:14)

'Ik heb haar niet in geuren en kleuren over jou verteld. Hoeft ook niet. We hebben een zwaar gesprek gevoerd over eenzaamheid en dat het lijkt alsof we elkaar niet zoveel meer te vertellen hebben. Althans, ik heb dat aangegeven. Zij vindt het allemaal wel prima gaan, zolang we naar Nederland vertrekken. Dat is dan wat ik weer niet snap, hoe kan zij zich nou niet eenzaam voelen?' (11:17)

'Sommige mensen zijn met veel minder tevreden. Die vinden het prima wanneer het huis schoon is en op tijd de boodschappen zijn gedaan. Nu ken ik jouw vrouw niet, dus ik bedoel dat niet negatief naar haar. Maar ik ken veel mensen die langs elkaar heen leven en daar tevreden mee zijn. Ik heb daar zelf ook moeite mee. Natuurlijk snap ik (althans, dat probeer ik te aanvaarden ☺) dat het niet elke dag rozengeur en maneschijn kan zijn. Maar denk je niet ook dat het best spannend kan blijven, als je er allebei hard voor werkt? Dat je langs de etalage loopt en denkt: dat ga ik kopen voor mijn man. Of dat je bijna in tranen bent omdat de ander een weekendje weg is, gewoon omdat je hem mist. Of dat je uitkijkt naar een avondje bankhangen, samen. Zijn voeten op je schoot, glaasje wijn…' (11:23)

'Zoals jij die trui voor je man wilde kopen? Fijn dat jij zo romantisch bent en ik je daardoor heb ontmoet!' (11:24)

'Ja, onder dwang van mijn dochter…' (11:24)

'Maar ik herken wat je schrijft. Ik mis die kleine dingen die een relatie zo groots maken. Tjezus, ik kneep Linda altijd in haar billen als ze langsliep, dat is al jaren geleden. Ik durf het niet eens meer.' (11:25)

'Ik weet het ook niet. Is voor mij ook een worsteling. Soms ben ik echt bang om samen met mijn man oud te moeten worden. Toen ik hem pas leerde kennen, droomde ik daar juist van. Grijs en versleten zijn en dan op een bankje zitten en keuvelen over het weer en over het mooie leven dat we samen gehad hebben. En dat hij me dan met een vette knipoog zou zeggen: vroeger, toen we nog jong en fit waren en drie keer per dag seks hadden.' (11:28)

'Je weet het mooi te vertellen, Mila. Het raakt me. Zo voel ik het ook. Zou willen dat Linda ook met mij op een bankje zou willen zitten over veertig jaar of zo. Maar geen idee waar we het dan over zouden hebben. Over de kleinkinderen die niet in onze achtertuin spelen?' (11:30)

'Auw. Laat die kinderen niet tussen jullie in staan. Probeer het beste in elkaar terug te vinden. En ja, ik weet dat het makkelijker gezegd is dan gedaan. Ik ken het antwoord ook niet. Ik ben blij dat ik er met jou over kan praten. Maar ik wil trouwens niet dat Linda zich aan mij ergert of aan onze vriendschap. Ze heeft het al moeilijk zat.' (11:33)

'Je bent vast met een reden in mijn leven gekomen, misschien omdat we onze verhalen kwijt moeten. Aan de andere kant, misschien moet Linda ook maar eens wat harder gaan vechten voor mij, voor onze relatie. Ik kan dat niet in mijn eentje. Dat doe ik al te lang. En ik kan de pijn niet wegnemen van het kinderloos zijn. Ik had het ook liever anders gezien.' (11:35)

'Misschien moeten jouw vrouw en mijn man samen maar een actieplan bedenken. Het enige wat mijn man bedacht heeft is dat we samen een verhuiswagen kunnen huren. Hij wil ook opeens terug naar Nederland.' (11:38)

'Ho, wat zeg je nu?' (11:39)

‘Precies wat ik schreef. Maar die reactie had ik ook. Ik sta nu nog steeds met mijn oren te klapperen. Het is allemaal nog erg onzeker, maar Lucien gaat volgende week een paar dagen naar het hoofdkantoor in Nederland en daar gaan ze bespreken wat ze met het kantoor hier in Nice gaan doen. Blijkbaar loopt het allemaal wat minder. Lucien zegt nu dat teruggaan naar Nederland ons misschien allemaal goed zal doen. Maar dat zei hij ook toen we met z’n allen hiernaartoe gingen. Het allerergste vind ik nog dat hij de kinderen al gepolst heeft hierover. Kan alleen hopen dat hij subtiel hierin was.’ (11:42)

‘Hoe sta jij hier dan in? Wil jij terug?’ (11:43)

‘Ik weet het niet. Ik ben nu met mijn leven hier bezig. Ik ben behoorlijk flexibel en gooi makkelijk het roer om, maar ik ben ook een volhouder, dus dat rijmt even niet met elkaar. En als ik nu naar buiten kijk dan staat daar ook iets wat ik wil afmaken. Ik heb je toch verteld van mijn ideeën over mijn eigen praktijk, gekoppeld aan die bed & breakfast? Nou, de gite is nagenoeg helemaal klaar. Ik weet nog steeds niet wie daar een hand in heeft gehad, maar de gite is in de tijd dat ik in Nederland was, stevig onder handen genomen. En nu jeuken mijn handen om te gaan beginnen! Ik denk dat ik vandaag start met mijn virtuele presence in de vorm van een website.’ (11:46)

‘Ik ben benieuwd! Die ondernemerszin van jou, die vind ik geweldig. Je had hier als een prinses kunnen leven, beetje het huishouden doen, op tijd winkelen en lekker lunchen, maar jij bent gewoon je tuin gaan omploegen. Even een tip: ga er rustig voor zitten en maak een moodboard, dat helpt je om al die borrelende creativiteit een beetje in goede banen te leiden. En bovendien, als je dat af hebt, dan helpt het mij om jou te helpen met een businessplan. Want ik wil je graag helpen, wanneer je dat zou willen, althans.’ (11:50)

‘Dat zou ik super vinden. Ik kan wel wat hulp gebruiken. Ik heb al een slogan in mijn hoofd: ‘Pour une bonne conversation et le bon vin…’ (11:51)

‘Haha, nou, dan moeten wij dat goede gesprek ook maar tijdens het drinken van een goede wijn gaan voeren. Ik had je al eens uitgenodigd voor een lunch, nou, trek er maar een middag en een avond voor uit. Wanneer kun je?' (11:53)

'Wanneer Lucien weer terug is uit Nederland, oké? En nu ga ik aan de slag, plannen maken, logo's bedenken, je kent het wel. ☺' (11:54)

'Is goed, ik laat je. Want jij hebt volgens mij inderdaad de goede flow te pakken. Ik ben benieuwd. Ik merk dat jij mij ook enthousiast hebt gekregen, het is mooi om vol te zijn van een nieuw plan. Die energie ontbreekt mij al veel te lang. Zet 'm op, Mila!' (11:55)

'Dag Sebastiaan. Tot snel! (hoop ik).' (11:56)

Mila klapt haar telefoon dicht en pakt haar laptop. Ze loopt ermee naar buiten en gaat tegen een olijfboom aanzitten Vanaf hier heeft ze een mooi overzicht over de tuin en de gite. Misschien is dit wel een plek waar ze een tuinbank neer moet zetten. Dit is dé plek om tot rust te komen. Haar rustpuntje. En die van haar toekomstige logeetjes.

Mila's handen vliegen over het toetsenbord. Ze maakt een to-dolijstje. Dat is makkelijk, gewoon doen en afvinken. Dan begint ze aan het moodboard, heerlijk om creatief bezig te zijn, te zoeken naar de plaatjes en foto's die passen bij haar gevoel. Bij haar idee.

Ze pakt haar telefoon en maakt een foto van het moodboard dat ze nu op haar scherm heeft staan. Ze stuurt de foto door naar Sebastiaan. Hij wil meedenken, nou, dan maakt ze hem ook deelgenoot van haar proces.

Mila stuurt Sebastiaan nog een plaatje door van haar ideeën: 'Vol trots presenteer ik je Rustpuntje: een plek om de stilte te doorbreken onder het genot van een goed glas wijn! Jij en Linda zijn ook welkom hier. ☺' (16:15)

'Jij hebt hard gewerkt zeg. Ik heb nog wel een paar tips, maar die zet ik dadelijk in een documentje voor je. Weet je, Mila. Ik wil nog even wat kwijt: volg je dromen! Er zijn te weinig mensen die dat doen. We hebben meer dromenjagers nodig in de wereld, dat zijn de mensen met de energie. Dat zijn de zogenaamde game-changers. Ik denk dat jij zo iemand bent. En ik wil me verder ook niet met je relatie bemoeien, maar volgens mij heb ik het al eens eerder gezegd, die man van jou moet een schop onder zijn kont hebben. Hij moet zijn ogen uitwrijven en zien wat er voor hem staat. Elke dag opnieuw.' (16:25)

Even laat Mila dit berichtje op zich inwerken. Het doet haar wat. Sebastiaans woorden strelen haar. Niet per se haar ego, maar het feit dat iemand zoveel in haar ziet en haar aanmoedigt om door te gaan met datgene waar ze in gelooft. Het benadrukt hoe wankel haar relatie met Chris eigenlijk is. Een relatie gebaseerd op het verleden en een enorme vonk. 'Goh, Sebastiaan. Ik ben er even stil van. Je weet me elke keer te verrassen met je woorden. Je bent lief.' (16:27)

'Het is lang geleden dat iemand me lief genoemd heeft, maar het bevalt me wel. Ik ga nu snel offline anders blijf ik de rest van de middag ook nog met je kletsen. Ik merk dat jij een beetje een verslavende werking op me hebt. Ik ben benieuwd hoe het is om je weer in levenden lijve te zien, dus ik kijk uit naar onze lunch. Je laat me weten wanneer je kunt, hè?' (16:29)

'Dat doe ik. En ga jij nog maar even werken, want anders raakt die voetbalclub van je helemaal in de vergetelheid.' (16:30)

Ook Mila is benieuwd hoe het is om Sebastiaan weer te zien. *Gelukkig heb ik nu mijn mega project zodat ik me daarop kan concentreren in plaats van al die mannen een plek in mijn leven te geven.* Ze grinnikt.

Haar telefoon gaat. Het is Lucien. Hij vertelt haar dat hij het niet haalt om voor het eten thuis te zijn en dat het hem spijt. 'Mila, ik mis je. Tot straks.'

Lucien heeft de gewoonte om een telefoongesprek bijna abrupt af te breken, nog voor Mila dag kan zeggen. Gelukkig maar, want ze weet niet of ze hem vandaag wel zo gemist heeft. Ze loopt de keuken in en kijkt of ze wat liflafjes in de pan kan gooien. Ze besluit toch maar te wachten tot de kinderen thuis zijn en dan samen te bedenken wat er op tafel moet komen te staan. Ze kijkt haar to-do lijstje na en ze is blij dat het morgen weekend is, dan kunnen ze misschien met z'n allen Nice in om spullen voor de gite bij elkaar te zoeken. Laurie zal dat zeker leuk vinden. Ze pakt haar telefoon en typt een berichtje naar Lucien: 'Ga je morgen mee shoppen? Ik wil de gite in gaan richten. Zou leuk zijn als je mee ging!' Ze staart naar de woorden op haar scherm, zal ze het bericht versturen? Vooruit, ze moet gewoon proberen om het weer echt leuk te maken met hem.

Laurie en Lucas staan opeens achter haar. Ze heeft ze niet eens horen binnenkomen. 'Ik schrik me rot!'

Lucas lacht. 'Dan heb je een slecht geweten!'

'Nou, dat niet direct. Stond eigenlijk net te bedenken wat we zullen gaan eten straks. Jullie een idee?'

Laurie knikt. 'Ik heb enorm zin in gebakken aardappelen, kan dat, mam? En dan een enorme pot appelmoes erbij. Beetje zalm en wat sla.'

Mila kijkt Lucas aan en die knikt instemmend. 'Prima. Ik schil de aardappelen vast. Kan een van jullie dan even de zalm halen?'

'Moet dat?' roepen de kinderen in koor.

Mila lacht. 'Nou ja, ik loop wel even het dorp in. Neem ik gelijk Lobke mee. Tot over een half uurtje.'

Ze loopt het erf af en vist haar telefoon uit haar broek. Ze tikt het nummer van Chris in. Hij is vast ook net thuis van zijn werk. Waarom wachten op een sms'je? Het is veel leuker om hem even te spreken. De telefoon gaat over, maar er wordt niet opgenomen. Een beetje teleurgesteld stopt Mila het toestel weer weg. Dadelijk op de terugweg naar huis nog maar eens proberen.

In de kleine supermarkt merkt Mila dat ze honger heeft, want ze stopt haar mandje propvol met allerlei lekkere dingen. *Vooruit, ook een fles wijn voor Lucien en mij als hij straks thuiskomt.* Bij de kassa voelt ze dat iemand in haar rug port met een boodschappenkarretje. Geïrriteerd draait ze zich om. En jawel hoor: de buurman.

Hij mompelt iets van sorry en kijkt Mila breed grijnzend aan. 'Je ziet er mooi uit, je fleurt de hele supermarkt op.'

Mila is blij dat de caissière haar vraagt om af te rekenen zodat ze kan doen of ze hem niet heeft gehoord. Ze rekent af, groet iedereen en niemand in het bijzonder en loopt naar buiten. Ze maakt Lobke los van het paaltje en wandelt naar huis.

Ben ik nu werkelijk sneller aan het lopen omdat ik geen zin heb in de buurman? Mila stopt en zet de zware tas even op de grond. Lobke kijkt haar vragend aan. Ze pakt haar telefoon en typt een status update in op Facebook.

Mila van den Elzen

2 seconden geleden

'Net in de supermarkt bijna omver gereden door een boodschappenwagen. Keek recht in het breed grijnzende gezicht van niemand minder dan de achterbuurman. Hij zei geen sorry, maar wel dat ik zo mooi ben dat de hele supermarkt ervan opfleurt. Heb net even met mezelf overleg gehad en ik ga de confrontatie aan!'

Vind ik leuk · Reageren · Delen

Mila lacht wanneer ze een paar berichten van haar Facebookvrienden binnen ziet komen. Heerlijk is dat. Haar vrienden uit Nederland zijn haar nog niet vergeten.

Mila drukt op de herhaaltoets om te horen of Chris inmiddels wel opnemen kan. Ze hoort een klik en ze voelt zich warm worden. Alleen gaat het toestel over in de bezettoon. Misschien heeft hij haar wel per ongeluk weggedrukt, dus doet ze het opnieuw. Weer die bezettoon. Misschien is hij haar nu wel aan het terugbellen. Verdomme! Dit voelt niet goed.

Mila ziet hoe de buurman op haar af komt sloffen met in zijn handen twee blijkbaar veel te zware tassen. Ze stopt haar telefoon weg en zet een arm uitdagend in haar zij. Zij is degene die deze keer de leiding gaat nemen in dit verhaal.

Hij stopt naast Mila en zet zijn tassen neer. Mila haalt even diep adem en vraagt voordat hij zijn mond kan opendoen: 'Hoe gaat het eigenlijk tussen jou en Marlène?'

De buurman kijkt haar vragend aan. 'Goed. Waarom vraag je dat opeens?'

'Nou, ik vind dat je gewoon net te veel complimenten maakt en eerlijk gezegd voel ik me daar niet zo heel prettig bij.' Mila voelt een zweetdruppel langs haar rug kriebelen. Ze heeft de moeilijkste cliënten verdedigd en nu heeft ze moeite met haar buurman te zeggen waar het op staat?

De buurman schudt zijn hoofd. 'Nee, zo is het niet. Je moet complimenten niet verwarren met gewoon beleefdheid. Ik probeer gewoon aardig tegen je te zijn. Bovendien zou ik toch geen kans bij je maken.'

Dat is een inkoppertje. Mila besluit om zich ditmaal niet beleefd te gedragen. 'Klopt, je zou geen kans bij me maken. Doe de groeten aan Marlène. Ik moet er vandoor. Ik ga zo een wijntje drinken met mijn man.'

Als Mila met de boodschappen binnen komt, staat Lucien haar in de hal op te wachten. 'Kom, geef mij die tas maar.'

'Fijn dat je er toch bent voor het eten!' Mila geeft hem een kus op zijn wang.

'Ja, ik had het echt even gezien op het werk. Don't ask.'

Mila fronst haar wenkbrauwen. Ze besluit er nu inderdaad niet naar te vragen, maar vanavond als de kinderen slapen zal hij toch wat vraagtekens bij haar weg moeten nemen.

Het eten is gezellig. Lucien is actief betrokken bij het gesprek en maakt zelfs af en toe een grapje. Dat heeft ze lang niet meer gezien. Ze ziet Lucas groeien van trots en zelfvertrouwen door al die aandacht van zijn vader. Het is Lucien die voorstelt om dit weekend als mannen onder elkaar iets te gaan doen en de meiden hun slag te laten slaan met zijn creditcard.

'Deal.' Laurie springt op en geeft Lucien een dikke knuffel.

Mila voelt zich warm worden van binnen. Dit is waar ze zo van gedroomd heeft.

Mila schenkt een wijntje in voor Lucien en zichzelf. 'Op het mooie leven hier!' Ze ziet dat Lucien een ongemakkelijk gezicht trekt. Gelukkig overstemmen de kinderen dit moment en ze proosten met hun glazen sap mee.

Opeens voelt Mila zich treurig worden. Schuldgevoel borrelt in haar op. Wat heeft ze gedaan? Heeft ze bewust te veel naar de mindere kanten van Lucien gezocht de afgelopen periode, zodat zij haar gang kon gaan met Chris? Was die eenzaamheid en afstand wel zo groot als zij die steeds gevoeld heeft? Ze zoekt naar Luciens ogen, ze wil zien wat hij met haar blik doet. Maar als ze zijn ogen vindt, schrikt ze weer van die enorme vermoeidheid die daaruit spreekt. Een scherpe pijn schiet door haar lichaam. *Hij zal toch niet ziek zijn!*

Haar bezorgdheid neemt nu de overhand, wat een goed teken is. Weken geleden popte er af en toe het fantasiebeeld op dat het misschien wel prettig zou zijn als Lucien er gewoon niet meer was. Op dat moment schrok ze niet eens van die gedachten. Het leek een uitweg voor al haar problemen. Mila voelt tranen opwellen. Hoe heeft ze in godsnaam maar een moment die gedachten kunnen hebben?

Lucien staat van tafel op. 'Ik moet nog even wat werken, helaas.'

Mila houdt hem tegen. 'Dat kan wachten. Echt. Ga jij eens lekker in een warm bad liggen, daar knap je van op. Je ziet er zo moe uit.'

Ze ziet hem de kamer uitlopen, niet met snelle passen zoals hij normaal doet, maar langzaam en bijna sloffend. Mila ruimt de tafel af en de kinderen gaan nog even het dorp in om een ijsje te halen.

Mila loopt als ze klaar is naar boven. Bij de deur van de badkamer blijft ze even staan. Zal ze naar binnen gaan? Ze heeft Lucien lang niet meer naakt gezien. Moet ze kloppen of kan ze gewoon naar binnen lopen? 'Gaat het?' vraagt Mila terwijl ze de deur open duwt. Ze schrikt als ze Lucien ziet. Hij zit in bad met zijn handen voor zijn ogen. Zijn schouders schokken. 'Lucien?' Mila knielt naast de badrand en neemt zijn handen weg van zijn ogen. Ze zijn roodomrand en ze ziet de tranen over zijn wangen rollen. Mila gaat staan, doet de deur op slot zodat de kinderen niet zomaar binnenvallen en trekt haar kleren uit.

Ze stapt het bad in, gaat achter Lucien zitten en neemt hem in haar armen. Haar grote man voelt breekbaar. Ze voelt dat zijn lichaam rustiger begint te worden. Ze masseert zijn nek en zijn schouders. Ze zitten muurvast. Zijn spieren voelen aan als een brok graniet. Welke last drukt er zo op zijn schouders? 'Wat is er toch met je? Ik maak me zorgen om je. Wil je me vertellen wat er is?' Mila's stem klinkt zacht en troostend. Ze probeert niet te laten merken dat ze nu zelf zo onzeker is als de pest. Hoe sterk is ze? Kan ze het aan, wat Lucien te vertellen heeft? 'Je bent toch niet ziek, hè?'

Lucien haalt zijn schouders op. 'Ik weet niet waar ik moet beginnen. Maar ik heb het gevoel dat werkelijk alles uit mijn vingers aan het glippen is. Mijn werk, de kinderen en jij. Ik heb gewerkt en gewerkt en ik sta op het punt om erbij neer te vallen. Zo voelt het.'

Mila wil iets zeggen maar besluit te wachten.

'Vandaag was het weer een zooitje op het werk. Het team dat ik moet aansturen, daar krijg ik geen grip op. Het lijkt wel alsof ze de spot met me drijven. Misschien werkt het ook niet om als Nederlander de manager uit te hangen in Frankrijk. Ik kreeg een behoorlijk vervelend telefoontje van de directeur uit Nederland, dat de geluiden niet positief zijn over de vestiging hier en dat hij mij niet langer de hand boven het hoofd kan houden. Mila, ik weet niet eens of ik straks mijn baan nog heb!'

Mila slikt. 'Waarom heb je mij hier nooit iets over verteld?' Ze wil geen verwijt maken. Echt niet. 'Ik had je kunnen steunen. Naar je kunnen luisteren en we hadden een oplossing kunnen bedenken.'

'Ik wilde het zelf oplossen. Ik heb altijd het idee gehad dat ik in jouw schaduw stond. Lucien, de man van Mila. Ik wilde bewijzen dat ik ook iets kon opbouwen. Belachelijk, hè? En toen ik merkte dat het helemaal niet ging zoals ik gehoopt had, schaamde ik me. Ik voelde me een loser. En ik heb me schuldig gevoeld over het doordrukken van deze kans hier. Jij hebt er je kantoor voor opgegeven.'

'Ik schrik hiervan. Echt. Maar geloof me, je had me rustig in vertrouwen kunnen nemen. Wat moet jij je eenzaam gevoeld hebben!'

'Dat klopt. Enorm eenzaam, maar ik wist ook niet hoe ik dat moest oplossen. Ik durfde jou niet eens meer om hulp te vragen. Ik zag je alleen nog maar lachen wanneer er een berichtje binnenkwam op je telefoon. En in plaats van je op te zoeken, je terug te vinden, sloot ik me letterlijk op. Ik heb me op mijn werk gestort, dat was mijn houvast. Maar ook dat glipt uit mijn handen. Die week dat jij weg was, heb ik het een dag volgehouden om me van de kinderen afzijdig te houden. En toen heeft Laurie me er bijna met mijn haren bijgetrokken. Ik voelde me net een klein kind. Ze heeft eigenlijk maar één ding tegen me gezegd. God, Mila, die zin toetert sindsdien door mijn hoofd.'

Mila voelt haar hart als een razende tekeer gaan. Ze heeft medelijden met hem. De man die altijd zo sterk en kordaat was, is veranderd in een onzekere jongen. 'Wat heeft ze tegen je gezegd?' Mila's stem stokt in haar keel.

Lucien pakt Mila's handen vast en trekt die om zijn middel heen. Ze laat haar hoofd op zijn rug rusten.

'Ze heeft me gevraagd hoeveel kinderen ik nog wilde verliezen. Dat vroeg ze, Mila. Een simpele, pijnlijke vraag. Ik was woedend op haar. Ik heb haar een klap gegeven.'

Mila trekt haar handen terug van zijn middel en slaat ze verschrikt voor haar mond. 'Wat?'

'Ja.'

'Lucien!'

'En Lucas stond erbij. Hij heeft me geschopt en wilde me slaan. Laurie heeft hem bij me weggehaald. Die jongen was gifgroen van woede. Ik hoorde hem roepen dat ik hem al kwijt was.' De tranen rollen weer over Luciens wangen.

Mila voelt zich misselijk worden. 'En toen?' Mila's stem is amper hoorbaar.

'Toen ben ik op de grond gaan zitten. En heb gehuild zoals ik nu ook doe. Mijn eigen dochter geslagen. Hoe kon ik? En weet je wat het ergste was van alles? Ze kwam naast me zitten en ze sloeg een arm om me heen. "Het geeft niet, pap", zei ze.

"Het komt wel goed. Je raakt ons niet kwijt, maar wij waren jou aan het kwijtraken, snap je dat?" Ze heeft Lucas er toen ook weer bijgehaald en met z'n drieën hebben we daar gezeten. Ik weet niet eens hoe lang. Zonder te praten.'

'Ongelofelijk dit. En ik wist van niks...'

'Nee, we hadden besloten je dit niet te vertellen. Gewoon, omdat jij je toch altijd al zoveel zorgen maakt. Het was voor mij een wake-up call en ik kan alleen hopen dat ik op tijd wakker ben geworden. Het verdriet om Liam heb ik begraven, heel diep in mij, omdat de pijn te groot is om te voelen. Maar ik heb niet ingezien dat ik al mijn andere gevoel ook heb weggestopt. Daar zijn Lucas en Laurie de dupe van geworden. En jij ook. En dat spijt me. Dat spijt me zo vreselijk.' Lucien buigt zijn hoofd voorover en laat het hangen.

Mila stapt uit bad en wikkelt zich in een handdoek. Ze pakt een andere handdoek uit de kast en gebaart Lucien uit bad te komen. Hij staat op, het water lijkt aan zijn lichaam te kleven. Hij stapt uit bad en de badmat zuigt zich vol met water. Mila knielt voor zijn voeten en begint hem af te drogen. Bijna als een klein kind. Zorgzaam en teder.

Dan slaat ze zijn ochtendjas om hem heen en neemt hem aan zijn hand mee hun slaapkamer in. Mila slaat de dekens open en Lucien kruipt het bed in. Ze gaat tegen hem aan liggen. Ze kust zijn voorhoofd en zijn ogen. Ze trekt de ochtendjas een beetje open zodat zijn borst bloot is en legt haar hoofd op zijn borstkast. 'Het klopt wat je zei. Je hart klopt nog steeds zo hard voor me.'

Lucien strijkt Mila zachtjes over haar haren. 'Ik voel je weer, Mila. Je bent nu dichtbij me. We zijn elkaar niet kwijt.'

Mila legt haar vinger op zijn lippen. 'Sttt. Stil maar. We komen er wel uit. Ik ben echt blij dat de kinderen hun vader terug hebben. Het zijn twee dappere dodo's!'

Even liggen ze roerloos en onwennig in elkaars armen. Dan trekt Lucien de badhanddoek van haar lijf. Daar ligt ze. Naakt. Met zijn hand volgt hij de curve van haar lichaam. Even laat hij zijn hand rusten op haar taille. Ze weet niet of ze zijn hand daar weg wil halen. Ze voelt de neiging om haar handdoek weer om te slaan. Dit is te snel. Ze hebben al zo lang niet meer met elkaar gevreeën. Ze kijkt Lucien aan. Zijn blik kan ze niet beschrijven. Ze voelt zoveel medelijden met deze man, maar ook met zichzelf. Wat hebben ze elkaar slecht begrepen en aangevoeld. Wat was ook zij eenzaam. Kunnen ze de draad weer oppakken?

Mila pakt zijn hand en leidt hem naar haar borsten. Ze hoort hem kreunen. Zijn handen pakken haar vast en zijn mond neemt gretig bezit van de hare. Haar hart bonst. Ze kan het gevoel niet goed plaatsen. Ze voelt niet de opwinding die ze voelde toen ze in de armen van Chris lag. Snel probeert ze de gedachte aan Chris weg te drukken. Daar is nu geen plek voor. Ze schakelt haar verstand uit en probeert te voelen. Te voelen waar zijn hand naartoe gaat, te voelen wat het met haar doet. Ze probeert al die maanden van eenzaamheid om te zetten in een gevoel van bevrijding, van opnieuw beginnen. Van opnieuw beminnen. Ze laat haar hand tussen Luciens benen glijden en voelt dat hij enorm opgewonden is. Ze trekt hem bovenop haar. Hun monden vinden elkaar weer.

'Wat heb ik je gemist. Wat heb ik dit gemist.' Luciens stem klinkt laag en hees. Een mengeling van opwinding en emotie.

Mila heeft moeite om haar verstand te laten zwijgen, maar ze doet haar best. Ze drukt met haar handen op Luciens billen zodat hij weet dat ze er klaar voor is. Bijna moeiteloos weten ze elkaar weer te vinden. Mila klemt haar benen stevig om hem heen en moedigt hem aan om door te gaan met zijn bewegingen. Het voelt fijn, maar nog steeds houdt ze het onwennige gevoel.

Ze voelt dat bij Lucien het hoogtepunt nadert en ze heeft geen behoefte om dat uit te stellen. Het zal tijd vergen om hun seksuele relatie weer op te bouwen. Misschien zitten de beelden van een huilende Lucien en het verhaal over de ruzie met zijn kinderen nog te vers in haar hoofd. Mila bespoedigt het hoogtepunt van Lucien door haar heupbewegingen te versnellen, ze knijpt met haar handen in zijn billen en spant haar spieren zodat hij moeiteloos zijn climax bereikt.

Lucien laat zich met een gelukzalige glimlach van haar afrollen. 'Het was heerlijk, schatje.' Hij pakt haar hand vast.

Mila sluit haar ogen. Ze trekt de deken over zich heen. Het liefst zou ze zich nu opvouwen als een klein kind. Net zat ze nog in bad met de man waarmee ze al veel te lang geen contact meer had. Een man die groot en sterk was en waar ze zich vroeger zo veilig bij voelde. Daar is niets van over. Nu ligt ze naast hem, hebben ze seks gehad alsof er niks aan de hand was. Behalve dan, dat zij een tijd terug bij een ander in bed lag en dat de gevoelens die ze daarbij had, vele malen intenser waren. *Godverdomme!*

Laat zij nu zelf alles uit haar vingers glippen? Mila merkt dat Lucien in slaap gevallen is. Ze maakt zich los uit zijn omhelzing en trekt snel haar pyjama aan. Ze loopt naar beneden. 'Jongens, het is echt tijd om naar bed te gaan hoor,' zegt ze als ze Laurie en Lucas op de bank voor de tv ziet zitten. Ze had hen niet eens thuis horen komen. Maar goed, ze had ook wel iets anders aan haar hoofd. Ze ziet een lege zak chips liggen. Blijkbaar hebben ze het er gelijk van genomen, maar ze besluit er niets van te zeggen. Zij hebben het ook moeilijk gehad. Bovendien kunnen ze morgen uitslapen.

'Ach mam, nog heel even. De film is bijna afgelopen,' smeekt Laurie.

Ze heeft eigenlijk een moment voor zichzelf nodig, maar stemt toe. Ze kruipt naast hen op de bank. Lobke nestelt zich trouw aan haar voeten. Wat wil ze toch? Het voelt allemaal zo dubbel.

Ze zet haar telefoon aan. Waarom weet ze niet. Ze tikt een berichtje in de Facebookchat aan Chris. Ze durft hem al niet eens meer een sms te sturen, bang dat hij haar te opdringerig vindt. Een Facebookberichtje ziet hij pas wanneer hij online is via Facebook, maar ook daar is het akelig stil. Ze kijkt haar Facebookchat met Chris na door naar boven te scrollen. Het zijn vooral berichtjes van haar, heel veel berichtjes achter elkaar. 'Ben je er?' Of 'ik mis je... het is alweer zo lang geleden dat je online was.'

Ze schrikt op van haar kinderen die opstaan. Ze krijgt van allebei een kus. 'Doen jullie zachtjes boven? Papa slaapt al.'

'Doen we. Welterusten, mam!' zegt Laurie.

Haar telefoon zoemt. 'Ben je nog aan de poets, Assepoes?' (23:30)

Mila lacht. Hij weer. Haar redder in nood. Waarom is Chris niet zoals hij? Altijd beschikbaar. Ze lacht. Beschikbaar per app dan, want hij is natuurlijk gewoon getrouwd.

'Moet jij zeggen! Lag je te snurken en heeft Linda je eruit gegooid?' (23:31)

Mila trekt even haar neus op, waarom betrekt ze zijn vrouw meteen in dit gesprek. Wil ze polsen hoe het staat tussen die twee of bouwt ze een afstand tussen hen in?

'Als ik al zou snurken – wat ik dus NIET doe - zou Linda het niet merken. Die heeft een slaappil genomen en is al vertrokken naar dromenland. De spanning omtrent het teruggaan naar Nederland loopt wat te hoog op voor haar. Het gaat allemaal niet snel genoeg. Ik heb zin om jou te zien. Zo. Gewoon. Ik flap het er maar even uit.' (23:34)

Mila denkt even na voordat ze een antwoord terugschrijft. 'Ik zou ook graag met jou praten. Over alles. Over niks. Maar we gaan toch lunchen volgende week? Of trek je dat aanbod terug?' (23:36)

'Weet jij hoe lang volgende week nog duurt?' (23:37)

Mila lacht. Zo ongeduldig als zij altijd over Chris is, dat is hij over haar. Ze ziet dat hij nog iets typt.

'...en het enige goede antwoord daarop is: te lang!' (23:37)

'Flirt je nu met me of ben je alleen beleefd?' (23:38) Mila zet er een knipogende smiley achter. 'Ik moet je echt vertellen over vanmiddag, maar dat is te veel om te appen. Kan ik je even bellen?' (23:40)

Mila staat op en loopt naar de veranda. Hier zal niemand wakker worden als ze haar verhaal gaat doen aan Sebastiaan. En ze heeft hem goed ingeschat, want haar telefoon gaat over.

'Vertel!'

Mila steekt gelijk van wal over het buurmanincident. 'Ik heb hem gezegd dat ik een fles wijn ging drinken met mijn man en dat hij de groeten aan zijn vrouw moest doen,' besluit ze. Mila giechelt. Wat een heerlijk onzin gesprek is dit. Ze voelt zich gehoord. Ja, dat is het.

Sebastiaan lacht. 'Arme buurman. Maar ik ben bang Mila, dat deze sneer van jou niet genoeg is om hem af te poeieren. En heb je een wijntje gedronken met je man?'

'Oei, dat is weer een heel ander verhaal. Niet voor nu. Ik bewaar het voor onze lunch, goed?'

'Dat is prima, meisje. Ik ga nu ophangen, ha ha, ik heb nog nooit in het holst van de nacht een telefoongesprek gevoerd. Gezellig, hoor.'

'Truste en ik spreek je later.' Met een fijn gevoel hangt Mila op. Misschien koopt ze morgen ook nog wel een nieuwe jurk. Kan ze die aantrekken voor de lunch met Sebastiaan. Even schrikt ze van haar eigen gedachten. *Sebastiaan.*

HOOFDSTUK 22

De sms

Mila is vroeg op. Ze heeft nauwelijks geslapen en besluit voor nu alle mannen uit haar hoofd te bannen. Ze gaat aan de keukentafel zitten en neemt nog een keer haar shoplijst door. Dan gaat ze in de weer met croissantjes bakken en het persen van de sinaasappelen. Ze is benieuwd hoe Lucien zich voelt als hij beneden komt, zou de vrijpartij iets hebben veranderd tussen hun twee? Ze besluit dat ze iedereen tot negen uur laat slapen en dan de vervelende zaterdagmorgenmoeder gaat uithangen, ondanks de late film van de kinderen. Ze kijkt op de klok, het is pas acht uur.

Ze besluit zich even onder te dompelen in bad en haar teennagels mooi te lakken. Ze laat het bad vollopen en zoekt alvast een potje nagellak uit. Ze voelt met een vinger of het water niet te heet is, snel gooit ze er nog wat badschuim bij. Een heerlijke honinglucht stijgt op. Ze gaat in bad zitten en sluit haar ogen. Haar gedachten gaan naar de vrijpartij met Lucien, maar die werkt ze snel haar hoofd uit. Ze duikt even helemaal onder met haar hoofd. Wat een vrijheid onder water. Ze komt weer boven, legt haar nek op het steuntje en blijft een tijd roerloos in het water liggen.

Na een tijdje staat ze op en wikkelt zich in een grote handdoek. Haar teennagels lakken heeft nu geen zin. Ze smeert wat dagcrème op haar gezicht en pakt haar mascara. Haar wimpers krullen van zichzelf al, maar dit geeft net wat extra's. Ze zal dadelijk haar haren ook nog föhnen en wat krullen.

Ze loopt met de handdoek om zich heen gewikkeld naar de slaapkamer. Lucien slaapt nog. Daar is ze wel blij om, want ze is nog niet toe aan een tweede vrijpartij. Ze pakt haar ondergoed uit de kast en een sportief jurkje en schiet de teenslippertjes aan die onder het bed staan.

Dan loopt ze de gang op en gaat Laurie wakker maken. Die knort wat, maar heeft al snel door dat het shoppingdag is en springt uit bed. Lucas laat ze nog maar even liggen, dan komt er ook geen badkameroorlog.

Ze loopt terug naar de slaapkamer en wekt Lucien. Hij kijkt haar stralend aan, pakt haar arm vast en wil haar het bed in trekken.

'Je ziet er mooi uit.'

Mila maakt zich los uit zijn greep en glimlacht. 'Ja, en dat wil ik zo houden door niet opnieuw een douche te moeten nemen.' Ze geeft hem een knipoog. 'Je weet dat Laurie en ik gaan shoppen. Jij en Lucas kunnen mee als jullie willen, maar volgens mij had Lucas andere plannen, toch?'

Lucien rekt zich uit. 'Klopt, gaan jullie maar, wij redden ons hier wel. Ik moet alleen vanmiddag nog wat telefoontjes plegen.'

'Hè, bah. Nee. Dat ken ik van jou. Dat is niet leuk voor Lucas. Hij heeft zich er zo op verheugd.'

'Nou, ik kijk wel even. Ik kan niet zomaar alles uit handen laten vallen, dat weet je. Maar wees niet bang, ik beperk het wel tot het noodzakelijke gesprek.'

Mila loopt naar de kamer van Lucas. Ze gaat naast hem op bed zitten en wrijft over zijn haren. Dat heeft ze lang niet meer gedaan. Pubers houden daar niet zo van. Hij wordt wakker en mompelt iets over zijn kapsel. 'Laurie en ik gaan dadelijk shoppen, weet je zeker dat je niet mee wilt?'

Lucas wrijft even in zijn ogen. 'Ik weet het heel zeker. Je gaat toch tafelkleden en dat soort dingen uitzoeken. Nou, mij niet gezien. Bovendien gaan pap en ik samen iets doen.'

'Dat is waar. Veel leuker dan tafelkleden uitzoeken. Kom je zo eten? Dan gaan Laurie en ik daarna weg. En dan hebben we allemaal nog een lekker lange dag.'

Het ontbijt is gezellig en Laurie herinnert haar vader nog

even aan zijn creditcard.

Lucien moet lachen. 'Ik baal van dat geheugen van je, had gehoopt dat je het vergeten was!' Hij geeft aan dat hij de boel opruimt en dat de dames hun gang kunnen gaan.

Dat laten ze zich geen twee keer zeggen en ze schieten naar buiten.

Ze hebben een behoorlijk deel van hun lijstje afgewerkt als ze een dik uur later een romantische woonwinkel uitstappen met veel te zware tassen.

'Als jij even daar op het terras gaat zitten, dan breng ik de tassen naar de auto. We kunnen misschien wel gelijk lunchen als we het een beetje rekken.'

Laurie loopt naar het terras en zwaait naar Mila die de tassen naar de auto sjouwt. Gelukkig staat hij niet al te ver weg. Ze zet de spullen achterin en loopt weer terug. Ze wil net het zebrapad oversteken als haar telefoon zoemt. Ze stopt om te kijken van wie het bericht is. Chris!

En dan staat de wereld opeens stil. Leest ze dit nu goed? Zijn bericht knalt naar binnen en ze voelt de grond onder haar voeten beven. Ze toetst zijn nummer in. Ze wil weten wat hier de bedoeling van is.

In gesprek. Ze belt nog een keer. Ze hoort dat hij opneemt, iets zegt, maar ze kan het niet verstaan. 'Chris!' En dan hangt hij op. Ze luistert naar de pieptoon. Ze kijkt nog eens naar de sms op het scherm: 'Het spijt me, Mila. Ik had het je eerder moeten zeggen. Maar ik heb iemand ontmoet waarmee ik verder wil. Het lijkt me beter dat wij geen contact meer hebben. Chris.'

Het staat er echt. Even voelt het alsof ze geen kracht meer in haar benen heeft. Ook haar handen trillen. Ze stuurt hem een sms: 'Chris, kunnen we praten? Dit is wel erg plots.' En ze tikt er nog een paar achteraan. Ze probeert kalm te blijven, maar haar gedachten schieten alle kanten op. Is ze nu boos? Verdrietig?

Hoe lang staat ze hier nu al met haar mobieltje in haar handen? Automatisch begint ze weer te lopen, Laurie zit immers op haar te wachten. Ze belt nog een keer. De voicemail. Ze checkt haar Facebookpagina en haar hart splijt uit elkaar. Hij heeft haar ontvriend.

Dat voelt als de pijnlijke druppel. Ze veegt de tranen uit haar gezicht en hoopt dat Laurie niet gaat vragen waarom haar mascara er zo raar uitziet. *Verdomme!* En dan flits het door haar hoofd: *gelukkig dat we niet met elkaar naar bed zijn gegaan!* Wat zou ze zich dan helemaal rot gevoeld hebben. Wie zou in godsnaam die vriendin zijn? Er zaten wel wat vrouwen onder zijn Facebookvrienden waar ze vraagtekens bij had. Ze zucht. Ze voelt een golf van misselijkheid omhoog komen. Ze drukt haar nagels in haar handpalmen. Ze moet rustig blijven en Laurie hier niet in meeslepen dadelijk.

Laurie wuift vanaf het terras. Mila zwaait terug. Ze ademt even diep in en uit. Met een zucht gaat ze zitten. 'Die tassen waren zwaar. Ik ben blij dat ik zit!' Om vooral niet direct met haar dochter geconfronteerd te worden, zoekt ze naar een ober en gebaart hem om een bestelling op te komen nemen. Ze bestelt twee cola met een schijfje citroen.

Laurie kijkt haar onderzoekend aan. 'Je ziet er een beetje chaotisch uit, mam.'

Mila is blij dat de ober eraan komt met de colaatjes. Met trillende handen neemt ze snel een slok om tijd te winnen, zodat haar stem niet begint te bibberen wanneer ze Laurie antwoord geeft. 'Ik had net een vervelend telefoontje van een oude vriendin van me. Het gaat niet zo goed met haar. Nu baal ik behoorlijk dat ik hier in Frankrijk zit en niet daar.' Hopelijk neemt Laurie hier genoegen mee. Mila veegt snel een traan van haar wang. 'Zullen we dadelijk even binnen gaan zitten en daar onze lunch bestellen?'

Laurie klopt even op Mila's been. 'Komt vast goed met die vriendin van je.'

Mila staat op. 'Ik ga even naar het toilet.' Ze voelt zich onvast op haar benen staan, alsof ze wijn gedronken heeft op een lege maag.

Ze duwt de deur van het toilet open en laat zich op de wc-bril zakken. Normaal zou ze er altijd boven blijven hangen wanneer ze moet plassen, maar ze voelt zich wiebelig op haar benen. Haar gedachten dwalen af naar die middag met Chris. Hoe hij haar rug had gestreeld. Hoe hun harten hadden geklopt. Ze is hem kwijt. Ze zal het gevoel van verliefdheid kwijt gaan raken. Van verlangen. Ze haalt haar mobieltje uit haar tas om te kijken of hij wellicht iets heeft laten horen. Tegen beter weten in, dat weet ze. Ze moet erdoorheen. En dat kan ze ook, het zou alleen fijn zijn wanneer Chris deze relatie niet zo eenzijdig had verbroken. Is zij geen afscheid waard? Aan de andere kant, ze had het geweten. Al die tijd al. Chris had de deur op een kier gezet en haar binnen gelaten, maar hij was altijd duidelijk geweest over zijn onzekerheid omtrent het binnenlaten van de liefde. Zij was diegene die hem over de drempel had geholpen en daar had nu een andere vrouw profijt van.

Met tegenzin staat ze op van de wc. Ze loopt naar de wasbak en staart in de spiegel. Bah. Ze wast haar handen en gaat terug naar binnen.

Ze recht haar rug en duwt haar schouders naar achteren. Dit is haar dag. Ze heeft tassen vol met mooie spullen in de auto gelegd en ze is nog lang niet klaar met shoppen. Van een afstandje ziet ze haar dochter zitten. Haar mooie Laurie. Ze raakt haar hangertje aan. Niet om steun te vinden in haar verdriet, maar om weer terug te halen wat echt belangrijk is. Haar kinderen. Daar kan geen liefdesverdriet tegenop.

Laurie gebaart Mila om door te lopen. Pubers hebben natuurlijk altijd honger. Mila stopt Chris terug in het doosje achter in haar hoofd, ze concentreert zich op haar dochter. Verdriet en vragen komen straks wel weer, als ze in bed ligt. Naast Lucien. Ze wil er nu niet aan denken.

'Wat gaan we eten? Heb je al iets gevonden op de kaart?'

Laurie heeft zin in gebakken inktvisringen en nog wat kleine hapjes. 'Papa trakteert toch, hè mam?'

Mila lacht. 'Nee, ik trakteer. Ik ben blij dat we hier zitten. En ik heb ook zin om dadelijk voor ons beiden een nieuwe jurk te kopen.' Langzaam voelt ze de pijn in haar hart wegtrekken. Het nare gevoel in haar buik blijft echter zeuren. Ze hoopt dat ze een hap door haar keel kan krijgen.

Na een verder geslaagde middag, gaan Mila en Laurie met ieder twee jurken en wat topjes op weg naar huis. Dan pas denkt Mila aan Lucien en Lucas. Zouden zij zich ook geamuseerd hebben? Hopelijk heeft Lucien niet de hele middag aan de telefoon gehangen. Ze trapt het gas iets harder in.

Als ze thuiskomt, ziet ze dat de auto van Lucien er niet staat. Voor de deur zit Lucas. In haar hoofd vuurt ze een arsenaal aan scheldwoorden af. Hij zal Lucas toch niet hebben laten zitten vandaag?

Laurie is degene die het onderwerp aansnijdt. 'Ik kan alleen maar hopen dat papa eten halen is...'

Mila geeft geen antwoord, parkeert de auto en stapt uit.

Lucas springt op. 'Ik heb van papa dat nieuwe spel gekregen voor mijn Nintendo DS. Ik ben al bij level twaalf!'

'Leuk. Waar is papa?' Mila probeert haar stem zo neutraal mogelijk te laten klinken. Ze wil geen slapende honden wakker maken.

'Die moest even naar zijn werk. Hij zei dat hij op de terugweg wat eten mee zou nemen.' Lucas buigt zich weer over zijn spel.

Mila pakt haar telefoon en tikt het nummer van Lucien in. Ze loopt achter de tuin in. Lucien neemt niet op. Hoe lang zou hij al op zijn werk zijn? Ze toetst het nummer van Chris ook nog een keer in. Ze drukt haar telefoon heel dicht tegen haar oor en wacht. De telefoon gaat over. En over. Het geluid van het piepje doet pijn in haar hart. Hij neemt niet op. Mila heeft zin om te gillen. In plaats daarvan stuurt ze een app naar Sebastiaan: 'Ik ben er even klaar mee. Heb jij dat ook wel eens? Ach, sorry. Never mind. Part of life. Toch?' (18:15)

En ja, hij typt meteen terug. Hij wel. Zou hij niks beters te doen hebben?

'Je spreekt in raadsels. Maar mocht het je helpen, ik ben er ook klaar mee. Gelukkig is er morgen weer een nieuwe dag. Voor jou ook.' (18:16)

Ze heeft geen zin om verder te appen. Ze typt hem een 'x' terug en stopt haar telefoon in haar tas. Ze hoort iets zoemen en zonder te kijken weet ze dat het vast een 'x' van Sebastiaan terug zal zijn.

'Mam! Kom je? We hebben de spullen naar je huisje gebracht.' Lauries stem klinkt opgewonden.

Mila loopt naar de gite en haar kinderen hebben inderdaad alles binnengezet. Een nieuw begin, denkt Mila. Ze duikt in haar tassen en samen met Lucas en Laurie richt ze de kamer in. Mila voelt de energie weer terugkomen. Ze gooit een klein tasje naar Lucas. 'Hier, je tafelkleedje!'

Mila schuift wat met een paar gekleurde vaasjes voor het raam en kijkt dan goedkeurend om zich heen. Het ziet er warm en sfeervol uit. Ze wil rond het huis nog wat designlampionnetjes hangen, om het helemaal af te maken.

'Wat is het mooi geworden hier!' Lucien staat opeens in de deuropening, met in zijn handen een bos bloemen. 'Dit moeten we vieren. Ik heb ook nog wat te eten meegenomen.'

Mila kijkt hem woedend aan. Ze wil dit moment echter niet verpesten voor de kinderen en neemt de bloemen aan. Ze kijkt Lucien niet aan en loopt langs hem heen terug naar het huis.

Lucien loopt achter haar aan en haalt haar bij de keukendeur in. 'Wat is er nou weer?'

'Wat denk je, wat zou er zijn?'

'Mila, je wist dat ik nog moest werken. Ik ben nu zo laat omdat ik voor jou nog even langs de bloemist ben gegaan. En bovendien heb ik eten gehaald.'

'Voor mij? Weet je wat je voor mij had moeten doen? Alleen één ding. Bij Lucas blijven. Met hem iets leuks doen. En ja, je zou nog wat telefoontjes moeten plegen, dat is wat je zei. Niet dat je naar kantoor moest. Hoelang heb je hem alleen gelaten?'

'Weet je, Mila? Zoek het dan maar lekker zelf uit. Ik doe werkelijk niks, maar dan ook niks goed in jouw ogen. Ik heb je verteld hoe moeilijk ik het heb. In plaats van me te steunen, begin je enorm te zeiken. Ik probeer mijn baan te redden. En wat doe jij? Rondhangen in de stad.'

Mila kijkt Lucien aan. Haar stem klinkt kalm en beheerst. Ze heeft haar gevoel helemaal uitgeschakeld. Ze kan de woorden van Lucien niet binnen laten, dat zou te veel zijn. 'We zijn weer terug bij af, of niet, Lucien?'

'We zijn misschien niet eens terug geweest.'

Lucien kijkt haar aan op een manier zoals ze hem nog nooit heeft zien kijken. Is dat haat in zijn ogen? Ze voelt haar maag omkeren. De tranen kan ze niet meer stoppen. Het is gewoon te veel. De sms van Chris, de blik van Lucien. Het voelt alsof ze alles kwijt is. Haar hoofd tolt en ze grijpt zich vast aan de tafel.

Lucien kijkt haar aan. 'Dat theatrale gebeuren van jou, daar koop ik niks voor. Denk ook eens een keer aan mij, in plaats van alleen maar aan jezelf!'

Ze hoort zijn woorden. Ze ziet zijn blik. In gedachten beschermt ze haar hart met een laagje cement. Misschien kan ze zo voorkomen dat het echt in stukken breekt. Ze heeft niets eens een weerwoord. Ze snapt zijn uitbarsting gewoon niet. Waar is de man gebleven die gisteren als een klein kind in bad zat? Waar is de man die gisteren met haar de liefde heeft bedreven? En waar is zij? De vrouw met al die plannen?

Hij loopt de kamer uit, zijn werkkamer in. Het eten heeft hij met een klap op de tafel gezet. Zijn boodschap is duidelijk: hij eet niet mee.

Mila loopt naar boven en spoelt haar gezicht met veel water. Voor de tweede keer vandaag kijkt ze in de spiegel en ziet ze een vrouw die doodongelukkig is. Haar ogen zijn gezwollen en haar neus is rood van het snuiten. Ze doet een dikke laag crème op haar gezicht en probeert wat van die roodheid te camoufleren. De kinderen hoeven hier niks van te weten. Misschien had ze zich ook niet met Lucien en zijn dagindeling moeten bemoeien. Lucas heeft er tenslotte niet onder geleden. Mila voelt dat haar kleren aan haar lijf plakken. Haar hoofd lijkt te gloeien en knalt uit elkaar van de koppijn. Ze trekt haar kleren uit en gooit ze in de was. Ze stapt onder de douche en laat haar lichaam ontspannen onder de warme kraan. Ze voelt weer een huilbui opkomen, maar ze vermant zich. Klaar nu.

Ze stapt onder de douche uit en doet haar pyjama aan. Ze is van plan vroeg naar bed te gaan en ze heeft geen zin om zich dadelijk weer om te kleden.

Ze loopt naar beneden en ziet dat de kinderen de borden op tafel aan het zetten zijn. Ze gaat naar de werkkamer van Lucien. Hij staart naar buiten. Ze draait zijn bureaustoel naar haar toe. Ze kijkt hem met een vragende blik aan, knielt voor zijn voeten neer en legt haar hoofd op zijn schoot. 'Ik kan niet meer Lucien. Ik wil niet meer vechten.'

Hij trekt haar aan haar armen omhoog, tilt haar op zijn schoot en wiegt haar als een baby. 'Ik ook niet. Het spijt me. Ik kan er gewoon niet zoveel meer bij hebben op dit moment.'

'Ik ook niet, Lucien. En het spijt mij ook. Misschien moeten we echt de tijd nemen om elkaars zorgen weer te delen. In plaats van elkaar als schietschijf te gebruiken.'

Even valt er een stilte. Dan staat Mila op en geeft Lucien een hand. 'Kom, het eten wacht op ons. En nog belangrijker: onze kinderen wachten op ons. En kijk dadelijk eens goed naar ze. Ze zijn fantastisch. Dat mogen we niet verknallen, Lucien. Echt niet.'

Lucien staat op en loopt mee. Hij wrijft een natte pluk haar uit Mila's gezicht. 'Staat je goed, deze pyjama.'

Na het eten staat Mila op.

'Sorry jongens, ik heb enorme hoofdpijn. Laten jullie de boel ook maar staan, morgen is er weer een dag. Ik kruip nu mijn bed in.'

Lucien wuift dat het wel goed komt. 'Ik ruim het op.'

Mila loopt naar boven en bedenkt zich hoe breekbaar haar relatie met Lucien is. Als ze niet zijn werkkamer in was gelopen, dan was het misschien heel anders afgelopen. Ze rilt en duikt haar bed in. Het is pas acht uur, maar ze kan zich geen betere plek voorstellen om nu te zijn dan onder haar dekens.

Ze denkt aan de sms van Chris. Eigenlijk kan ze amper begrijpen wat er is gebeurd. De afgelopen maanden waren vol van vlinders en van hoop, maar ook van afwachten en eenzaamheid. Het was haar tweede leven, naast haar leven als getrouwde vrouw en mama van een gezin. Hij was er wanneer ze zich thuis onbegrepen en alleen voelde. Al had ze hem nooit veel over haar leven met Lucien verteld. Hij vroeg er ook nooit echt naar.

Ze voelt een steek door haar hoofd gaan. Ze sluit haar ogen en haalt het beeld van haar en Chris naar boven. Hun eerste zoen van twintig jaar terug en de zoen van twee weken geleden. Misschien moet ze blij zijn dat hij hun relatie heeft afgekapt. Hoe had ze het vol moeten houden, die twee levens? Wat zou ze gedaan hebben als hij een bericht had gestuurd met de woorden dat hij haar kwam halen? Ze zou niet meegegaan zijn. Ze zou haar gezin niet voor hem in de steek gelaten hebben, daarvoor was hun relatie te pril en te onzeker. Wat had ze dan gewild? Ze had hem beter willen leren kennen, zijn leven, zijn denkbeelden en zijn gevoelens. Maar het was duidelijk dat hij haar alleen toeliet in zijn leven wanneer het hém uitkwam, niet wanneer zij erom vroeg.

Mila duwt haar gezicht dieper in het kussen. Ze wil even geen verdriet meer voelen. Hopelijk zal ze ooit nog antwoord krijgen op de vragen die in haar hoofd rondspoken. Zou Chris afgeknapt zijn omdat ze niet met hem naar bed is geweest? Dat zou een makkelijk antwoord zijn, maar ze weet wel beter. Misschien is hij gevlucht voor haar en zijn gevoelens? Of misschien stond er gewoon echt iemand bij hem voor de deur die leuker is. En dichterbij ook.

En dan de ruzie met Lucien. Veel meer aan woede kan ze niet van hem verdragen. Haar gezin is haar heilig, maar haar eigenwaarde en haar recht op geluk in de toekomst ook. Ze hoopt maar dat hij er op zijn werk uit gaat komen en dat hij zich niet de afgrond in laat sleuren door alle tegenslagen daar. Hun huwelijk is niet sterk genoeg om daar uit te komen, daarvoor zijn ze elkaar de laatste jaren te veel kwijtgeraakt. Of zou het een kans zijn om elkaar juist weer te vinden? Mila zucht. Ze gaat op haar rug liggen en focust op haar ademhaling. Ze legt haar handen op haar buik en probeert de spanning uit haar lichaam te laten verdwijnen. Ze voelt zich leeg van binnen. Haar hart heeft vandaag flinke klappen geïncasseerd.

Na een tijdje zakt ze weg in een diepe slaap.

De morgen komt veel te vroeg en Mila is er nog lang niet aan toe. Lucien staat als eerste op om het ontbijt te maken. Mila pakt haar telefoon. Zou Chris een bericht hebben achtergelaten?

Er komt van alles binnen, maar geen bericht van Chris. Ze gaat rechterop in haar bed zitten en begint een mail aan hem te typen. Op haar telefoon gaat dat niet zo goed en ze merkt dat ze zich een paar keer vertypt. Jammer dan.

Lieve Chris,

Waar moet ik beginnen? Ik ben erg verdrietig. Je sms spookt door mijn hoofd. Net zoals duizenden vragen. Ik dacht dat ik meer voor je was dan iemand die je met een sms uit je leven wist. En sorry als dit verwijtend klinkt, maar dit is wat ik nu voel. Ik voel me verward. Ik weet nog precies waar ik was toen ik gisteren je bericht kreeg, op het zebrapad. De grond zonk weg onder mijn voeten. Ik was met Laurie samen, dus moest me groot houden. Je zei dat we samen in de trein zaten, samen onderweg. Maar volgens mij had jij al een andere bestemming in je hoofd. Een bestemming zonder hobbels. Maar Chris, dat had je me toch kunnen vertellen? Ik zou er tegen hebben gekund, echt. Natuurlijk zou ik even hebben moeten slikken als je me over die andere vrouw verteld zou hebben, maar ik heb je ook altijd gezegd dat ik jou het geluk gun. En ik heb je verteld dat de vrouwen voor jou in de rij staan, wat je nooit wilde geloven. Ik weet ook wel dat wij met iets onmogelijks bezig waren. Jij daar. Ik hier, getrouwd en wel. En toch voelde het speciaal. Het voelde echt. Chris, daar zou ik zo graag antwoord op willen hebben: was het echt?

Ik hoop dat je een keer de telefoon opneemt en met me wil praten. Ik wil gewoon weten hoe het met je gaat. Ik wil afscheid van je

kunnen nemen. Misschien zelfs even boos op je mogen worden, al weet ik dat ik dat waarschijnlijk toch niet zal kunnen. Het is beter zo, ik snap het, Chris. Maar de manier waarop... die doet echt pijn.
Laat je me wat weten?

Liefs, Mila.

Ze stuurt de email weg en tikt op ook nog een sms: 'Chris, ik heb je een mail gestuurd, moest mijn gevoel kwijt. Alles goed met jou?'

Dan maar over de top met haar berichtjes. Maar het moet er gewoon uit.

Ze stapt haar bed uit en neemt een douche. Vandaag is het zondag en de zon schijnt. Ze moet er gewoon iets van maken vandaag. Morgen vertrekt Lucien naar Nederland. *Hopelijk komt hij terug met een beter humeur.*

Beneden zit iedereen aan tafel en Laurie kijkt Mila vragend aan.

'Ach, slecht geslapen en naar gedroomd. Maar ik ben er klaar mee. Vandaag is van ons!'

Lucien knikt. 'Misschien moeten we er maar een dagje uit met z'n allen, naar het strand. En vanavond ergens lekker eten. Morgen moet ik een paar dagen weg, dus vandaag maak ik mijn afwezigheid van morgen goed.'

Mila legt haar hoofd op zijn schouder. Wat heerlijk dat hij het initiatief weer eens neemt. Ze ziet dat Laurie en Lucas elkaar een knipoog geven. De kinderen willen niks liever dan een blije papa en mama, dat is wel duidelijk.

Na het ontbijt stappen ze in de auto en rijden naar een klein plaatsje in de buurt van Nice, met een prachtig stukje strand. De dag verloopt zoals Mila het zich sinds hun vertrek naar Frankrijk gewenst heeft. En toch knaagt het. Haar gevoel voor Lucien is niet zoals het zijn moet, ze voelt zich deels ook schuldig vanwege haar affaire met Chris. En het abrupte einde van haar leven met Chris speelt natuurlijk ook nog mee.

Als ze languit op het strand liggen, krijgt ze een berichtje van Sebastiaan binnen: 'Ben je er nog steeds klaar mee of is er een nieuwe dag aangebroken?' (10:39)

Ze glimlacht.

Lucien kijkt haar vragend aan.

Mila wuift zijn vragende blik weg. 'Is een berichtje van Sebastiaan. Je weet wel. Die voetbalmarketeer.'

Laurie haakt er op in. 'De man die jouw shirt heeft weggekaapt, pap!'

Lucien lacht en knijpt Mila in haar hand. 'Zolang hij Mila niet wegkaapt, is alles best!'

Mila voelt een blosje opkomen en neemt snel een slok water. Lucien is hard bezig om zijn plek in het gezin terug te eisen, dat is wel duidelijk. En wat heeft zij net gedaan? Sebastiaan weggewuifd alsof hij zomaar iemand is? Dat is hij niet. Hij is belangrijk voor haar geworden. Zou ze dat toch aan Lucien duidelijk moeten maken? Dat heimelijke en stiekeme wil ze niet meer. Dat was met Chris. Wil ze met Sebastiaan echt een vriendschap opbouwen, dan moet ze Lucien hierin betrekken. De vraag is of de vriendschap tussen hen dan zal veranderen. 'Misschien een leuk idee om Sebastiaan en zijn vrouw eens bij ons uit te nodigen. Wat denk jij, Lucien?'

Hij kijkt bedenkelijk. 'Wat jij wilt, maar ik hoef niet zo nodig betrokken te worden in hun problemen. Dat heb ik je al eerder gezegd. Dus kijk er mee uit. Jij bent altijd bezig om zielige vogeltjes op te pikken. Dat siert je, maar ook jij hebt genoeg op je bordje.'

Mila knikt. Ondertussen vraagt ze zich af of dit de indruk is die Lucien van Sebastiaan heeft, dat hij een zielig vogeltje is? Ha ha, Sebastiaan is alles behalve dat. En met die gedachte schuift Mila Sebastiaan weer naar achteren. Bovendien gaat hij terug naar Nederland, hoe jammer ook. 'Ik heb binnenkort nog een keer met hem afgesproken, hij gaat me helpen met wat ideeën rondom de bed & breakfast. Kan wel wat tips gebruiken.' Zo, dat heeft ze nu ook opgebiecht, dus er is niks heimelijks meer aan. Ze trekt Sebastiaan gewoon hun leven binnen zodat ze zich niet in bochten hoeft te wringen mochten ze elkaar nog eens ontmoeten.

Lucien trekt zijn wenkbrauwen op. 'Je weet dat mensen nooit zomaar iets doen, hè Mila?'

Ze gooit een hand met zand naar Lucien. 'Nee, in jouw wereld doen mensen nooit iets zomaar. Ik zal zijn auto wassen, dan staan we quitte.'

Ze ziet dat Lucien even met zijn ogen rolt. Toch besluit ze nog even op het onderwerp door te gaan. 'Waar is eigenlijk je vertrouwen in de mensen gebleven? Misschien moet je toch eens proberen wat meer mensen toe te laten in je wereld. Kan best leuk zijn!'

Hij kijkt haar bedenkelijk aan. 'Voor jou is altijd alles een lolletje. Jouw hele leven zet je op Facebook en wat er niet op staat, dat app je rond met Jan en alleman. Maar volgens mij heb jij toch ook al een paar keer je neus gestoten omdat je zo goedgelovig bent. Ik heb dat nooit begrepen, iemand met jouw opleiding en achtergrond. Je zou beter moeten weten. Bovendien heb ik niemand nodig, ik heb jou.'

Mila slikt. Wat moet ze daar nu weer mee? 'Jij hebt mij? Maar eigenlijk klinkt alles wat je daarnet opsomde over mij niet zo heel erg aardig. Voldoe ik wel?'

Lucien staat op van het strand. 'Laat maar. Waarom leg je overal zoveel zout op?'

Ze blijft zitten. 'Dat zal wel door mijn opleiding komen.' Ze voelt zich verslagen. De dag was zo mooi begonnen, maar het wankele evenwicht in hun relatie komt nu weer duidelijk naar boven. Was ze niet in de aanval gegaan, dan zat Lucien nu vast nog naast haar. Maar ja, dan had ze haar tong moeten afbijten. Misschien is de lieve vrede bewaren iets waar ze nu gewoon klaar mee is. Hij moet er maar aan wennen. Bij opnieuw met elkaar leren omgaan, hoort ook opnieuw met elkaar leren praten.

Lucien is met de kinderen gaan strandvolleyballen. Ze pakt haar mobieltje en typt een bericht terug naar Sebastiaan: 'Vandaag begon mooi, maar lijkt weer uit mijn vingers te glippen. Hoe is het bij jullie?' (15:56)

Ze ziet dat Sebastiaan al aan het antwoorden is: 'Je moet

geen dingen uit je vingers laten glippen, vooral niet als ze kostbaar zijn. Maar hoor wie het zegt. Ik heb net nog de theepot van Linda's oma uit mijn handen laten glippen. Grote ruzie. Alsof ik het lelijke ding expres heb laten vallen. Scherven brengen geluk, toch? Ach, Mila. Ik weet het ook allemaal niet. Het is tijd voor onze date, dat weet ik wel.' (16:01)

'Haha, sorry. Was het echt een lelijke theepot?' (16:01)

'Lach er maar om. Linda is echt woest. Kan gaan lijmen.' (16:02)

'Nou, succes. Als je hulp nodig hebt, zeg je het maar. Misschien vinden we eenzelfde exemplaar op marktplaats of zo!' (16:03)

'Ik laat het je weten. Moet nu even onder de bank kruipen om nog een stukje te zoeken. Tot later!' (16:04)

'Tot straks. Ik ga ook even wat dingen lijmen…' (16:05)

Mila staat op, schopt haar sandalen uit en loopt naar haar kinderen en man. Lucien ziet haar aan komen lopen en gooit de bal naar haar. Gelukkig, ze mag nog meedoen.

Na het spelletje beachvolleybal lopen ze terug naar hun plek op het strand en haalt Mila wat te drinken tevoorschijn. Lucien stelt voor om zo zachtjes aan naar een restaurant te gaan en daar wat te eten. Hij wil het niet te laat maken omdat hij morgenvroeg moet vertrekken.

Het etentje is lekker en gezellig. Mila worstelt met haar gevoelens. Alles lijkt prima zo, maar ze weet dat er niet veel voor nodig is om alles te laten klappen. Lucien en zij lopen op eieren, dat is wel duidelijk. Althans voor haar. Zou Lucien het ook zo zien? *Vanavond in bed nog maar even over hebben.*

Na het eten loopt Mila naar het toilet. Ze pakt haar telefoon en tikt een sms naar Chris: 'Vandaag een heerlijke dag op het strand gehad met mijn gezin. Misschien moet ik je dankbaar zijn voor je verdwijning. Maar zo voelt het niet. Ik had je nog zoveel willen vertellen. En je willen leren kennen.'

Geen idee waarom ze dit doet. Het voelt alsof ze niet anders kan. De breuk is gewoon te eenzijdig. Zij was er nog niet klaar voor. Zei hij niet ooit dat haar berichtjes met hem mee reisden door de dag? Nou, dan heeft hij er nu nog een berichtje bij.

Lucien rekent af en ze gaan naar huis. De kinderen hebben een heerlijke dag gehad en Mila moet toegeven dat ze ook genoten heeft. Alsof ze vandaag leefde in de wereld die ze zich altijd heeft gewenst. Jammer alleen dat het gevoel voor Lucien niet meer is zoals vroeger. Zou dat nog terugkomen? Ze sluit even haar ogen. Kan ze zichzelf en Lucien voorstellen over vijfentwintig jaar samen in hun achtertuin? Ze huivert.

Lucas en Laurie gaan bij thuiskomst nog even aan hun huiswerk en Mila biedt aan om te helpen. Over enkele dagen staat er een proefwerkweek voor de deur en Mila vindt het belangrijk om daar bovenop te zitten. Lucien gaat naar boven om zijn koffer in te pakken en zijn papieren in orde te maken voor morgen.

Laurie gaat met haar huiswerk naast Mila op de bank zitten. 'Het was leuk vandaag, mam. Ik hoop dat we er vaker op uit trekken met z'n allen.'

Mila kust Laurie op haar kruin, schenkt voor iedereen nog een kop thee in en legt er wat pepernoten naast. 'Meegesmokkeld uit Nederland, wilde ze bewaren tot december, maar ach, ik vind ze nu ook wel passen.'

'Heb je ook al cadeautjes gekocht dan, mam? Die mag je ook nu al geven, hoor!' Lucas grinnikt.

'Nee, dat dan weer niet. Ik ben toch zeker Sinterklaas niet. Nu aan de slag, jongens. Laurie, hoe zit het met je wiskunde? Laat eens kijken.' Mila weet op een of andere manier de wiskundesommen tot leven te wekken door er allerlei dwaze voorbeelden aan te hangen. En ook de geschiedenisstof voor Lucas komt tot leven wanneer Mila een toneelstukje opvoert uit de Franse Revolutie. Lucien is er inmiddels bij komen zitten en moet ook lachen.

Mila klapt in haar handen en springt op. 'Bedtijd, dame en heer. Morgen weer vroeg dag. Ik duik er ook in. Wat jij, Lucien?'

Lucien staat op en neemt Mila bij de hand. 'Prima, madame,

u zegt het maar.' Hij knipoogt naar de kinderen.

'Ieuw... Ze gaan klef doen,' zegt Laurie met een vertrokken gezicht.

Lucien lacht. Mila schudt haar hoofd. 'Wacht maar tot jij met je eerste vriendje hier thuis op de bank gaat zitten zoenen, dan...'

Laurie krijgt een kop als vuur. Ze mompelt wat en loopt naar boven. Lucas valt bijna achterover van het lachen.

'Kom op, jongeman, jij ook naar boven. En geen geruzie op de badkamer.' Mila's stem klinkt streng, maar ze moet eigenlijk ook wel lachen. Ze hoopt overigens niet dat zij en Lucien gaan zitten kleffen, zoals Laurie dat net uitdrukte. Ze is er nog niet aan toe, misschien is de breuk met Chris nog te vers. Of de hernieuwde relatie met Lucien nog te pril?

Mila laat Lobke nog even naar buiten en staart naar de sterren. Ze laat toe dat het geluid van de avond zich mengt met haar gedachten en ze verplaatst haar blik naar de gite. Hopelijk gaat ze dit echt van de grond krijgen. Misschien is dit hele gedoe met Lucien wel de beste leerschool om straks andere mensen te kunnen helpen. Dit is haar plekje. Haar droom.

Ze fluit even zacht tussen haar tanden zodat Lobke weet dat ze weer naar binnen moet komen. Lobke sjokt naar haar mand en gaat liggen. Mila sluit af, geeft haar nog snel een aai over haar kop en loopt naar boven.

Lucien staat in de badkamer zijn tanden te poetsen. Mila gaat achter hem staan en slaat haar armen om hem heen. Ze bekijkt zichzelf in de spiegel. Passen ze nog bij elkaar? Lucien knipoogt naar haar in de spiegel. Mila pakt haar tandenborstel en begint ook haar tanden te poetsen. Zal ze dadelijk nog het gesprek met Lucien beginnen, over hoe de zaken er nu voor staan tussen hen?

Mila kleedt zich uit en trekt haar pyjama aan. Niet haar meest sexy outfit, maar gewoon iets makkelijks en warms. Raar eigenlijk dat ze voor Chris zo haar best had gedaan om er sexy uit te zien, maar dat ging bijna als vanzelf. Ze voelde zich toen op en top vrouw. En met Lucien? Gewoon Mila. De moeder van Lucas en Laurie. Ze raakt haar hangertje aan. En van Liam natuurlijk. Hoe zou Lucien haar zien? En hoe zag ze hem? Toen ze daarnet in de badkamer haar armen om hem heen sloeg, was dat niet uit lust of verlangen. Ze zucht.

Ze loopt op de tast naar haar kant van het bed. Lucien ligt er al in en ze weet niet of hij al slaapt. Ze is altijd al jaloers geweest op de snelheid waarmee hij in slaap kan vallen. Ze gaat liggen en voelt dat Lucien naar haar kijkt. Hij slaat een arm om haar heen en ze pakt zijn hand vast. Lucien aait voorzichtig een lok uit haar gezicht. Die aanraking doet haar breken. Zo lief en teder. Ze kruipt tegen Lucien aan. 'Fijn dat je er was vandaag. De kinderen hebben genoten.'

'Ik vond het ook fijn. Dat moeten we vaker doen,' fluistert Lucien.

'Vond je het ook fijn dat ik er bij was?' Mila's stem klinkt aarzelend.

'Waarom vraag je dat?'

Mila haalt haar schouders op. 'Ik weet het gewoon niet meer. Waar ik sta. Waar jij staat. Waar wij staan. Het voelt af en toe weer net als vroeger. Fijn. Maar dan ineens is het weer weg. Dan voelt het alsof ik vooral een lastige vrouw voor je ben, in plaats van de vrouw waar je ooit zo gek op was.' In haar stem klinken tranen door.

'Mila, ik ben nog steeds gek op je. Stop nu eens met daaraan te twijfelen. Ik ben juist degene die bang is dat ik straks alleen achterblijf. En misschien duw ik je daarom soms weg. Ik weet het niet. Ik weet af en toe niet meer wat er in jouw hoofd omgaat. Je kijkt me soms aan alsof ik een vreemde voor je ben.' Lucien wrijft zacht over haar rug.

Mila kruipt dichter tegen hem aan. Ze heeft troost nodig. Het verdriet om Chris komt naar boven, maar ook het verdriet om datgene wat ze Lucien heeft aangedaan met haar gevoelens voor Chris. Ze had alles kwijt kunnen zijn. Dat besef slaat in als een bom. 'Het spijt me. Weet je dat? Ik twijfel soms te veel. Ik zal proberen daarmee te stoppen. Ik denk dat we op de goede weg zijn. Ik hoop alleen dat je deze week goed nieuws krijgt in

Nederland. Ik wil echt heel graag hier in Frankrijk blijven. En nee, ik wil deze discussie nu ook niet voeren, want ik ben bang dat het tussen ons in komt te staan.'

'Laten we maar afwachten wat er gebeurd, oké? Donderdag ben ik terug en dan gaan we samen uit eten en praten we erover.'

'Lucien, werk is niet het belangrijkste. We komen er wel uit samen, voor mijn part zoek ik een baan hier. Maar we hebben al genoeg meegemaakt, laten we eens een tijd echt gaan genieten. Van de kinderen. En hopelijk van elkaar.' Mila draait zich om en geeft Lucien een kus op zijn mond. 'En nu slapen, jij. Morgen heb je een lange dag voor de boeg.'

In de ochtend wordt ze wakker gemaakt door Lucien. 'Blijf maar liggen, Mila. Ik ben ervandoor. Maar ik wilde niet weggaan zonder dag tegen je te zeggen.'

Mila komt verschrikt omhoog. 'Ik had op willen staan, had me eerder gewekt. Dan had ik brood voor je gemaakt.' Mila klinkt slaapdronken.

Lucien lacht. 'Blijf liggen. Je had weer een spannende nacht. Je hebt me zelfs gemept in je slaap.'

Mila's gezicht vertrekt. 'Dat meen je niet!' Langzaam komt de droom van die nacht naar boven. Ze zal maar voor zich houden wat ze gedroomd heeft. Ze geeft Lucien een kus en hij loopt de slaapkamer uit. 'Ik zie je donderdag weer.'

Mila laat zich weer op haar kussens vallen. Dan bedenkt ze zich. Snel springt ze uit bed en rent Lucien achterna. Ze kan hem nog net vastgrijpen voor hij de deur uitloopt. 'Lucien, veel succes. Laat me weten hoe het loopt, want dit is voor ons allemaal belangrijk. Ik sta achter je, oké?'

Lucien kijkt Mila dankbaar aan. Hij loopt naar buiten, zwaait en stapt zijn auto in.

Mila loopt weer naar boven, maar bedenkt zich halverwege. De kinderen zijn over een half uur ook wakker, dus ze kan maar beter de tafel vast gaan dekken. Ze geeft eten aan Lobke, pakt haar telefoon en stuurt een berichtje naar Alina: 'Sorry, beetje vroeg deze app, maar kunnen we vandaag even kletsen? Veel gebeurd.'

Ook stuurt ze een sms naar Chris: 'Je was in mijn droom vannacht. Geen leuke droom. Ik hoop dat het goed met je gaat. Ik weet dat het voorbij is tussen ons. Maar hoor graag hoe het met jou is.'

En ach, ze stuurt ook nog een app naar Sebastiaan: 'Lag vannacht in de brandnetels. Gelukkig kwam jij me redden. Die dromen van mij moeten niet gekker worden.' (7:01)

Ze sluit haar telefoon. Het zal een spannende week worden. Ze hoopt dat Lucien snel duidelijkheid krijgt over zijn baan.

Mila neemt zich voor om vandaag meters te maken met haar Rustpuntje. Ze wil een online mediastrategie uitwerken om het hele concept vorm te geven. Ze gaat aan de eettafel zitten en schrijft een to-do lijstje voor de hele week.

Laurie en Lucas strompelen achter elkaar binnen, de slaap nog uit hun ogen wrijvend. Mila zet ieder een bord muesli voor de neus, samen met een glas sap. Zelf eet ze een paar crackers en wat fruit. Ze snakt naar een kop koffie zodat ze dadelijk scherp aan haar werk kan beginnen.

Als Laurie en Lucas de deur uit zijn, springt Mila onder de douche. Ze doet makkelijke kleren aan en vertrekt naar haar gite. Hier wil ze werken zodat ze ter plekke inspiratie op kan doen.

Haar telefoon gaat. Het is Alina. 'Hoi! Fijn dat je belt.' Mila gaat op het bed zitten.

'Wat is er allemaal aan de hand? Nieuwe ontwikkelingen in Mila-land?'

'Nou, om maar met de deur in huis te vallen: Chris heeft me gedumpt. En ja, het is zo erg als het klinkt. Hij heeft me zaterdag na een behoorlijk lange tijd van radiostilte een sms gestuurd met de befaamde woorden dat hij iemand anders heeft en dat hij geen contact meer met me wil.' Ze hoort dat Alina naar woorden aan het zoeken is, maar voordat haar vriendin iets zinnigs terug kan zeggen, gaat ze verder met haar verhaal. 'Ik snap er werkelijk niks van. Ik dacht echt dat hij en ik speciaal waren. Weet je, Alina, ik zag mezelf al naar Amersfoort verhuizen. Een nieuw leven beginnen met hem. Althans, ik heb daar echt over nagedacht. Ik weet niet eens wat ik nu voel. Ik voel me behoorlijk in de steek gelaten. En het erge is, ik had bijna mijn huwelijk laten klappen voor iemand die mij met een sms'je aan de kant zet. Ik zou willen dat hij me tekst en uitleg gaf, maar dat is blijkbaar teveel gevraagd.' Mila's stem schiet omhoog.

Alina fluit tussen haar tanden. 'Die had ik ook niet zien aankomen. Ik had wel het idee dat hij wat terughoudender was in jullie contact dan jij, maar aan de andere kant zag ik ook wel dat jullie iets moois met elkaar aan het delen waren. Maar misschien was dat sms'je voor hem de enige manier om van je los te komen. Sommige mensen zijn daar nu eenmaal heel radicaal in. Maar mijn manier zou het ook niet zijn. Heb je hem nog geprobeerd te bellen?'

Mila lacht schamper. 'Gebeld, gemaild, sms'jes gestuurd. Ik ben nog net niet voor zijn deur gaan liggen. Maar geen respons gekregen. Het sprookje is voorbij. En misschien maar goed ook. Ik weet niet of ik alles had willen opgeven voor hem. Maar ik had hem wel beter willen leren kennen.'

'Hoe voel jij je nu? Gaat het een beetje?' In Alina's stem klinkt bezorgdheid door.

'Het gaat. De dag loopt gewoon door. En opeens krijg ik het dan benauwd en dan begin ik Chris weer te bestoken met berichtjes. Ik weet dat het geen zin heeft, maar ik wil gewoon zo graag afscheid van hem nemen. Wat we hadden was echt heel mooi.'

'Tsja, het zal nog wel even pijn blijven doen. Toch heb ik steeds het idee gehad dat Chris vooral een vlucht voor je was. Aandacht krijgen van een man is altijd fijn, vooral wanneer het thuis slecht gaat. Ik vraag me af of je ook voor Chris gevallen zou zijn, wanneer alles nog koek en ei tussen jou en Lucien was.'

'Dat is weer een heel ander verhaal trouwens. Lucien is de laatste tijd bij aan het draaien. Hij doet zijn best om er meer voor mij en de kinderen te zijn...' Mila's stem klinkt aarzelend. Nu ze deze woorden uitspreekt komt weer de vraag naar boven wat zij er zelf mee wil. Wil zij Lucien nog wel? Was Chris de uitweg om te kunnen stoppen met haar eigen relatie? Ze schrikt van haar eigen gedachten.

Alina voelt de aarzeling haarscherp aan. 'En jij? Ben jij je best aan het doen voor Lucien? Voor je huwelijk?'

Mila schraapt haar keel. 'Ja, ik doe mijn best, maar ik weet niet of dat genoeg is. Misschien verwacht ik ook te veel van Lucien.'

'Spreek jij die verwachtingen ook uit naar hem toe? Het is tenslotte een man. Daar moet je overdreven duidelijk tegen zijn. Het zijn net kinderen, hè, dat weet je toch?'

Ze moeten lachen om deze opmerking.

'Je hebt wel gelijk. De meeste gesprekken met Lucien voer ik in mijn hoofd en niet met hem. Ik probeer wel steeds meer te zeggen wat ik denk en voel. Nou, het was gelijk ruzie hoor. Maar het heeft wel geholpen. Lucien en ik praten weer met elkaar, we hebben het afgelopen weekend meer met elkaar gesproken dan het laatste jaar.'

'Dat klinkt goed. Vasthouden zou ik zeggen. Misschien is het gewoon goed dat Chris ertussenuit gepiept is. Laat hem gaan, Mila. Probeer niet voor hem in te vullen waarom hij ervoor gekozen heeft om op deze manier te verdwijnen. Van jou loskomen ís niet makkelijk. Misschien was dit voor hem de enige oplossing. Radicaal. Maar leuk is anders. Probeer het een plekje te geven en probeer ook weer te vechten voor je huwelijk. Want vluchten in de armen van een ander is even leuk, maar dat kun je niet de rest van je leven volhouden. Dat weet jij ook en bovendien zit jij zo niet in elkaar.'

'Je hebt gelijk. Zo zit ik ook niet in elkaar. Ik voel me af en toe werkelijk een slecht mens. Ik vraag me af of ik over vijftig jaar op mijn sterfbed al die dingen moet gaan opbiechten.'

'Luister, je had het nodig. Je voelde je alleen. Je voelde geen enkele band meer met Lucien. Jij hebt je gevoel bij hem aangekaart en hij heeft niet geluisterd. Voel je er niet schuldig om, maar leer ervan, dat lijkt me wel belangrijk. Voor je het weet staat er dadelijk weer een Chris bij je op de stoep. En nu we het daarover hebben: hoe staat het met die Sebastiaan van je?'

'Sebastiaan. Dat is een bijzondere man en erg getrouwd. Maar dat had ik je toch al verteld? We gaan binnenkort samen een hapje eten. Ter afscheid, want volgens mij gaat hij terug naar Nederland.'

'Ehum. Ik zeg niks.' Alina grinnikt even.

'Ach jij. Je ziet ze vliegen. Maar ik vind het heerlijk om even met je te kletsen. Lucht wel op. Hier kon ik natuurlijk niks laten merken van mijn liefdesverdriet. Als het dat al is, misschien ben ik gewoon gekwetst door zijn sms. En toch was het mooi en heerlijk om vlinders in mijn buik te voelen, om me jong te voelen. En het was fijn toen Chris tegen me zei dat hij me mooi vond. Ja, ik weet het, ik ben erg.'

'Je hebt Chris niet nodig om te weten dat je mooi bent. Maar ik snap je gevoelens. Het is ook heerlijk om even op de toppen van je gevoel te lopen. Maar jij weet ook dat verliefdheid een fase is, uiteindelijk sta je toch gewoon elkaars sokken op te ruimen. Maar lieverd, ik moet nu aan het werk. Zal ik je deze week nog even bellen? En wanneer jij weer stalk-achtige neigingen naar Chris voelt opkomen, dan app je mij maar in plaats van hem, oké?'

'Dank je wel, vriendinnetje. Had ik al gezegd dat ik blij met je ben?'

'Vast, en ik ben ook blij met jou. Kop op en ga ervoor, hè?'

Mila hangt op. Ze voelt zich echt opgelucht. Ze ziet dat er intussen een berichtje van Sebastiaan is binnengekomen. Misschien moet ze echt wat voorzichtiger met hem omgaan. Minder flirterig. Ze wil het hem ook niet moeilijker maken dan hij het al heeft, met zijn hele situatie thuis.

'Die dromen van jou, fraai hoor. Maar ben blij dat ik je gered heb. Deden er ook draken in mee die ik verslagen heb? Dat is namelijk altijd al een droom van mij geweest. Zeg, even wat anders, kan ik je volgende week zondag mee uit eten nemen? Ik vraag het maar op tijd, zodat je nog wat kunt regelen thuis met de kinderen en zo.' (10:45)

Mila denkt even na over haar antwoord. 'Nope, geen draken. Helaas. Zal ze voor vannacht bestellen. Volgende week zondag moet lukken, maar moet het wel thuis afstemmen. Lucien is weg voor zaken en pas donderdag thuis. Ik zal het hem dan vragen. Wat had je in gedachten voor die dag? En gaat Linda ook mee?' (10:46)

'Prima, ik zoek mijn harnas en zwaard vast bij elkaar. Nee, Linda gaat niet mee. Die vertrekt zondag naar haar zus in Nederland, vanwege een twintig weken echo op dinsdag. Neem jij je man wel mee dan? Mag best, maar dan reserveer ik een ander restaurantje. ☺' (10:47)

'Gaan we dan naar de McDonalds, zodat we snel klaar zijn?' (10:47)

'Zoiets…' (10:48)

'Nou, ik denk dat Lucien lekker thuis blijft. Niet kwaad bedoeld, hoor. Je zult het met mij alleen moeten doen.' (10:49)

'Vind je het vervelend als ik zeg dat ik dat helemaal niet erg vind?' (10:50)

'Nee.' (10:51)

Mila staart even naar de letters op haar schermpje. Wissen kan niet meer. Waar is ze mee bezig? Voor de kick Sebastiaan aan het uitdagen, is dat het? Wil ze graag bevestiging dat ze nog leuk en in trek is? Ze bijt op haar onderlip. Maar zien wat ervan komt.

'Ik kijk ernaar uit. Ik moet er nu vandoor, heb zo vergadering met wat bobo's. Fijne dag verder.' (10:52)

Mila besluit niet meer te antwoorden. Ze tikt een berichtje naar Lucien. Gewoon een simpel berichtje dat ze aan hem denkt. *Mijn schuldgevoel afkopen met een berichtje. Waar ben ik toch mee bezig?*

Ze klapt haar laptop open en begint aan de social media strategie voor haar bed & breakfast. Afleiding is altijd het beste medicijn.

De dag vliegt voorbij en voor Mila er erg in heeft, ligt ze alweer in haar bed. Van Lucien heeft ze niks meer gehoord, niet eens dat hij goed aangekomen is. Chris zwijgt in alle toonaarden en Sebastiaan gooide af en toe een oneliner de WhatsApp op omdat hij zich verveelde tijdens de saaie vergaderingen.

Lucien laat pas op woensdagavond iets van zich horen, terwijl ze hem al verschillende keren heeft proberen te bellen.

'Ja, schat, sorry, maar ik heb het enorm druk en ik moet alles even op me in laten werken. En jij weet ook hoe je bent, jij vliegt er dan meteen bovenop, terwijl ik nu gewoon nog niet weet hoe het allemaal zit.'

'Ja, maar Lucien, wat is er dan precies gezegd door je baas? Kun je op dit project blijven werken?'

'Dat bedoel ik nu, Mila. Ik weet het nog niet. Daarom kan ik morgen ook nog niet naar huis, zoals ik had gehoopt...'

'Oh, dus ons etentje gaat niet door? Zeg jij de reservering dan af?' Mila's stem klinkt kalm. Ze had eigenlijk niet anders verwacht. Die bijeenkomsten van hem lopen altijd uit. 'Lucien, heb je soms iemand anders?' Ze schrikt zelf van de vraag en weet eigenlijk dat de vraag bespottelijk is. Is ze uit op ruzie?

'Ik neem aan dat je daar geen antwoord op verwacht?'

'Nee. Sorry.'

'Goed, dan ga ik nu weer aan het werk. Ik laat weten wanneer ik thuiskom. Snap je nu waarom ik jou niet zo graag bel?'

Mila hapt even naar lucht. 'Ja, dat kan ik begrijpen. Maar begrijp jij ook waarom er bij mij soms zoveel frustratie naar boven komt? Je laat gewoon niets weten. Ik wil niet voor een voldongen feit komen te staan.'

'Laat ook maar, we hebben het er nog over. Doe je de groeten aan de kinderen?'

Voordat Mila kan antwoorden heeft Lucien het gesprek al beëindigd. Ook dat is ze gewend.

Automatisch grijpt ze naar haar telefoon en tikt een bericht naar Chris. 'Eigenlijk weet ik dat het geen zin heeft om je een bericht te sturen. Blijkbaar wil je echt niks meer met mij te maken hebben. En bij mij komt nu de vraag op: was het echt? Was die klik die ik voelde online en toen ik je weer zag echt? Ik hoop het. Anders voel ik me helemaal een idioot.'

Alle energie trekt uit haar lijf. Het is maar goed dat ze haar pyjama al aan heeft. Ze hoeft alleen nog maar in bed te kruipen. Maar voor ze gaat slapen tikt ze nog een sms aan Chris: 'Weet je, ik ben er klaar mee ook. Het ga je goed.' Het felle licht doet pijn aan haar ogen en de letters op het scherm lijken een beetje te dansen. Ze drukt de telefoon uit en rolt zich helemaal op in haar dekbed. Gelukkig valt ze snel in slaap.

De donderdag was kwellend langzaam voorbij gekropen. Lucien had nog gebeld dat hij vrijdagmiddag thuis zou komen en dat hij heeft gereserveerd bij een restaurantje in de buurt.

Nu krijgt ze een bericht van hem of ze vanavond om half zeven klaar wil staan zodat ze meteen door kunnen. Mila schrijft terug dat ze ervoor zal zorgen dat ze er mooi uitziet. Voor de kinderen heeft ze pizza in huis gehaald en die verheugen zich op een avondje vol vrijheid.

Stipt om half zeven staat Mila buiten voor het huis. Ze heeft een speelse jurk aangetrokken en veel zorg aan haar uiterlijk besteed. Haar lippenstift laat haar lippen mooi uitkomen en haar haren zitten stevig in de krul.

Na twintig minuten buiten gewacht te hebben, loopt ze weer naar binnen en schopt haar schoenen uit. Ze pakt haar telefoon en belt naar Lucien.

'Ik ben er bijna, het verkeer zat tegen.'

Mila gaat zitten, want dat 'ik ben er bijna', kent ze van hem. En inderdaad, om half acht hoort ze Lucien toeterend de oprit op komen rijden. Ze trekt haar schoenen weer aan en zwaait naar de kinderen alvorens ze de deur achter zich dicht trekt.

Mila stapt de auto in. Lucien ziet er moe uit. 'Wil je niet liever naar binnen, een bad nemen en je bed in? Ik vind het niet erg. Dan doen we dit etentje toch een andere keer?'

Lucien buigt zich voorover en geeft haar een kus. 'Nee, je ziet er zo mooi uit vanavond, dat zou zonde zijn.'

Ze rijden naar een restaurant een paar dorpen verder. Hij heeft blijkbaar al doorgegeven dat het later zou worden, want het tafeltje is nog vrij. De ober legt uit wat er op het menu staat en brengt een fles rode wijn. Lucien bestelt er een karaf water bij en hij drink zijn glas snel leeg.

Mila aait zijn wang. 'Je zult vast moe zijn, ben je onderweg wel gestopt?'

'Nou, twee keer heel kort. Ik wilde gewoon naar huis. Maar ik ben blij dat ik zit en even tot rust kan komen. Overigens, ik weet dat je wilt weten wat er gebeurd is, maar mag ik dat even laten bezinken tot morgen of zo? Het ziet er allemaal goed uit en voorlopig blijven we inderdaad gewoon hier in Frankrijk. Ik zal wel wat vaker naar Nederland moeten, maar de details ken ik nog niet.'

'Aha. Goed nieuws! Hoe voel jij je eronder? En blijf je hetzelfde werk doen?'

'Mila, morgen, oké?' Hij pakt haar hand en wrijft erover.

Ze trekt haar hand terug en pakt de kaart om het menu te bestuderen. Ze voelt zich een jengelend kind dat aandacht wil. Aan de andere kant, het gaat ook om haar. Om hun gezin. Ze slikt haar verontwaardiging weg en wijst Lucien een hoofdgerecht aan.

Lucien knikt. Hij laat de keuze altijd aan haar over. Weer pakt hij haar hand. Zijn ogen staan ernstig.

Mila voelt zich er ongemakkelijk door. 'Lucien, is er iets?'

De stilte die valt is hoorbaar.

'Lucien, is er iets wat je me moet vertellen? Je weet dat dit gewoon kan.'

'Nee, niks waar jij bezorgd om hoeft te zijn. Het heeft meer met mezelf te maken. Ik heb zolang opgesloten gezeten in mezelf en zoveel problemen in mijn hoofd opgelost, zonder ze met jou te bespreken en ik heb nu het gevoel dat het er allemaal uit moet. Op de terugweg naar huis heb ik me geprobeerd voor te stellen hoe het zou zijn als jij er niet meer was. Dat jij en de kinderen weg zouden zijn. Niet naar de winkel, maar gewoon weg.' Lucien knijpt haar hand bijna fijn.

Mila slaat haar ogen neer. Zij heeft zich dit beeld ook wel eens voor de geest gehaald. Hoe het zou zijn als Lucien niet meer terugkwam? Even schaamt ze zich. Haar man doet nu zo zijn best, daar had ze een jaar geleden goud voor gegeven. 'En hoe voelde dat?' Ze kijkt hem aan en probeert zijn emoties te peilen.

'Dat voelde aan als verdrinken. En het ergste is, dat ik me afvroeg of jij je hand nog naar me uit zou steken als ik inderdaad verdronk.'

Mila voelt een pijnscheut door haar lijf schieten. Dit antwoord is zo ontzettend to the point, dat had ze niet verwacht van Lucien. Ineens heeft ze zoveel medelijden met hem. Wat is ze egoïstisch geweest! Zij is niet de enige die zich zo alleen heeft gevoeld. Hij ook! Wat hebben ze elkaar aangedaan?

Mila maakt haar hand los uit de zijne en staat op van haar stoel. Ze loopt naar hem toe en omhelst hem. Hij legt zijn hoofd op haar borst en even doet de hele wereld er niet meer toe. Ze aait hem over zijn hoofd, alsof hij een klein kind is. 'Het komt wel goed.'

Mila gaat weer zitten als ze de ober aan ziet komen. Ze neemt het woord als hij om hun bestelling vraagt.

Als hij weer weg is geeft Lucien haar een knipoog. 'Die ober zal ook wel denken...'

Mila lacht. Ze heft haar glas en nodigt hem uit om te proosten. 'Op?'

'Op ons, lijkt me.'

Mila knikt. 'Op ons.' Ze neemt een slok wijn en probeert haar gedachten weg te spoelen. Het liefste zou ze naar huis gaan, naar de kinderen. Hoe mooi dit ontroerende moment met Lucien ook is, het benauwt haar een beetje. Ze kan de verandering niet goed peilen. Waar komt zijn wanhoop opeens vandaan?

Lucien lijkt in gedachten verzonken en Mila is blij wanneer de ober aan komt lopen met het eten. Ze heeft eigenlijk amper honger. Ook Lucien prikt wat ongeïnteresseerd in zijn diner. Dan ziet ze opeens dat zijn ogen beginnen te lachen.

'Weet je nog, Mila, toen we net een jaar verkering hadden en gereserveerd hadden in dat te dure restaurant? We wilden

chique doen en na bestudering van de kaart kwamen we erachter dat het echt veel te duur was en dat we de helft van de gerechten erop niet eens konden uitspreken.'

Ze grinnikt. 'Dat weet ik nog wel. Jij wilde toch nog graag iets bestellen, maar ik zei dat ik het echt zonde vond van het geld en ben opgestaan. We hebben betaald voor de drankjes en zijn toen naar de pizzeria gegaan. Jij schaamde je toen vreselijk voor mij, hè?'

'Nee, ik schaamde me niet. Ik vond het toen juist knap dat jij gewoon opstond en wegging. Zonder uitleg. Ik was nog druk bezig om een smoes te bedenken waarom we niet bleven. Het was gewoon een typische Mila-actie.'

'Zullen we dat nu weer doen? Zo'n Mila-actie? Het eten kan me namelijk amper boeien. Dan kijken we of er nog ergens een supermarkt open is en halen we wat stokbrood en lekkere kaas.'

Lucien glimlacht. 'Oké. Ik ga betalen. Zal kijken of ik het zonder smoes voor elkaar krijg.'

Mila loopt naar de garderobe en lacht wanneer ze ziet dat Lucien toch nog een heel verhaal aan de ober ophangt. Als ze beiden buiten staan vraagt ze wat hij voor smoes bedacht heeft.

Lucien slaat een arm om Mila's middel en kust haar op haar mond. 'Geen smoes. Ik heb de waarheid verteld. Dat we bezig zijn met een Mila-actie.'

'En wat zei de ober?'

'Die gaf ons groot gelijk. En hij zei me nog dat ik maar bofte met zo'n vrouw als jij.'

'Zei hij dat echt?' Mila grinnikt.

'Ja. En ik antwoordde dat hij daar weer groot gelijk in had!'

Als ze bijna bij de auto zijn, staat Mila stil. 'Zie je die ster daar?'

Lucien staat ook stil en volgt Mila's vinger. 'Ja.'

'Ik heb het gevoel dat Liam die ster zo laat fonkelen. Voor ons.' Mila raakt haar hangertje aan.

Lucien pakt het hangertje tussen zijn duim en wijsvinger. 'Ik denk het ook.'

Even staan ze beiden doodstil.

'Je moet me Liam maar vaker aanwijzen. Ik probeer hem af en toe ook te ontdekken tussen de sterren, maar het lukt me nooit.'

Mila knikt. 'Dat is goed. En dat vind ik ook fijn. Misschien brengt dat ons ook weer dichter bij elkaar. Misschien moeten we meer onze mooie herinneringen samen delen, want die pakt niemand ons af.'

De volgende dag voelt Mila zich beter dan alle dagen ervoor. Ze merkt dat de drang om Chris te bereiken flink is afgenomen. En ze merkt ook dat haar gevoelens voor Lucien langzaam weer toenemen. Ze hoopt wel dat hij vandaag meer gaat vertellen over zijn trip naar Nederland.

Haar mobieltje zoemt. Een bericht van Sebastiaan. Hadden zij niet afgesproken om morgen samen te gaan eten?'

'Ha Assepoes. Klaar voor het bal morgen? Ik wilde je rond een uur of vier ophalen. Kan dat?' (10:12)

Even staart Mila naar het bericht. Is het nu wel slim om zijn uitnodiging aan te nemen? Het is tenslotte weekend en misschien is het beter om gewoon met Lucien en de kinderen de zondag door te brengen. 'Moment, ik overleg even met het thuisfront, of het allemaal nog uitkomt.' (10:15)

Ze loopt naar de werkkamer van Lucien. Hij is zijn email weg aan het werken. 'Lucien, ik heb je toch verteld dat ik nog een keer met Sebastiaan zou gaan eten? Nou, dat staat voor morgen op het programma, maar ik was het zelf een beetje vergeten.'

Lucien draait zijn bureaustoel en kijkt haar aan. 'Wat vind je zelf? Gaat zijn vrouw ook mee?'

'Oh, dat weet ik niet, niet over gehad, eigenlijk. Wil jij mee?' Dat leugentje moet hij haar maar vergeven. Toch raar dat uitjes met vriendinnen altijd makkelijker te verkopen zijn.

'Nee, ik ga niet mee. En wat jij doet moet je zelf weten.'

Lijkt het nu zo of klinkt zijn stem nu bars? 'Waarom reageer je zo?' Ze heeft besloten haar vragen niet meer in te slikken.

'Gewoon, veel aan mijn hoofd. En je weet dat de zondag heilig voor me is. Maar als jij zo nodig de hort op moet, dan moet je dat doen.'

'Dat klinkt wat overdreven, vind je zelf ook niet? Bovendien, maar dat had ik je ook al verteld, gaan we het hebben over mijn bed & breakfast.' Ze had er nog aan toe willen voegen dat Sebastiaan in tegenstelling tot hem daar wel in geïnteresseerd was, maar dat slikt ze op de valreep toch maar in.

'Whatever.' Lucien draait zijn stoel weer terug en buigt zich over zijn laptop.

'Inderdaad, whatever.' Mila draait zich om en loopt de kamer uit. Ze doet de deur met iets meer nadruk dicht dan nodig is. Waarom gedraagt hij zich nu weer als zo'n hork?

Ze pakt haar mobieltje: 'Vier uur is een prima tijdstip. Ik zie je dan!' (10:25)

HOOFDSTUK 23

Vaarwel

Lucien blijft de rest van de dag nukkig. Tijdens het eten probeert hij zelfs haar blik te ontwijken. Het voelt alsof hij haar veroordeelt. Daarna trekt hij zich uiteraard terug in zijn werkkamer.

Mila ruimt de keuken op. Ze pakt haar telefoon. Even twijfelt ze, maar onderdrukt toch haar neiging om Chris een bericht te sturen. In plaats daarvan stuurt ze Sebastiaan een app. Ze weet heel goed dat ze haar teleurstelling over de reactie van Lucien verwerkt in het oproepen van een leuk antwoord van Sebastiaan. Daar zou ze toch eens mee moeten ophouden, mannen zijn geen chocolade waar je naar grijpt wanneer je depri bent. Ze moet er zelf om grinniken. Zou ze dat op Facebook durven zetten?

Ze maakt er toch maar iets anders van. Voor je het weet gaan mensen echt de verkeerde dingen denken. Aan de andere kant voelt ze zich ook gewoon heel veilig op haar Facebook. Haar plekje om even stoom af te blazen.

Mila van den Elzen

2 seconden geleden

'Chocolade. What else?'

Vind ik leuk · Reageren · Delen

Ze zoekt op google naar een paar mooie quotes om haar gevoel nog meer te kunnen uiten.

Mila van den Elzen

2 seconden geleden

'Sometimes the person who tries to keep everyone happy is the most lonely person'

Vind ik leuk · Reageren · Delen

Een bericht op haar Facebook is beter dan een bericht aan Chris. Haar mobieltje zoemt. Het is Sebastiaan die haar een appje stuurt.

'Gaat het wel goed? Je klinkt behoorlijk depri op Facebook.' (19:37)

Bijzonder dat hij haar zo goed in de gaten houdt. 'Ach, het gaat wel. Voelde me gewoon even een beetje alleen. En dan zet ik soms de gekste dingen op Facebook. Anders zou ik aan de chocolade gaan en dat heeft weer allerlei andere bijeffecten, zoals het moeten shoppen voor een grotere maat broek.' (19:40)

'Ha, jij doet toch niet aan de lijn, hè? Want die lijn van jou is prima. Maar vervelend dat jij je rot voelt. Vertel me er morgen maar over. Als je wilt.' (19:42)

'Is goed. En geen zorgen, hoor, de treinen in Frankrijk zijn zelfmoord-proof....' (19:43)

Goh, wat is ze weer grappig. Ze appt er nog iets achter aan. 'Ik heb echt zin in morgen! X' (19:44)

Ze krijgt een berichtje terug. 'Ik ook, meer dan goed is.' (19:45)

Mila zet de laatste borden nog even terug in de kast en loopt de kamer in.

'Mam, zullen we lekker een zak nootjes opentrekken en samen tv kijken. Er is een nieuwe vampierserie, zullen we die kijken?' Laurie snelt naar de tv en koppelt de laptop eraan vast. Via de laptop heeft ze blijkbaar die serie al gedownload.

'Vampierserie? Dat lijkt me helemaal niks.' Mila trekt een grimas. 'Bovendien hebben we geen knoflook in huis.'

'Mam, niet zo lollig proberen te zijn. Het is een vreselijk

mooie serie, over twee vampiers die vechten om een meisje. De ene vampier is echt vreselijk slecht, maar die andere is eigenlijk heel lief. Hij drinkt alleen dierenbloed. En dat meisje kan maar niet kiezen of ze een spannend leven met die slechterik wil, of lekker geborgen met de gevoelige en romantische vampier. En mam, ze zijn *zo* knap!'

Lucas is al op de bank gesprongen en zit er klaar voor. 'Dat gezwijmel is helemaal niks, maar die vampiers zijn wel super vet.'

'Vooruit, ik zal proberen om naar deze puberserie te kijken.' De kinderen reageren niet eens op haar provocatie. Zal ze Lucien erbij halen? Ze staat op en loopt naar de werkkamer. Ze doet de deur open en ziet dat Lucien verschrikt zijn laptop dichtknalt.

'Wat is er met jou aan de hand? Wat was je aan het doen op je laptop?' De woorden glijden zo via haar mond haar hoofd uit.

'Ik was net klaar met werken. En ik schrok gewoon van je. Het dichtklappen van mijn laptop was gewoon een reactie daarop.'

'Nou, mooi dat je klaar bent. Kom je nog even tv kijken? Er is blijkbaar een nieuwe serie met vampiers die we moeten zien, als ik de kinderen moet geloven. Maar goed, als je al schrikt van mij...' Hopelijk komt haar poging tot een grapje een beetje over. Een raar gevoel komt bij Mila naar boven. 'Was je soms naar blote dames aan het kijken ofzo? Dat mag je best zeggen, beter dan zo geheimzinnig doen, want dan zoek ik er echt van alles achter.'

'Ik was helemaal niks aan het doet. Jeetje, wat kun jij zeiken, zeg.'

'Lucien, ik zag gewoon dat je schrok en het leek echt alsof je wat te verbergen hebt. Daar mag ik dan toch naar vragen? Of is een vraag stellen meteen zeiken? Sorry, hoor, dat ik je gestoord heb. Zie maar of je nog mee komt kijken. De kinderen zouden het leuk vinden.'

Zou zij het eigenlijk wel leuk vinden? Moet ze hem proberen over te halen? Weer over haar gevoelens heen stappen en het voortouw nemen?

'Ga jij morgen nou nog eten met die Sebastiaan?'

'Ja. Maar als jij er echt zoveel problemen mee hebt, dan zeg ik het wel af. Ik heb geen zin in nog meer ruzie.' Meende ze dat nu echt?

'Nee, het is prima. Ik had alleen nog willen werken en als jij weg bent, dan moet ik voor het eten zorgen en dat soort dingen. Dus misschien kun je morgen voor je gaat nog iets klaarzetten?'

Was dat het? Ging het om het feit dat hij met de kinderen opgescheept zou zitten? Niks jaloezie of iets dergelijks, maar gewoon zijn werk? Mila gelooft haar oren niet. Moet ze aanbieden om de kinderen mee te nemen? 'Is goed, Lucien, ik zal wat klaar zetten. *Is goed, Lucien, ik zal wat klaar zetten.* Is ze niet goed snik? 'Lucien, niet om te zeiken. Maar waarom koester je die momenten die je morgen hebt niet? Je wilde je toch juist meer op je kinderen focussen? Waarom kruip je weer weg in je werk?'

'Het is gewoon even niet anders, Mila. Ik kom nu wel mee kijken naar die serie van jullie, oké?'

Mila loopt de werkkamer uit. *Het is gewoon even niet anders.* Dat zinnetje heeft ze vaker gehoord. Chris zei dat ook altijd wanneer ze vroeg waarom hij zo weinig van zich liet horen. Maar ja, ondertussen had hij dus al die tijd een ander.

'Mam, kom. Het gaat spannend worden.' Lucas helpt Mila uit haar bitterheid.

Lucien komt erbij zitten. 'Hoeveel doden zijn er al gevallen?' Hij maakt een bijtbeweging naar Laurie, die giechelend haar nek verbergt.

'Getverderrie, wat goor. Moet hij dat meisje nu echt bijten? Wat een naar geluid!' Mila kijkt weg van het scherm.

'Maar wacht, mam, het is zo voorbij. Die andere komt zo. Die is echt romantisch.'

'Hmm, dat is inderdaad een lekker ding.' Mila grinnikt om het gezicht dat Lucas trekt bij haar uitspraak.

'Wat een meidenserie.'

Mila knikt naar Laurie. 'Erg mooi. Ik ben benieuwd hoe het afloopt. Wie zal ze kiezen? Ze wordt dadelijk toch niet gebeten, hè?'

'Dat zeg ik niet, mam. Je moet gewoon meekijken. We zijn pas bij het begin van de serie, hoor.'

De mannen zijn inmiddels opgestaan om boven een serie op tv te kijken. Mila kijkt met Laurie deze aflevering af en zegt tegen haar de volgende ook maar op te zetten. Ze is benieuwd hoe het afloopt en of alles is zoals het lijkt. Ze is ook benieuwd naar Sebastiaan morgen. Is hij de slechte of de lieve vampier? Misschien moet ze deze serie maar gaan volgen en er wat van opsteken, al is het maar om te weten hoe je een vampier verslaat.

Na nog twee afleveringen houden ze het voor gezien. Mila doet de lampen uit en loopt naar boven. Hopelijk slaapt Lucien nog niet, want ze moeten nog even met elkaar praten. Veel zin in heeft ze er niet in.

Hij ligt al in bed en ze weet dat het geen goed idee is om hem wakker te maken voor haar 'gesprekje'. Ze kruipt naast hem in bed. De vampierserie spookt nog even door haar hoofd. Ze houdt helemaal niet van dit soort series, maar de romantische laag eronder was erg mooi. Ze schrikt van Lucien die haar opeens in haar nek bijt. Ze geeft hem een stomp in zijn zij. 'Flauw hoor.'

Lucien lacht. 'Heb je werkelijk al die tijd die serie zitten kijken? Pubers. Het is dat ik geen Facebook heb, maar anders was dit een geweldige post geweest.'

Mila moet ook lachen. 'Ach, laat me toch. Ik ben te oud om op stap te gaan, dus dan maar zoiets. En eigenlijk was het goed. Op die bijtscènes na.'

'Wat vindt Alina er trouwens van, dat je morgen op stap gaat met die Sebastiaan? Dat hebben jullie vast besproken.'

Mila kijkt Lucien verbaasd aan. 'Nou, daar hebben we het nog niet over gehad. Maak jij je daar echt zo druk om?'

'Ja, eigenlijk wel. Ik weet hoe mannen denken. Eigenlijk denken ze niet eens meer als ze in de buurt van een mooie vrouw zijn. Voor de rest moet je zelf weten wat je doet, zolang je maar weet wat de consequenties zijn. Jij ziet het leven soms als een spelletje, maar dat is niet zo.'

'Oh, bespring jij dan ook elke mooie vrouw die je tegenkomt? Of waar ben jij dan op uit? Ik ben niet degene die mijn laptop dichtklapt als jij binnenkomt. Wat was je nu eigenlijk aan het doen? En nog eens wat anders, ja, ik hou van de aandacht die ik krijg. Ben daar ook echt aan toe. Ik weet dat jij je best doet de laatste tijd, maar het kan echt wel beter dan dit!'

'Het is laat. Laten we maar gaan slapen. Lijkt me beter.' Lucien draait zich om.

Mila maakt een snuivend geluid en draait zich ook om. Hier heeft ze dus echt een hekel aan. Lucien zal er geen minuut om wakker liggen, maar zij wel. 'Laten we maar gaan slapen,' sist ze tussen haar tanden. Woest draait ze zich terug en stoot Lucien aan.

Lucien zucht. 'Ja, wat is er?'

'Waarom maken we onze gesprekken nooit af. Of ik loop weg, of jij. Nu zijn we eindelijk weer aan het praten, dan moeten we het ook doorzetten. Vertel wat je dwars zit, gooi het eruit. Dat hebben we beiden te lang niet gedaan. Weet je hoe vaak ik je al in mijn hoofd heb uitgescholden? En dat slaat nergens op. Ik moet het tegen jou zeggen, zodat jij er iets mee kan. Maar omgekeerd ook. Ik heb al maanden het idee dat ik jou overal mee irriteer. Soms denk ik dat mijn ademhaling al irritant voor je is.'

'Je maakt van een mug een olifant. Wat zeg ik? Je maakt er een heel circus van. Mila, ik ben moe. Laten we gaan slapen.' Lucien gaat op zijn andere zij liggen en buigt zich naar Mila toe om haar een kus te geven.

Mila ontwijkt zijn poging. 'Weet je, jij bent altijd moe. Net alsof ik niet moe ben. Ik probeer de dag ook door te komen. Te overleven. Elke dag opnieuw. Maar het vooruitzicht om voor jou een zeur te zijn, de rest van ons leven, nou, daar springen de tranen van in mijn ogen.'

'Misschien moeten we dit soort gesprekken ook niet op een tijdstip zoals dit voeren. Dan lijkt alles zwaarder dan overdag. Nu lijkt het alsof jij overal een enorm drama van maakt. Morgen een stukje wandelen samen en dan opnieuw dit gesprek voeren?'

Mila knikt. Ze probeert haar tranen te bedwingen. Misschien heeft hij gewoon gelijk. Ze wrijft over zijn hand. 'Welterusten.'

De volgende morgen krijgt Mila bijna de slappe lach als ze terugdenkt aan haar droom van die nacht. Lucien is ook wakker aan het worden.

'Weet je wat ik gedroomd heb?'

'Nou, geen idee, maar aan je gezicht te zien, was het erg grappig. Goedemorgen, trouwens.'

'Dat gesprek van ons vannacht, dat heb ik nauwkeurig verwerkt. Ik liep op een koord in het circus en was daar met een enorme vliegenmepper op muggenjacht. Ik had enorme schoenen aan en jij zat in het publiek. Jij riep nog tegen me dat ik niet moest vallen.'

'Hoe krijg je het weer voor elkaar? Misschien moet je die dromen eens gaan opschrijven. Valt goud geld mee te verdienen. Aan de andere kant, misschien pakken ze je wel op. Rijp voor het gesticht.' De bulderende lach van Lucien vult de kamer.

'Je bent zoveel leuker als je lacht. Ik zal vannacht nog eens wat bij elkaar dromen. Verzoekjes?'

'Droom maar dat we op een onbewoond eiland zitten samen. Dat lijkt me wel wat.'

Mila kijkt Lucien aan. Wat is dat toch met die man? Er is geen lijn te ontdekken in zijn gedrag en de dingen die hij zegt. Van lompe boer tot een galante man waarmee ze best op een eiland wil zitten. Is dat wat het huwelijk na zoveel jaren met je doet? Dat je elkaar steeds opnieuw moet terugvinden? Ze stapt uit bed. 'Ik ga Lobke even uitlaten en daarna aan het ontbijt beginnen. Je eitje drie minuten en twaalf seconden?'

Ze neemt een snelle douche, bindt haar haren in een staartje en trekt een joggingpak aan. Straks tut ze zich wel op voor haar etentje met Sebastiaan. Opeens lijkt die afspraak helemaal niet handig. Zal ze hem afzeggen?

Ze zet haar telefoon aan en loopt met Lobke naar buiten. Ze ziet dat er een aantal berichtjes van Sebastiaan zijn binnengekomen. Misschien zegt híj wel af, dat kan natuurlijk ook.

'Ha Mila. Ik zie je niet online, je ligt vast al te slapen. Even over morgen. Ik wil me niet opdringen, hè?' (01:22)

En dan volgt er nog een berichtje: 'Aan de andere kant, ik wil je echt graag zien. Voor mijn part neem jij je hele familie mee.' (01:23)

'Volgens mij heb ik die laatste zin een beetje gelogen.' (01:23)

Mila glimlacht. Ze typt een berichtje terug. 'Jij was nog laat wakker, je ligt vast nog te slapen. ☺' (7:30)

'En ik zou liegen als ik niet met onze afspraak in mijn maag zat. Nogal wat woorden over gehad thuis. Vriendschap tussen man en vrouw is niet eenvoudig, hè? Oh sorry, ik stel vast te moeilijke vragen op jouw lege maag.' (7:32)

'Maar om deze monoloog af te maken. Ik zie je straks om vier uur. Ik maak het niet te laat, want dan kom ik vast niet meer binnen. X.' (7:33)

Ze loopt een half uurtje met Lobke en gaat dan weer naar binnen. Ze legt een paar eieren in het water en zet de oven aan. Een paar warme stokbroodjes zijn altijd lekker. Ze is wel wat aan de vroege kant met het ontbijt, de kinderen komen er vast nog niet uit. Ze giet de eieren af en legt een paar broodjes op een bordje. Ze schenkt twee mokken vol met koffie en zet alles op een dienblad. Ze zal Lucien eens een ontbijt op bed brengen.

Lucien zit in zijn bed de krant te lezen. Hij maakt plaats in bed zodat Mila erbij kan met haar dienblad. 'Nou, dat is pure verwennerij.'

'Ja, en je bent niet eens jarig!'

Samen drinken ze koffie en eten een broodje. Lucien prijst het eitje dat Mila heeft gekookt. 'Precies goed.'

'Lucien, ik heb net nog een berichtje gestuurd naar Sebastiaan. Hij had gisteravond nog een appje gestuurd met de vraag of onze afspraak doorging. Hij snapt het ook als jij er problemen mee zou hebben. Ik heb gezegd dat ik om vier uur klaar sta, maar het niet te laat maak, oké? Ik moet vanavond natuurlijk nog mijn vampierserie kijken. Nee, dat niet natuurlijk, maar ik denk dat jij het fijn vindt wanneer ik op tijd terug ben.'

'Sorry, voor gisteravond. Jij zeurt niet. Ik heb nog nagedacht over die droom van je. Het was maar een opmerking van me, oké? Laat het maar los verder. Als ik jou vergelijk met de vrouwen van sommige collega's van me, dan heb ik het goed getroffen.'

Ze grinnikt. 'Wat een opmerking weer. Ik heb een tijd terug nog even geappt met Janine, de vrouw van je collega Joop. Zij ziet haar man helemaal niet meer omdat hij steeds aan het overwerken is. Ze heeft getwijfeld of er soms een ander in het spel was, maar het enige waar ze hem op heeft kunnen betrappen waren de nachten achter zijn laptop. En hij zat daadwerkelijk te werken en keek geen naakte vrouwen.'

'Ik denk dat er een reden is dat sommige mannen overwerken. Janine is zo'n reden.'

Mila kijkt hem verwonderd aan. 'Nou, daar ben jij ook heel stellig in. Janine heeft vast een heel ander verhaal. Volgens mij is ze erg eenzaam.'

'Ja, vast. Maar ze wist waar ze aan begon toen ze met Joop in zee ging. Zijn baan is zwaar, maar ze krijgt daar ook veel luxe voor terug. Dan moet ze ook niet zeuren als hij niet altijd op tijd thuis is.'

'Waarom noem jij dat steeds zeuren? Ze mag toch gewoon aangeven wat ze voelt of denkt?'

'Ja, dat mag ze. Maar Joop kan niks aan de situatie veranderen. En met zoveel werkdruk helpt stress vanuit thuis ook niet echt. Wil Joop nog carrière maken, dan is dit zijn kans. Ik vind dat Janine hem daar wel meer in mag ondersteunen.'

'En daarin verschillen wij zo ongelofelijk van mening. Ik denk dat Joop nog een kans heeft om iets van zijn huwelijk te maken. Je gezin zou toch boven alles moeten gaan?'

'Mila, misschien is deze discussie op dit moment niet zo

handig. Ja, mijn gezin is belangrijk, maar mijn werk ook. En ik sta nu geweldig onder druk, dat weet je. Maar jij bent geen Janine. Zo zal ik jou ook nooit gaan zien. Ik ben zo'n man die graag naar huis komt. Maar dan vooral omdat je zo lekker kookt…'

Mila knijpt hem in zijn zij. 'Bah, soms klink jij echt als een man uit de prehistorie. Joop is er volgens mij net zo een die zijn vrouw het liefste aan de ketting legt in de keuken.'

'Ja, en die ketting kan niet kort genoeg zijn!' Luciens lach galmt door het huis.

'Je diepzinnigheid is weer ver te zoeken. Ooit vond ik je romantisch en diepgaand, maar blijkbaar heeft liefde blind gemaakt.' Mila geeft Lucien een zoete glimlach.

'Wat valt er te lachen?' Lucas komt met een slaperige blik en een kapsel dat alle kanten opstaat de slaapkamer binnen.

'Papa had het erover dat vrouwen aan de ketting moeten en in de keuken thuis horen. Maar jij denkt daar anders over, hè schattie?' Ze aait Lucas over zijn bol.

'Ja, ik vind dat moeders helemaal niet in de keuken hoeven te staan.' Lucas kijkt Mila met een triomfantelijke blik aan.

Mila weet dat er nu een grapje aan zit te komen en geeft Lucas alle ruimte om zijn inkoppertje te maken.

'Moeders moeten gewoon geld geven voor de friettent of pizzeria.'

Lucien steekt zijn duim omhoog naar Lucas. Mila vindt het heerlijk om te zien dat de aandacht van Lucien goed valt bij Lucas. 'Vooruit dan. Ik geef je straks geld. Mag je vanavond je vader mee uit eten nemen.' Zo, probleem van het avondeten meteen opgelost.

Lucien heeft bedacht dat het leuk is om met de kinderen naar een van de nieuwste films te gaan. Na de lunch vertrekt hij daarom met hen naar Nice. Mila bijt op haar lip. Daar gaat haar gezin. Misschien had ze Sebastiaan toch af moeten zeggen?

Ze loopt de badkamer in en haalt haar make-up spulletjes tevoorschijn. Niet aanstellen. Je gaat uit eten met een leuke man. Doe iets leuks aan en geniet! De laatste keer dat zij zich zo opgetut had, was op de dag van haar ontmoeting met Sebastiaan. Op de dag dat ze Chris de badkamerfoto had gestuurd. Ze knijpt haar ogen dicht. Ze had zich gedragen als een puber. En toch was dat gevoel heel echt geweest. Chris. Het doet haar nog steeds pijn, maar het heeft ook rust gebracht. Niet meer wachten op zijn berichtjes, niet meer afvragen of ze er nog toe doet in zijn leven. Dat doet ze dus niet. De pijn zit hem vooral in het feit dat de mooie herinneringen aan die zoen van twintig jaar geleden nu ook verdwenen zijn. De magie is weg. Vetrokken bij het ontvangen van zijn sms. Ze was niet op zoek geweest naar een avontuurtje. Ze was op zoek gegaan naar een maatje. Mila schudt haar haren naar achteren. Genoeg, geChrist, nu. Streep eronder.

Haar mobieltje zoemt. Het is een bericht van Lucien: 'We zitten buiten op het terras. De film begint nog niet. Zorg jij ervoor dat je niet te mooi bent straks?'

Ze tikt een bericht terug. 'Veel plezier bij de film. Denk aan jullie.' Ze weet niet of ze blij moet zijn met de plotselinge jaloezie aanvallen van Lucien. Tijdenlang heeft het hem niet uitgemaakt wat ze deed of dacht en nu is hij opeens erg geïnteresseerd in alles wat ze deed. Nog even en dan gaat hij mee kijken naar die Vampierserie.

Mila loopt naar haar slaapkamer en tuurt in haar kledingkast. Ze stuurt een appje naar Alina: 'Wat trek ik in godsnaam aan voor mijn date met Sebastiaan?' (14:44)

'Die ene jurk, die we samen gekocht hebben in Nice. Wit met die bloemen erop. Erg romantisch.' (14:45)

'Nou, die trek ik dan dus maar niet aan. Lucien schreef me net dat ik er niet te mooi uit mag zien.' (14:46)

'Lekker wel doen dus, hè! Joh, maak je niet druk, jij ziet er in een aardappelen zak nog mooi uit. Laat je me weten hoe het was?'(14:48)

'Zucht, nou, aan jou heb ik wat. ☺ Maar ik denk dat ik inderdaad voor die jurk ga, zal er een bolerootje op dragen, zodat het niet te bloot is.' (14:49)

'Have fun!' (14:50)

Mila trekt de jurk uit de kast en trekt hem langzaam over haar hoofd. Hij zit als gegoten. Het bolerootje pakt ze van de plank en trekt het over haar schouders. Gelukkig hebben haar benen een lekker kleurtje gekregen van het werken in de tuin, dat was in Nederland wel anders. Melkflessen, noemde Lucien haar benen altijd. Verdorie, waarom poppen er altijd mannen op in mijn hoofd op momenten dat het net even niet uitkomt. Misschien toch mijn schuldgevoel.

Haar mobieltje zoemt. Ze moet even zoeken en grist hem dan onder een handdoek vandaan.

'Ben je er klaar voor? Je kunt nu nog terug. Ik sta over vijf minuten bij je op de stoep.' (15:45)

Oh, is het al zo laat? Mila stapt in haar schoenen en rent nog even naar de wc. Ze merkt dat haar mond droog geworden is en voor de zekerheid spuit ze nog wat deodorant onder haar oksels. Ze is notabene zenuwachtig voor deze afspraak. Wat haal ik me allemaal in mijn hoofd. Dit is gewoon een vriend. En we gaan afscheid nemen van elkaar. Niet meer en niet minder. Ze tikt een berichtje terug: 'Ik sta over één minuut buiten, zie ik je dan. Maar ik ga eerst nog even zes keer naar de wc, ben namelijk stikzenuwachtig.' (15:50)

Ze krijgt een lachende smiley terug. 'Watje! Ik eet je niet op.' (15:51)

Mila kijkt nog een keer in de spiegel en loopt dan naar beneden. Haar maag protesteert een beetje. Ze pakt haar handtas en loopt naar buiten. Sebastiaan komt net aangereden. Ze zwaait.

Sebastiaan springt uit de auto en loopt naar haar toe. 'Je ziet er mooi uit. En fijn je weer te zien.' Hij drukt een kus op haar wang.

Hun ogen vinden elkaar en alle zenuwen vloeien uit haar lijf. Het is Sebastiaan, ze kent hem toch!
Sebastiaan opent het portier van zijn auto en ze stapt in. Hij start de auto en de eerste kilometer leggen ze zwijgend af.

'Waar gaan we heen?' vraagt Mila benieuwd.

'Naar Nice, ik heb gereserveerd in mijn lievelingsrestaurant. Een plek met een mooi uitzicht op de haven. Met een beetje geluk speelt er een pianist.'

Mila fronst haar wenkbrauwen. Ze denkt aan de sms die ze van Chris kreeg, toen ze met Laurie in een restaurant zat.

Sebastiaan kijkt Mila onderzoekend aan. 'Is er iets?'

'Nee, ik moest terugdenken aan de vorige keer dat ik in Nice in een restaurant zat. Tijd om vandaag nieuwe herinneringen te maken.'

Ze ziet dat Sebastiaan probeert haar opmerking te plaatsen. Ze zucht diep. 'Het is een lang verhaal.'

'Nou, we hebben nog even voordat we er zijn. Ik luister. Als jij wilt natuurlijk. We kunnen het ook over de stukgevallen theepot hebben.' Sebastiaan lacht uitnodigend. Kort raakt hij haar been aan met zijn hand. Het voelt vertrouwd.

'Ik zal het je vertellen, ik hoop alleen dat je daarna nog met me aan tafel wilt.'

'Hmm, ik kan geen reden bedenken waarom ik niet met je aan tafel zou willen of je moet wel iets heel ergs op je kerfstok hebben, maar dat kan ik me niet voorstellen. Dus kom maar op.'

Mila kijkt Sebastiaan dankbaar aan. Ze voelt zich veilig genoeg om haar verhaal te vertellen en misschien lucht het inderdaad op. 'Het is gewoon een beetje gênant. Tussen Lucien en mij is het een hele tijd erg slecht gegaan. De verhuizing naar Frankrijk was in mijn ogen een manier om ons huwelijk nieuw leven in te blazen. Zo heeft hij het ook gebracht, als een kans voor onze familie. Als leven als een God in Frankrijk. Nou, ik kan je vertellen dat ik me doodongelukkig heb gevoeld, vooral in het begin. Mijn ritme en dagelijkse routines waren ineens zo anders dan tijdens mijn werk als advocate. Ongelooflijk hoeveel taarten en ovenschotels ik gebakken heb. Ik voelde me echt een eenzame huisvrouw. Niet omdat ik in Frankrijk zat, maar omdat mijn man steeds verder van mij af kwam te staan. Alsof ik onzichtbaar voor hem was geworden en wanneer ik wel zichtbaar werd kwam dat door irritatie. Weet je, ik kreeg af en toe gewoon geen lucht meer in de weekenden dat hij thuis was. Ik liep op eieren, alsof ik in het leven geroepen was om hem te behagen. Mijn eigen fout. Ik heb me ook zo opgesteld. Ik heb mijn ruimte en mijn eigen ik laten afpakken, mijn energie laten wegnemen. Ik had mijn mond open moeten trekken. Ik had moeten stoppen met die stomme taarten.'

Sebastiaan heeft zijn ogen strak op de weg gericht, maar aan zijn houding kan ze zien dat hij elk woord in zich opneemt.

'Maar Lucien is geen vervelend man. Echt niet. Hij was alleen zo met zichzelf bezig. En ik kon hem niet meer dicht bij me krijgen. Alsof ik naar hem riep door een hele lange tunnel en het geluid niet verder kwam dan mijn helft van die tunnel. Misschien had ik harder moeten roepen.'

Sebastiaan geeft Mila een kneepje in haar hand.

Ze pakt zijn hand vast alsof ze steun nodig heeft om verder te praten. Zijn duim wrijft zacht over de bovenkant van haar hand. Ze staart hem aan en glimlacht. 'Zo raak ik mijn tekst kwijt.'

Hij wil zijn hand terugtrekken, maar ze houdt hem tegen. 'Nee, het voelt fijn. Het geeft wat steun. In die periode begon ik ook aan mijn olijfboomgaard. Lucien vond het maar niks. En hoe meer hij het niks vond, hoe harder ik stond te spitten.' En dan doet ze het hele verhaal rond Chris uit de doeken. Vanaf het vriendschapsverzoek op Facebook tot aan de sms toe. 'Die sms kreeg ik vlak voordat ik het restaurant in ging.'

Sebastiaan knikt.

Mila heeft nog steeds zijn hand vast en hoopt dat de autorit nog een tijdje duurt. 'Dus, dat is mijn verhaal. Suffe huisvrouw zoekt warmte via haar Facebook account. Hoe sneu is dat?'

Sebastiaan opent zijn mond, zoekend naar woorden. 'Ik zou je het liefste nu in mijn armen nemen.'

'Om me te troosten?'

'Nee.'

Mila laat zijn hand los en wrijft door haar haren. Ze weet heel goed wat hij bedoelt.

'Ik heb je al eerder gezegd dat je iets doet met mensen, met mannen. Misschien is de eerste impuls om je te troosten en dat zou ook de meest zuivere impuls zijn. Je dringt echter zo ver door bij mij, dat ik het moeilijk vind om je op afstand te houden. Ik vraag me af of er een soort schild te koop is om me te beschermen. Bij de Gamma of zo.'

Mila begint te lachen. 'Wat een onzin. En mocht je theorie kloppen, dan kun je aan Lucien vragen waar hij dat schild gekocht heeft.'

'Lach jij maar. Het is maar goed dat we samen in de auto zitten en ik tenminste één hand aan het stuur moet houden.'

Even bloost ze.

'Maar je weet dat het bij mij thuis ook niet allemaal koek en ei is. Jarenlang is Linda voor mij nummer één geweest. Ik heb niet op of omgekeken naar andere vrouwen. Heb heel veel van mezelf gegeven en ook veel teruggekregen. Maar opeens was het weg. Wat dat betreft heb ik misschien wel een vrouwelijke kant in me, maar ik moet zeggen dat ik hunker naar een spontane knuffel af en toe. Samen op de bank. Laat staan een spontane vrijpartij, maar daarvan weet ik dat het niet meer zal gebeuren. Dus ik snap je wel. Ik snap je uitstapje naar die Facebook-man. Hem snap ik trouwens helemaal niet en ik vind het ook echt rot voor je. Misschien moet ik ook eens een oude liefde op Facebook opzoeken. Probleem is alleen dat Linda mijn eerste liefde is.' Sebastiaan rijdt een parkeerplaats op. Ongemerkt zijn ze al in Nice aangekomen. 'We zijn er.' Zijn stem klinkt teleurgesteld.

Mila knikt. 'We zijn er. Jammer...'

Sebastiaan draait zich naar haar toe. 'Weet je, het is jaren geleden dat iemand mijn hand vast heeft gepakt. Het is alsof ik jouw hand nu nog op de mijne voel. Cliché, hè? Maar wel waar.'

Mila schenkt hem haar mooiste glimlach. 'Het was fijn om met je te praten. Het voelde veilig. Alsof ik in een duinpan lag, beschut tegen de wind en gestreeld door de zon met de perfecte temperatuur. Dat is pas cliché, toch?'

'Nou, ook dat heeft nog nooit iemand tegen me gezegd. En bij dat veilig voelen heb ik wel wat vraagtekens.' Hij geeft haar een knipoog. 'Kom we breken onze duinpan op en gaan de wijde wereld in!'

Uitgelaten stapt Mila de auto uit, Sebastiaan pakt haar hand bij het uitstappen. 'Een echte heer, maar nu stoppen met dat galante gedrag. Dat ben ik niet meer gewend.'

Samen lopen ze richting de haven. Even houdt Mila haar pas in. Ze lopen nu recht op de oversteekplaats af, waarop ze de bewuste sms kreeg. Ze knikt met haar hoofd richting de straat. 'Daar kreeg ik die sms waarover ik vertelde.'

'Misschien moet je dat boek gewoon sluiten. Heb jij zijn nummer nog? Zou het helpen om daar te gaan staan en een sms te sturen? Afscheid te nemen?'

'Ja, dat is een goed idee. Wacht je op me?' Mila rent naar het zebrapad. Ze gaat er staan en typt een sms in. Ze drukt op versturen. Met een opgelucht gezicht loopt ze terug naar Sebastiaan. 'Klaar ermee.'

'Ik ben benieuwd wat je getypt hebt, maar misschien moet je dat ook maar niet vertellen. Dat was jouw afsluitingsmoment.'

Mila glimlacht. 'Waar is dat restaurant? Ik ben toe aan een wijntje.'

Sebastiaan steekt een arm naar Mila uit. 'Komt u maar mee, Mademoiselle, ik voer u mee naar een plek waar al uw zintuigen bediend zullen worden. En trouwens, drink zoveel wijntjes als je wilt. Desnoods draag ik je over mijn schouder naar de auto. Je mag zelfs over me heen kotsen.'

'Nou, wat een genereus aanbod. Bied jij dat al jouw vrouwen aan?'

'Al mijn vrouwen? Daar maak je toch een behoorlijke overschatting van mijn doen en laten. En nee, jij bent de eerste die ik dit aanbied.'

Via een kronkelstraatje komen ze uit bij een klein restaurantje. 'Hier is het. Het geheim van Nice.'

'Nou, inderdaad, ik zou er zo aan voorbij gelopen zijn. Het ziet er knus uit.'

Sebastiaan houdt de deur voor haar open en Mila loopt naar binnen. De ober snelt toe en op aanwijzingen van Sebastiaan krijgen ze een rustig plekje bij het raam. De ober schenkt twee glazen wijn in en geeft de menukaart aan Sebastiaan.

Mila haalt haar wenkbrauwen op.

'Sta me toe een keuze voor je te maken.'

Mila knikt. Ze vindt het prima. Even onderdrukt ze een opkomende lachbui. Haar mondhoeken krullen.

'Daar heb ik op gewacht. Die geheimzinnige lach op je lippen. Heerlijk.' Sebastiaan heft zijn glas en proost. 'Op het leven. Op toevallige ontmoetingen.'

Terwijl Sebastiaan de kaart bestudeert, zakt Mila iets achterover in haar stoel. Ze zit hier in de perfecte setting, met de perfecte gastheer. Hij kent Nice op zijn duimpje. Hij heeft humor, hij heeft stijl, hij is gevoelig. En hij is hier met haar! Even voelt ze zich zoals Bridget Jones zich gevoeld moet hebben in de film. Of als Alice in Wonderland. Of nog beter zoals een van die jongedames uit een kasteelroman.

Sebastiaan merkt haar dromerige blik op. 'Vertel.'

'Ach. Jij. Dit hier. Het lijkt wel alsof ik meespeel in een film. Voel me inderdaad een beetje de grijze muis die door een man van de wereld meegenomen wordt naar het mooiste restaurant. Ik geniet gewoon.'

'Grijze muis, jij?' Sebastiaan lacht.

'In vergelijking met jou, ja.'

'Weer overschat je mij en onderschat je vooral jezelf.'

'Nou, dank je. Weet je, als ik hier zo met jou zit, dan lijk jij weggelopen uit een kasteelroman. De knappe chirurg die de harten van alle verpleegsters steelt en het leven verandert van een jonge weduwe of zo.'

Sebastiaans lach vult het restaurant. 'Die fantasie van jou is grenzeloos. Hier, neem nog een slokje. Als dit de zinnen zijn die je eruit gooit na één slokje, ben ik benieuwd wat eruit komt als je een glas hebt leeggedronken. Komt mijn aanbod toch nog goed uit, om je over mijn schouder te dragen.'

'Nou, je kan het krijgen, zoals je het hebben wilt.' Mila neemt een flinke slok van haar wijn.

De ober komt vragen of ze zin hebben in een aperitiefje van het huis.

Sebastiaan knikt. Hij kent de kaart blijkbaar goed, want hij vraagt er voor Mila en zichzelf ook nog een speciale garnalen-cocktail bij. Vervolgens geeft hij de rest van het menu door.

Als de cocktail komt en Mila een klein hapje neemt, kan ze alleen maar toegeven dat het een ware smaaksensatie is.

'Wacht maar tot je het hoofdgerecht proeft. Ik weet zeker dat het je gaat bevallen.'

'Makkelijk, zo'n man die weet wat lekker is. Kom je hier va-ker met Linda?'

Sebastiaan schudt langzaam zijn hoofd. 'Ik zou het wel wil-len. Een plekje waar ik samen met haar kan genieten van het leven. Maar dit is niet aan haar besteed.'

Mila wil hierop doorvragen, maar is afgeleid door de ober die wat in Sebastiaans oor fluistert.

Sebastiaan trekt een verbaasd gezicht en vraagt of de ober zijn vraag wil herhalen. De ober probeert opnieuw zijn bood-schap over te brengen. Sebastiaan schudt zijn hoofd. 'Nee, die heb ik niet besteld.'

Mila vraagt wat er aan de hand is. Ze heeft niet kunnen ver-staan waar het gesprek over ging.

Sebastiaan lacht. 'Hij kwam vragen of hij de bloemen nu moest brengen.'

'Bloemen?'

'Ja, hij dacht dat ik bloemen voor je had besteld. Maar blijk-baar is het die meneer daar achterin die zijn vrouw wil verras-sen. Is natuurlijk een minpunt voor me, dat ik daar niet aan gedacht heb. Maar ja, ik mocht ook niet meer galant zijn, dan zou dit helemaal over de top zijn, of niet?'

Mila onderdrukt weer een lachbui. 'Ja, dan was ik van mijn stoel gevallen, denk ik.' Ze merkt dat de wijn naar haar hoofd stijgt. Ze voelt zich uitgelaten vrolijk en vooral bijzonder.

De hoofdgerechten worden opgediend. De borden zijn per-fect opgemaakt.

'Je had gelijk, Sebastiaan, dit is echt een streling van al mijn zintuigen.' Ze neemt voorzichtig een hap, ze wil de compositie op haar bord niet meteen uit elkaar halen. Het kaarslicht zorgt voor een zachte flikkering. Ze knijpt haar ogen tot spleetjes en ziet hoe het kaarsje het gezicht van Sebastiaan even doet oplichten.

Sebastiaan pakt haar hand vast. 'Je bent echt aan het genieten, hè?'

Mila knikt. Zijn vraag is zo oprecht, zo warm. Ze kan voelen dat hij ervan geniet dat het haar goed doet om hier te zijn.

'Dit verdien je toch gewoon.'

Ze voelt zich opeens overspoelt door emoties. Hier zit ze dan in een top restaurant, met een man die bijna te mooi is om waar te zijn. Met een echtgenoot die nu waarschijnlijk weer thuis is met de kinderen na een bezoek aan de bioscoop. Een huwelijk aan een zijden draadje. Een affaire, als je dat al zo had kunnen noemen, op de klippen gelopen. En het enige wat ze nu voelt is een enorme verbondenheid met die man hier tegenover haar. Een traan ontsnapt vanuit haar ooghoek, ze hoopt dat Sebastiaan die niet opmerkt. Dat doet hij wel. Voorzichtig buigt hij over de tafel en wrijft haar traan weg.

'Wat is dit tussen ons, Sebastiaan, weet jij dat?' Mila's stem is slechts een fluistering.

Sebastiaan sluit zijn ogen en denkt na. 'Twee zielen die elkaar in hun eenzaamheid gevonden hebben? Ik weet het niet. Ik kan alleen zeggen dat het goed voelt om bij je te zijn. Te goed.'

In alle stilte eten ze hun bord leeg. Ze hebben beiden geen zin in een toetje, maar sluiten af met koffie. Het is Mila die het gesprek weer begint. 'Ga je echt terug naar Nederland?' Opeens is ze bang voor zijn antwoord.

'Ja, we gaan terug. Ik heb vorige week een gesprek met Linda gehad. Geen idee of de inhoud ervan tot haar is doorgedrongen. Weet je, ik weet niet hoe lang ik het nog volhoud, mijn huwelijk. Dat weet zij ook. Toen we begonnen aan ons leven samen waren we net een hele dikke knot wol. Die bol is aan het rafelen gegaan en voor mij is er nog maar één klein en kort draadje over. Ik heb haar gevraagd om diep in zichzelf te zoeken of er nog een plek voor mij is in haar leven...'

'Wat heftig. Wat heeft ze daarop gezegd?'

'Niet zoveel eigenlijk. Ze hoopt dat de terugkeer naar Nederland haar rust zal brengen. Ze wil graag haar rol als tante vervullen voor het kindje van haar zus. En ik gun dat haar zo. Echt. Ze is een geboren moeder, maar onze onvervulde kinderwens heeft van haar een andere vrouw gemaakt. Een vrouw op afstand, ze leeft in een droomwereld. En dat is tot daar aan toe, maar ik kom er gewoon niet meer in voor. Misschien is het voor de meeste mannen genoeg wanneer ze een leuke baan en een dikke auto hebben en dat het eten op tijd klaar staat, maar dat is het voor mij niet. Dat is niet zoals ik het mezelf had voorgesteld.'

Mila knikt begrijpend. Toch heeft ze medelijden met Linda. 'En jij? Zie jij haar nog staan? Je zit nu hier met mij. En Sebastiaan, geloof me, het helpt niet om de warmte bij een ander te zoeken. Ik heb mijn lesje geleerd.'

Sebastiaan schudt zijn hoofd. 'Ik gebruik jou niet als opvulling voor de leegte. Daar ben ik niet op uit en zo zit ik ook niet in elkaar. Jij kwam op mijn pad. En misschien moet ik blij zijn dat we terug naar Nederland gaan, want op die manier houdt de afstand me van jou vandaan. Voordat mijn gevoelens helemaal in de knoop raken.'

'Misschien maar goed, ja.'

'Mila?'

'Ja?'

'Ik ben niet zoals die Facebookvriend van je.'

'Dat weet ik. Dit is anders. Ik zal je echt gaan missen, weet je dat?'

Ze kijken elkaar diep in de ogen.

'Wil je nog weten wat ik vanmiddag in de sms heb gezet aan die Facebookvriend?' vraagt Mila met een ondeugende glimlach.

'Ja, kom maar op!'

'Ik heb geschreven dat ik voortaan aan de zondag denk en de dinsdag met hem maar oversla. Ach, het slaat nergens op. Maar het voelde op dat moment wel lekker.'

Haha. Nou, mooi. Ik zal deze zondag ook niet snel vergeten.

Sebastiaan wenkt de ober en vraagt om de rekening. Mila rommelt in haar tas om haar bijdrage aan het etentje te betalen. Sebastiaan houdt haar tegen.

'Nee. Ik betaal. Ik sta erop.'

Ze weet dat ze hem hier niet in tegen hoeft te spreken. 'Dank je wel. Het was een heerlijke avond. Bijzonder.'

Samen lopen ze naar buiten. 'Dan zal ik je nu maar naar huis brengen. Met tegenzin, hoor.'

Hij geeft Mila weer zijn arm, die ze dankbaar vastpakt. De wijn is haar toch een beetje naar het hoofd gestegen. De frisse lucht doet haar goed. 'Linda boft maar met je.'

Mila merkt dat ze beiden een langzamere pas hebben aangenomen, de parkeerplek komt in zicht. Ook zij heeft geen zin om deze avond te laten eindigen.

'Daar gaan we dan. Terug naar huis.'

Ze stappen in de auto en rijden weg. Sebastiaan pakt Mila's hand en wrijft erover. Mila's vingers spelen met de zijne.

De rit naar huis gaat te snel. Bij de volgende afrit bereiken ze hun dorp weer.

Mila omklemt de hand van Sebastiaan. Ze verzet zich tegen haar tranen. In haar hoofd schreeuwt ze naar Sebastiaan om door te rijden, de afslag te missen. Door te rijden tot maakt niet uit waar. Haar vast te houden en te doen waar ze zo tegen aan het vechten zijn.

'Je bent er bijna.'

'Zou je me daar bij de kruising af willen zetten? Dan kan ik het laatste stuk lopen, zodat ik weer bij zinnen kom.'

Sebastiaan zet zijn auto aan de kant en stapt uit. Hij opent wederom de deur voor haar en ze stapt uit.

Even kijken ze elkaar aan. Hij buigt zijn hoofd voorover zodat hun voorhoofden elkaar raken. 'Mijn gedachten geef ik aan jou. Ik hoop dat je me kunt aanvoelen zoals ik denk dat jij dat kan.'

Mila zegt niks. Ze pakt zijn hoofd in haar handen en kust zijn voorhoofd.

Dan loopt ze weg. Ze kijkt niet achterom. Ze hoort dat Sebastiaan zijn auto instapt en wegrijdt. Weg uit haar leven. Haar voeten lijken weg te zakken in de aarde.

'Mila, wacht!'

Ze draait zich om en ziet dat Sebastiaan eraan komt rennen. Zijn auto staat met de deur open naast de kant van de weg. Ze loopt naar hem toe.

'Mila, ik...' Hij kan zijn zin niet afmaken. 'Ik laat je gaan. Ik laat ons gaan. Op het mooiste moment van de avond, laat ik je los. Hoe moeilijk ook. Ik zou jou nooit willen kwetsen. Nooit. Ik weet dat als we nu niet naar huis gaan, jij daar misschien spijt van krijgt en dat wil ik niet. En dadelijk als jij weg bent, dan sla ik mezelf voor mijn kop.'

Mila kijkt Sebastiaan aan. 'Jij bent echt te mooi om waar te zijn, hè?'

'Oh, kom hier jij.' Met een snelle ruk trekt Sebastiaan haar tegen zich aan. 'Dit moment wil ik vasthouden. Nooit meer vergeten.'

'Ik ook niet.'

Dan drukt Mila haar lichaam nog steviger tegen dat van Sebastiaan aan. Hij streelt haar haren. Ze voelt dat zijn hart tekeer gaat en het hare ook. Ze voelt zich week worden. Als hij haar nu zou kussen dan zou ze geen weerstand bieden. Geen Lucien, geen Chris, geen geweten.

Sebastiaans handen strelen haar rug. 'Je bent zo mooi.'

Mila voelt een tinteling door haar lichaam gaan.

Het blijft een hele tijd stil, terwijl Mila vecht tegen gevoelens die vragen om bevestiging. Om niet eraan toe te geven. En omdat Sebastiaan er ook niet aan toegeeft, zegt dit misschien wel meer over hun gevoelens dan wat dan ook.

Mila maakt zich los en kijkt hem aan. 'Ga jij er ook iets van maken?'

Sebastiaan knikt, trekt haar wederom in zijn armen en drukt een kus op haar lippen. Een simpele kus. Een kus waarvan ze weet dat ze hem nooit zal vergeten.

'Dag, Mila. Ik ga je missen.'

Sebastiaan verdwijnt in de nacht. Ze ziet zijn auto wegrijden en kijkt de rode achterlichten na tot ze wegsterven. Even raakt ze haar lippen aan, ze lijken te branden.

Opnieuw loopt ze in de richting van het huis. *Dit was 'm dus. De kus die een stempel heeft achtergelaten in mijn hart.* Zou ze de rest van haar leven aan deze kus denken?

Ze ziet dat de lampen in de woonkamer nog aan zijn. Ze haalt haar telefoon uit haar tas en ziet vier gemiste oproepen van Lucien. 'Waar blijf je?' staat er in een appje. Ze had gezegd op tijd thuis te zijn, maar daar heeft ze zich dus niet aan gehouden. De wanhoop slaat toe. Ze draait de sleutel om in het slot. Dit is haar toekomst. Hopelijk is die nog te redden.

Binnen lijkt alles in diepe rust. Ze loopt de woonkamer in en ziet dat Lucien op de bank in slaap is gevallen. Op tafel staat een fles wijn en twee glazen. Haar maag draait om, het schuldgevoel drukt zwaar op haar hart. Ze loopt naar de bank en knielt naast Lucien neer. Zachtjes aait ze hem door zijn haren. 'Ik ben er, schatje. Ik ben er.'

Lucien doet zijn ogen open. 'Ik heb de hele avond op je zitten wachten.' Hij gaat overeind zitten. 'Mila, hopelijk weet je waar je mee bezig bent.'

'Lucien, stop. Nu niet. Oké? Ik ben hier bij jou. Ik heb een mooie avond gehad en heb afscheid genomen van een vriend. Ik ga hem enorm missen. Maar het gaat om ons. Dat weet je toch?'

Lucien zucht en staat op. 'Laten we maar gaan slapen. Morgen moet ik vroeg op.'

Mila knikt. 'Sorry dat ik je heb laten wachten. Dat had ik niet moeten doen. Ik had je moeten bellen.'

'Mam, we komen te laat.' Laurie schudt haar wakker. 'Het regent buiten dat het giet, zou jij ons willen brengen?'

Het duurt even voordat Mila begrijpt waar ze is en welke dag het is. Dan springt ze uit bed. 'Is goed, sorry jongens, ik heb me verslapen. Hebben jullie al gegeten? Ik schiet mijn kleren aan en kom.'

Lucas en Laurie staan al met hun jassen aan bij de deur te wachten als Mila beneden komt. Mila trekt ook een jas aan. Het regent inderdaad behoorlijk hard. Ze rennen naar buiten en springen de auto in.

'Bedankt, mam, ik had echt geen zin om hierdoorheen te ploeteren.'

'Geen probleem, Laurie. Daar zijn moeders voor. Ik baal gewoon dat ik me verslapen heb. Hebben jullie papa horen weggaan vanmorgen?'

'Nee. Ik denk dat hij echt heel vroeg vertrokken is. Hij sliep zeker al toen je thuiskwam, of niet, mam?' Laurie neemt haar onderzoekend op. 'Hoe was je date eigenlijk?'

'Ach wat, date? Hoe kom je erbij? Het was gewoon een gezellige avond met Sebastiaan. Hij vertrekt deze week naar Nederland, dus dan zie ik hem niet meer.' De zinnen kwamen er makkelijker uit dan gedacht. *De kater zal vast nog komen.*

'Nou, weet jij veel. Misschien reis je hem wel achterna? Zoiets hoorde ik papa gisteren mompelen.'

Ze ziet dat Laurie Lucas een por tussen zijn ribben geeft. Mila's ogen worden groot. 'Tegen wie zei hij dat dan?' Mila voelt dat haar kaken zich spannen.

'Papa was gewoon een beetje jaloers, denk ik. Hij vertelde ons dat hij bang was dat die Sebastiaan jou om zijn vinger zou winden. Te veel gladde praatjes en zo. Toen hebben wij gezegd dat hij je gewoon moet wegblazen met een romantische date.'

'Oh, zei hij dat? En hoe denken jullie erover? Hoe moet papa zo'n date dan aanpakken?'

'Bloemen kopen, flesje wijn, muziekje, je weet wel, dat soort dingen.' Lucas praat alsof hij een volleerd romanticus is.

Mila en Laurie beginnen te lachen.

'Dat zullen we doorgeven aan papa,' grinnikt Laurie.

Lucas richt zijn ogen weer op zijn spelcomputer. 'Ik zeg al niks meer.'

'Weet je wat, Lucas? Je hebt gelijk. Misschien ga ik papa daar dan eens mee verrassen. Nou, jongens, vooruit, we zijn er. Ik haal jullie vanmiddag weer op. Succes vandaag!'

Mila ziet dat haar kinderen de school binnenrennen, hun tassen als bescherming boven hun hoofden.

Ze pakt haar telefoon en draait het nummer van Lucien. Ze snapt niks meer van die man. Hij neemt niet op. *Natuurlijk niet.*

Ze snapt ook niks van zichzelf. Nagenieten van het avondje met Sebastiaan kan ze niet, dan zou ze helemaal een schuldgevoel krijgen tegenover Lucien. *Met twee verschillende mannen gekust in één maand tijd, wat zegt dat over mij?*

Ze start de auto en rijdt weg. Ze wil hier eigenlijk niet over nadenken. Dat met Chris had ze kunnen tegenhouden, dat was haar vlucht voor de eenzaamheid, haar vlucht weg van Lucien. Haar vlucht in herinneringen. Niet dat de gevoelens op dat moment niet echt waren, maar ze staan in schril contrast met de gevoelens die ze gisterenavond heeft ervaren. Het gevoel met Chris heeft ze geforceerd en gepusht. Elke keer wanneer het thuis mis was, zocht zij Chris op. En wanneer hij niet te bereiken was, begon ze hem te verleiden. En ja, dan hapte hij. *Wat ben ik dom geweest!*

Maar dit met Sebastiaan is anders. Die avond was een kijkje in het leven dat ze met hem zou kunnen hebben. Willen hebben ook, ware het niet dat zij elkaar niet weg willen halen uit het leven dat ze nu leiden.

Ze parkeert de auto voor de deur, rent het stukje naar de voordeur maar bedenkt zich dan. Even blijft ze staan en gooit haar armen in de lucht. Binnen een mum van tijd is ze doorweekt. Heerlijk. Ze stapt naar binnen en gooit haar jas over de leuning van de trap. Haar schoenen laat ze bij de deur achter en ze maakt met haar sokken natte plekken op de houten vloer. Ze loopt naar de badkamer en zet de kraan van de douche aan. Ze trekt haar kleren uit en stapt onder het dampende water. Zonder zich te bewegen staat ze daar. Het water glijdt langs haar lichaam naar beneden. Even raakt ze haar lippen aan en sluit haar ogen. De kus is nog steeds voelbaar.

Ze wast haar haren met shampoo en spoelt ze uit. Dan draait ze de kraan dicht en droogt zich af. Ze trekt droge kleren aan en loopt naar beneden om snel een kop koffie te pakken. Ze eet een bakje met yoghurt en muesli. Uit de keukenla pakt ze een pen. Ze loopt nog even naar boven om uit haar nachtkastje het boek van Sebastiaan te halen. Ze heeft zin om het boek nog eens te lezen. Op die manier is ze dichter bij hem. Misschien kan ze op die manier het boek ook sluiten. Hun boek.

Het regent nog steeds. Ze pakt een paraplu en gaat naar buiten. Lobke loopt met haar mee. Ze doet de deur van de gite open en wordt weer verrast door de rust die dit huisje uitstraalt.

Mila gaat op een stoel bij het raam zitten en staart naar buiten. De regen klettert tegen het raam en ze probeert er een ritme in te ontdekken. Ze blaast tegen het raam en tekent een hartje op de binnenkant. Dan slaat ze het boek open en begint te lezen. Met haar pen onderstreept ze de zinnen die haar raken. De zinnen die voor haar bestemd lijken te zijn.

In een opwelling besluit ze dat ze hem een app moet sturen, nog één berichtje van haar. Ze pakt haar mobieltje en begint te typen. Haar vingers typen sneller dan haar gedachten vorm kunnen geven aan haar gevoel.

Op dat moment hoort ze een zachte klik. Ze kijkt op en staart in de ogen van Sebastiaan. Hij staat in de deuropening en draagt een fototoestel om zijn nek.

'Ik wilde je vangen in een foto zodat ik je altijd bij me heb.'

Mila voelt haar hart bonken in haar keel. Ze schraapt haar keel en de toon van haar stem is teder en zacht wanneer ze Sebastiaan aanspreekt. Hij staat nog steeds roerloos in de deuropening.

'Dit boek. Jij wist het al toen je het me gaf. Dit boek zijn wij.' Mila wijst op de quotes die ze omcirkeld heeft. Sebastiaan loopt langzaam op haar af. Ze voelt dat de kamer zich vult met een spanning die ze nog nooit eerder ervaren heeft. 'Of maken we de werkelijkheid nu mooier dan hij is?'

'Nee, jij bent mijn werkelijkheid. Iets mooiers dan jij bestaat niet.' Sebastiaan pakt haar handen vast.

'Maar dan weet jij ook hoe dit tussen ons afloopt.'

'Mila, dit loopt niet af. We moeten alleen onze eigen weg weer vinden. Terug naar die andere werkelijkheid.'

'De werkelijkheid hier bedoel je?'
'Ja, hier. En bij mij thuis.'
Mila draait haar hoofd weg zodat Sebastiaan niet ziet dat het haar even teveel geworden is. Teder veegt hij een lok uit haar gezicht.
'Konden we maar bestaan in een parallelle wereld. Maar volgens mij doen we dat al.' Sebastiaan gaat op de stoel naast haar zitten en trekt Mila aan haar hand naar zich toe.
Even twijfelt ze, maar gaat dan op zijn schoot zitten. Hij trekt haar tegen zich aan. Mila's lichaam ontspant zich. Sebastiaan voelt warm aan en ze voelt zich verdwijnen in zijn lichaam. Ze begraaft haar hoofd in zijn nek. Ze kan de geur die hij draagt niet meteen plaatsen, maar ze weet dat ze deze geur voortaan overal zal herkennen. 'Voor mij ben je echt weggelopen uit een kasteelroman, maar waarom heb jij mij gekozen? Je hoeft maar te knippen met je vingers en ze vallen in bosjes voor jou.'
'Weer onderschat jij jezelf. En dat knippen met mijn vingers zal ik eens proberen. De laatste keer dat ik dat deed, kwam opeens de hond van de buren aangelopen met een stok.' Sebastiaan grinnikt even. Dan schuift hij Mila's haren achter haar oren, zodat hij het sproetje in de vorm van de diamant kan aanraken. 'Wat nu, lieve Mila, als onze werkelijkheid mooier is dan al onze dromen?'
Mila drukt zich nog steviger tegen hem aan.
Zachtjes wrijft hij over haar rug. 'Ik probeer jouw geur, de zachtheid van je haren en de warmte van je huid in mijn geheugen te kerven, zodat ik altijd terug kan keren naar dit moment. Dat moet genoeg zijn om me overeind te houden. Dit moment met jou geeft me al zoveel, hoe erg ik ook naar je verlang. Ik heb nooit geweten dat ik begeerte en lust op een andere manier kon bevredigen dan door een vrijpartij. Ik heb me nog nooit zo één gevoeld met een ander, als nu met jou. En ja, ik heb gefantaseerd over hoe je zou voelen in mijn armen. Maar dit, jij op mijn schoot, dit gevoel had ik niet bij elkaar kunnen fantaseren.'
'Weet je dat ik gisteren wilde dat je me mee zou nemen naar

maakt niet uit waar? En nu doe je het weer. Ik zou willen dat we hier kunnen blijven zitten totdat de zon honderdachtendertig keer op en onder is gegaan.' Ze pakt zijn hand vast en speelt met zijn trouwring. 'Raar is dit, hè?'

'Nogal. Ik heb je in ieder geval voor eeuwig vastgelegd. En het voelde heerlijk om net op die knop te drukken. Om jou te vangen in het licht, zoals het met je haren speelde. De blik in je ogen, je hele houding. Dit kan niet anders dan de perfecte foto zijn.'

'Weet je waarom het de perfecte foto gaat zijn? Niet omdat ik erop sta, maar om datgene wat ik doe. Jij hebt het moment gevangen waarop ik jou een app aan het sturen was.' Ze pakt haar telefoon en laat Sebastiaan zien wat er staat. Ze heeft nog niet op verzenden gedrukt. 'Ik wou dat je hier was.'

Sebastiaan draait haar een kwartslag zodat ze elkaar in de ogen kijken. 'Mila. Ik moet zo gaan. Ik wilde je nog één keer zien voordat ik terugkeer naar Nederland. Misschien moet je dat appje niet verzenden, maar bewaren en denken dat je het niet hebt hoeven te versturen omdat ik er opeens was. Zonder dat jij berichtjes stuurt, weet ik toch wat er in gaat staat. Ik wil niet dat je de rest van je leven gaat zitten wachten op mijn berichten. Dat heeft je bijna gesloopt bij die Facebookvriend van je.'

'Zijn naam is Chris. En ik denk dat je gelijk hebt. Jij moet verder. En ik ook.' In gedachten verzonken draait ze weer aan zijn trouwring. Het symbool van trouw en verbondenheid. Een ring die tussen hen beiden in staat.

'Ik ga je missen, dat weet je.'

'Dus dit is het moment waarop ik je moet laten gaan. Of is dit mijn kans om ons verhaal een andere wending te geven? Om alles wat ik hier heb op te geven?'

'Nee. Want dat is het laatste wat ik van je zou vragen. Geef niks op en geef niet op. Dat is wat jij mij ook hebt geleerd. Zorg dat jouw gevoel voor mij terug te vinden is in de dingen die je gaat doen met je droom, hier tussen de olijven. Wees de moeder voor je kinderen zoals alleen jij dat kan zijn. Probeer je man terug te vinden. Blijf zoeken naar jezelf, Mila. En in die zoektocht kom je mij steeds opnieuw weer tegen, zonder dat het je pijn doet. Het slijt, de pijn. Wat blijft is dit moment.'

Mila staat op van zijn schoot. Haar hart stroomt leeg. 'Weet je, ik kan dit niet, afscheid nemen. Mijn hart schreeuwt om je bij me te houden en zelfs mijn verstand moedigt me aan. Maar toch ben ik je dankbaar. Geen onuitgesproken woorden, geen twijfels of dat wat er tussen ons is niet bestaat. Het bestaat. En dat moet genoeg zijn.' Mila legt haar hoofd tegen Sebastiaans borst. 'Onze liefde is in een fractie van een moment geboren, maar die fractie is genoeg voor de rest van mijn leven.'

'Dat komt niet uit het boek, hè?' Sebastiaan glimlacht.

'Nee, die is van mij. Voor jou.' Ze gaat op haar tenen staan en kust hem op zijn mond. De helse pijn van verlangen heeft een zoete smaak. Dan maakt ze zich los uit hun omhelzing. 'Sebastiaan, ga. Voordat ik mezelf niet meer kan vergeven dat ik je heb laten gaan.'

Sebastiaan knikt. 'Hier, mijn nieuwe adres, voor als je me ooit echt nodig hebt. Beloof me dat je dan zult bellen.' Hij stopt een papiertje in haar handen.

Ze knikt en stopt het als boekenlegger in zijn boek.

Hij zucht. 'Dag lieve Mila. Dit lijkt een afscheid, maar dat is het niet. Ik ga wel weg, maar ik verlaat je niet.' Er verschijnt een grijns op zijn gezicht. 'Die komt ook niet uit het boek, maar is van Marco Borsato.'

Mila lacht door haar tranen heen. Hij mag ze zien. Haar tranen, haar verdriet en haar liefde voor hem. Nog één keer neemt ze hem in haar armen.

'Oh, schatje toch. Droog die tranen van je. Het komt goed. Echt.' Hij pakt haar hand en drukt er een kus op. 'Dag Assepoes, het was me een waar genoegen.' Hij maakt een rare buiging en loopt achterwaarts de deur en haar leven uit.

Mila blaast hem een kushandje toe. Dan is hij verdwenen.

HOOFDSTUK 24

Het kompas

3 augustus, nog steeds ver weg in Frankrijk

Lieve Chris,

Schrik niet, ik ben het maar. Tijd voor reflectie, dacht ik zelf. Het is nu bijna een jaar geleden sinds ik je laatste sms'je heb gekregen. Ik heb 'm nog, maar ga hem na het versturen van deze brief weggooien. Weet je nog dat jij mij vorig jaar die enorme lange mail hebt gestuurd? Je schreef dat je er zo tegenop had gezien om mij een brief te sturen en dat, toen je eenmaal bezig was, je vingers niet meer stopten met typen. Ik weet nog precies hoe ik me voelde toen ik je brief las. Als een puber die haar eerste liefdesbrief gekregen had. Ik heb die brief zelfs hardop voorgelezen alsof ik een gesprek met je aan het voeren was. Dat doe ik nu weer. Mijn gedachten moeten eruit.

Geen idee of jij deze brief gaat lezen, je hebt op geen enkel berichtje van mij meer gereageerd.

Af en toe was er voor mij ook geen ontsnappen aan. Je stond met je hoofd in mijn skypeprogramma, we zijn nog steeds verbonden via google-kringen en daar zie ik nog steeds je naam staan aan de zijkant, met je foto. Ik krijg je daar ook gewoon niet weg. En heel soms heb ik je daar dan ook een berichtje gestuurd, om je een paar mijlpalen in mijn leven door te geven. Niet in de illusie dat je daarop zou reageren, maar gewoon omdat ik het aan je kwijt wilde. Ik vind dat we in die korte periode dat we 'samen' waren ook veel met elkaar gedeeld hebben en ik vond het moeilijk om dat opeens los te laten. Na je sms was ik al snel over je heen, over de liefde bedoel ik dan. Waar ik meer moeite mee had, was het opgeven van onze vriendschap en de band die we vroeger met elkaar deelden. Mijn droom over een mogelijke toekomst met jou was weggevallen, maar misschien was het dromen wel mooier dan onze relatie feitelijk was. Dat bedoel ik niet zo naar als het misschien klinkt. Misschien was onze hereniging wel een vlucht voor mij uit de eenzaamheid van mijn relatie. En ik weet heel goed dat jij ons contact in het begin nog af hebt gehouden, je zat helemaal niet op een vrouw in je leven te wachten. Juist omdat je alles naar eigen zeggen zo op orde had. Je hele leven om je kinderen heen georganiseerd. Menig vrouw zou een moord gedaan hebben voor zo'n man als jij. Een super papa ben je. Wat me zo geraakt heeft toen ik je zag, was dat er op je slaapkamermuur nog zoveel oude kindertekeningen hingen. De meeste mannen die ik ken kijken amper naar de werkjes van hun kinderen om.

En weet je nog dat ik zei dat het niet lang zou duren voordat jij ook allerlei andere vrouwen achter je aan zou gaan krijgen. Je moest erom lachen. Aan jou heb ik meer dan genoeg, had je geantwoord. Ik gaf me niet zo snel gewonnen en we hebben toen een mooi gesprek gevoerd over jouw drempels en angsten in je leven. Je zei toen iets wat ik nooit meer ben vergeten: 'Ik leef jou.' Herinneringen zitten in kleine hoekjes en af en toe steek jij je hoofd weer om de deur. Het heeft even geduurd, maar ik kan weer glimlachen als ik daaraan denk. Geen verdriet en geen spijt. Ik ben je tegengekomen tijdens een periode waarin ik dat gewoon echt nodig had. En misschien heb jij mij ook even nodig gehad. Een tijd lang heb ik me afgevraagd of het allemaal wel echt was tussen ons. Daar ben ik mee gestopt want het was echt en zo wil ik het me herinneren. Onmogelijk echt. Misschien zouden we in een ander leven een kans gehad hebben. Maar ook dat doet er niet meer toe.

Zou jij me af en toe herkennen in het leven dat je nu hebt? Kom je mij nog tegen als je naar een van onze liedjes luistert of klik je dan snel de radio uit? Vraag jij je nog wel eens af hoe het met mij gaat?

Nou, het gaat goed met mij. Op dit moment zit ik op mijn favoriete stoel in mijn eigen bed & breakfast. De kinderen zijn naar school en Lucien is op zijn werk. Ik heb hier net de boel opgeruimd, nadat mijn gasten van dit weekend vertrokken zijn. Het is niet zomaar een bed & breakfast, ik heb er een heel project van gemaakt. Stelletjes kunnen hier tot rust komen om elkaar weer te vinden. In mijn werk als advocate kreeg ik deze stelletjes in mijn kantoor, maar dan was het vaak al te laat. Ik was de kortste weg naar hun scheiding. En nu probeer ik deze mensen te helpen om niet naar een advocaat te hoeven. Geen therapie, maar een nieuw inzicht in hun relatie en een zoektocht naar de basis voor de momenten waarop ze wel nog gelukkig met elkaar waren. Ik heb hier zelfs een cursus voor gevolgd! Het belangrijkste recept voor mijn B&B is R U S T!

Het koppel dat dit weekend hier logeerde, is net innig met de arm in elkaar gehaakt weer naar buiten gelopen. Ik rust niet voordat het aantal stelletjes dat elkaar hervonden heeft hoger ligt dan het aantal echtscheidingszaken waaraan ik heb meegewerkt.

En ja, ik ben ook nog steeds getrouwd. Het heeft erom gespannen hoor. Ik realiseer me dat jij en ik eigenlijk weinig over mij en mijn huwelijksperikelen gesproken hebben. Je gaf me wel eens tips en ik heb een keer enorm bij je kunnen uithuilen, maar jij hebt eigenlijk nooit partij gekozen voor mij. Je hebt trouwens ook niet heel erg je best gedaan om mij bij Lucien weg te halen, hè? Geloof me, deze woorden schrijf ik met een glimlach. Het laatste wat jij wilde was alles overhoop gooien. We hebben het er toen ook wel eens over gehad, over wat als... Wat als ik bij je voor de deur zou staan met mijn twee kinderen. Jij zei dat er plaats genoeg was en dat we dan ook niet meer weg mochten. Joh, je moest weten hoe vaak ik die reis in mijn hoofd gemaakt heb. En toch... Toch ben ik blij dat dit niet gebeurd is. Misschien wilden wij te graag in sprookjes geloven, we wilden te graag die kus van toen nieuw leven inblazen. Nu geloof ik dat er maar een bepaald aantal kansen zijn in het leven om bij je grote liefde uit te komen en eerlijk gezegd denk ik dat we toen die kans gemist hebben. Twintig jaar geleden, bedoel ik dan.

Misschien heb jij de vriendschap tussen ons wel zo abrupt verbroken om mij ook een kans te geven om verder te gaan? Althans, dat vertelde ik mezelf in de weken na jouw sms'je. En natuurlijk om die nieuwe vriendin van je een kans te geven. Hoe zei je dat toen ook alweer? Dat het moeilijk was om van een Mila-verslaving af te komen. Ik heb daar toen erg om moeten lachen, je had zoiets geloof ik op Facebook gezet.

Je zou trouwens mijn olijfboomgaard moeten zien. Prachtig. Ik heb hier echt mijn draai gevonden en deze plek heeft me geholpen om mezelf weer te vinden. Jij hebt daar overigens ook je bijdrage aan geleverd. Mijn weggedrongen passie voor het leven en voor de liefde heb jij weer naar de oppervlakte weten te halen. Jij hebt me laten zien dat het nog kan, vlinders in je buik hebben.

Ach, misschien is het afsluitingsmoment nu pas echt aangebroken. Tijd voor reflectie.

En nee, ik heb nergens spijt van. Of ik me schuldig voel tegenover Lucien? Soms, op de momenten dat hij kwetsbaar is. Op die momenten dat hij dichtbij me is. Haha, zo vaak is dat gelukkig niet. Ik ben soms nog steeds bang voor mijn toekomst met hem. De kinderen worden ouder en ik vraag me af hoe het zal zijn als ze het huis uit zijn. Ik moet er niet aan denken eigenlijk. Ik kan toch best met ze mee op kamers, of niet? En nee, ik ga het hem niet vertellen, want waarom zou ik hem ermee lastig vallen? Wat voegt het toe? En om het cru te stellen, hoeveel heeft die kus van ons nu eenmaal voorgesteld? En nee, dit bedoel ik niet rot tegenover jou, want ja, de kus stelde toen wat voor, maar dat was een momentopname. De sterren stonden goed, zeg maar. Maar die kus heeft niet het recht om de kracht te krijgen mijn leven met Lucien en de kinderen overhoop te halen. Snap je wat ik bedoel? En aan de andere kant denk ik ook wel eens dat een huwelijk voor hetere vuren komt te staan dan een kus met een ander. Ik had nooit verwacht dat ik hier zo over zou gaan denken. Dat wil niet zeggen dat ik voor een open relatie of zoiets ben, nee, helemaal niet. Maar ik zou niet weglopen wanneer Lucien me zou vertellen dat hij gekust heeft met een ander.

En ja, soms ben ik bang voor de toekomst. Bang dat het nooit meer zo zal zijn als die middag met jou. Op momenten voel ik me thuis soms zo eenzaam, dan schreeuwt mijn hele lijf om iemand die me even vasthoudt en een fijn gevoel geeft. En dan doe ik een greep naar de chocolade, want ik heb mijn lesje wel geleerd. Die kilte van thuis, die enorme stilte, die grijpt me soms naar de keel. Alsof ik stik. Ik voel me dan onbegrepen en onzichtbaar. Kun jij je daar iets bij voorstellen?

Misschien klinkt dit belachelijk allemaal. Waarschijnlijk vraag jij je af wat ik nog bij die man doe. Haha, dat vraag ik me ook wel eens af. Maar er zijn momenten dat ik de Lucien van vroeger weer herken. En ik zie het in zijn ogen wanneer hij mij weer ziet, als die vrouw van vroeger. Ik ga mijn stinkende best doen om dat soort momenten zo vaak mogelijk voor te laten komen. En misschien moet ik dan maar beginnen met die scheldwoorden weer mijn mond uit te laten komen. Niks meer opkroppen.

Of stiekem toch op zoek gaan naar een "Chris", voor die periodes die te eenzaam zijn? Het gaf me echt veel energie en gelukkige momenten. Aan de andere kant was mijn eenzaamheid af en toe dubbel zo erg. Het wachten op een berichtje van jou, mijn hemel, ik heb je berichten af en toe mijn telefoon uitgekeken. Ik ben gewoon niet iemand voor een affaire ernaast. Want het is heel simpel. Diegene met wie ik samen ben, daar wil ik een trui voor kopen als ik langs een etalage loop, mee dansen in de woonkamer, mee fietsen in de zon, mee kunnen lachen om de gekste dingen, sneeuwballen gooien in de winter, kastanjes poffen in het vuur, relaxen op de bank onder een dekentje. Daar wil ik elke dag een ontbijtje voor maken, daar wil ik mee in zo'n dom pasfotohokje kruipen, daar wil ik wil mee rennen door de regen, met zo iemand wil ik mezelf zijn.

Ik hoop Chris, dat jij diegene gevonden hebt. Ik hoop dat jij door de regen kunt rennen met haar. Ik hoop dat je gelukkig bent. En misschien hoop ik ook dat je gewoon nog eens iets van je laat horen. Wij hebben onze kans gehad en die is voorbij en daar ben ik niet meer verdrietig om. Wat ik koester zijn de mooie momenten die we hebben gehad. De spanning van het elkaar herontdekken, de skypegesprekken (je maakte me af en toe helemaal wild ☺), de lieve sms'jes, de vrijpartij, jij. En misschien hoop ik dat jij daar af en toe ook aan terugdenkt, met een glimlach. Mijn herinneringen aan jou zal ik bewaren, mijn leven is er mooier door geworden.

Met deze quote uit jouw boekje Tuesdays with Morrie wil ik afsluiten: 'Without love, we are birds with broken wings'.

Dank je, Chris, je hebt me weer laten vliegen.

X Mila.

Mila leest haar brief nog een keer vluchtig door. Ze drukt op versturen. Ze wrijft haar handen over elkaar, klaar ermee! De dag ligt aan haar voeten en de wereld ook.

Ze vult de dag met het doen van boodschappen en het koken van een heerlijke ovenschotel. Het huis ruikt heerlijk wanneer de kinderen uit school komen. Mila heeft overal kaarsjes aangestoken en de gezelligheid naar binnen gehaald. Ze tikt een berichtje naar Alina: 'Opgeruimd staat netjes, letterlijk en figuurlijk. Heb Chris een "reflectie" gestuurd. Ik voel me opgelucht.'

Lucien is ook redelijk op tijd thuis en helpt Mila met het dekken van de tafel buiten. Het is een heerlijke avond. Laurie en Lucas spelen nog een potje badminton en Lobke rent vrolijk achter de shuttle aan. Mila klapt haar stoel achterover en strekt haar hand uit naar Lucien. Hij wrijft zachtjes over haar hand. 'Op dit moment is het leven mooi, vind je ook niet?'

Mila knikt. 'Prachtig, zullen we zo voor eeuwig blijven zitten?'

'Nou, als dat zou kunnen. Weet alleen niet of Laurie en Lucas het volhouden om zo lang te blijven badmintonnen. Hun tong hangt nu al op hun schoenen.'

Mila draait haar hoofd opzij naar Lucien. Hij is ontspannen, zijn werk lijkt hem eindelijk een beetje met rust te laten. Of misschien heeft hij zijn werk iets meer losgelaten? Dit is in ieder geval veel meer het plaatje dat zij zocht toen ze naar Frankrijk vertrokken.

Mila schenkt nog een glas ijsthee in voor de kinderen en zichzelf. Lucien is naar binnen gelopen en heeft een aantal tijdschriften gehaald. Hij legt zijn benen op het voetenbankje en bladert een automagazine door. Mila trekt ook een blad van de stapel. Ze is blij met de damesbladen die haar vriendin Margit haar toestuurt, zo blijft ze een beetje op de hoogte van alle trends in Nederland.

'Volgens mij hoor ik je telefoon bliepen.' Lucien kijkt in de richting van de keuken.

Mila twijfelt even of ze op zal staan om het ding te pakken, ze zit net zo heerlijk. Met een zucht staat ze toch op.

'Workaholic!' roept Lucien haar plagend achterna.

Mila steekt haar tong uit. De laatste tijd loopt het storm met Rustpuntje en ze heeft al heel wat aanvragen op de reservelijst moeten zetten. Ze lacht als ze het antwoord van Alina leest op haar berichtje van eerder die avond. Ze stuurt een kushandje naar haar terug. Ze wil haar telefoon weer wegleggen als ze een mail binnen ziet komen. Mila's hart bonkt in haar keel en haar mond is in één keer droog geworden. 'Thomas Velterman.' Die naam kent ze. Dat is de broer van Chris. Is het toeval dat zijn mail hier binnenkomt op de dag dat ze Chris een mail heeft gestuurd? Zenuwachtig probeert ze het beklemmende gevoel weg te duwen. *Misschien heeft Chris hem verteld over mijn bed & breakfast…*

Mila loopt met de ongeopende mail de woonkamer in. Het nare gevoel wordt sterker, evenals het bonken in haar hoofd. Ze hoort Lucien roepen waar ze blijft. 'Ik kom zo, ben even bezig!' Ze krijgt de woorden er nauwelijks uit.

De mail heeft geen onderwerp.

Beste Mila,

Als deze mail bij je binnenkomt, hoop ik dat je even een rustig plekje op kunt zoeken om 'm te lezen. Ik heb vanmiddag met tranen in mijn ogen jouw mail aan mijn broer Chris gelezen.

Mila, er is geen goede manier om je dit te vertellen. Chris is drie maanden geleden overleden aan de gevolgen van kanker. Hij heeft geen kans gehad.'

Mila's ogen kunnen de zinnen die eronder staan niet meer lezen. De tranen verblinden haar blik. Huilend rent ze naar boven. De onmacht moet uit haar lijf. Boven de wc-pot braakt ze haar eten eruit. Even zit ze roerloos op de grond naast de wc. Haar lichaam schokt. Ze moet weten wat er nog meer in de mail staat. Met trillende handen opent ze de mail opnieuw.

Weer lezen haar ogen de zinnen waarin staat dat Chris overleden is. Haar maag trekt weer samen. *Nee, Chris! Niet Chris.* Ze probeert door haar tranen heen de email verder te lezen:

'Het spijt me dat ik je dit nieuws moet brengen. Ik heb getwijfeld of ik je zou bellen, eerder al, want ik wist niet hoe jij tegenover mijn broer zou staan nadat hij al die maanden niks van zich had laten horen. Je mail van vandaag heeft mijn aarzeling weggenomen. En vergeef me dat ik je niet bel om je dit nieuws te vertellen, maar het is ook voor mij nog te vers en te pijnlijk. Bovendien wil ik je leven niet helemaal op zijn kop zetten. Maar je moet het weten, Mila. Daar heb je recht op.'

Ze probeert haar ademhaling onder controle te krijgen, de emoties dreigen haar te verstikken.

'De maanden dat Chris ziek was, heeft hij me veel over je verteld. Ook over jullie ontmoeting en jullie situatie. De dag waarop jij zijn sms kreeg waarin hij schreef over die andere vrouw... Dat was de dag waarop Chris gebeld werd door het ziekenhuis dat het foute boel was. Ik heb achteraf geprobeerd om Chris op andere gedachten te brengen, gezegd dat hij je de waarheid moest vertellen. Dat wilde hij niet, om je te beschermen. Hij wilde voorkomen dat je hem terzijde zou willen staan en daardoor je huwelijk en je gezin kapot zou maken. Probeer dit begrijpen vanuit de manier waarop jij Chris kent. Hij wilde daarnaast de tijd die hem nog restte alleen nog delen met Hannah en Ruben. Hij heeft zich van de wereld afgezonderd om al zijn energie te kunnen gebruiken voor zijn kinderen. De kinderen zijn trouwens nu bij mij. Het is voor ons allemaal even wennen, los van het verdriet dat gewoon de dag overschaduwt. Maar we komen er wel. Chris heeft werkelijk alles in het werk gesteld om zijn afscheid vooral voor de kinderen bijzonder te maken. Hen genoeg bagage en herinneringen mee te geven om verder te kunnen gaan met leven. Dat is de Chris zoals jij hem kent, toch, Mila?'

Mila sluit haar ogen. Ze wil het niet weten. Ze weet niet wat ze voelt op dit moment, alleen dat haar hart kapot dreigt te springen. Ze zit nog steeds naast de wc op de grond en klemt haar handen om haar buik omdat de stekende pijn haar even te veel wordt.

'Chris heeft me gewaarschuwd dat jij met honderden vragen zult gaan komen. En ik moet je gerust stellen, Mila, op al die vragen zal je antwoord gaan krijgen. Elke dinsdag heeft hij een brief aan je geschreven om te laten weten hoe het met hem gaat. De laatste twee dinsdagen heb ik de mails getypt omdat Chris te zwak was. Probeer me niet als een indringer te zien in jullie leven, maar als iemand die Chris' verhaal vertelt. Het is een verhaal waar jij een belangrijke rol in speelt. Ik ben je dankbaar voor alles wat jij voor Chris betekend hebt. Ik hoop dat jij de kracht zult vinden om dit vreselijke nieuws een plekje te geven. Ik hoop dat het beter voor je is om dit wel te weten, dan in het ongewisse te blijven over Chris. Ik heb van Chris dat boek van jullie ook moeten lezen en nadat ik jouw brief van vandaag gezien heb, snap ik beter hoe jullie daardoor verbonden zijn. Chris wilde dat ik je dit zinnetje zou meegeven: "Love is how you stay alive, even after you are gone".

Mila, ik ken je niet. Behalve uit de verhalen en de brief die je vandaag gestuurd hebt. Probeer verder te gaan met je leven. Misschien is het geen toeval dat jouw brief aan Chris een soort van afscheidsbrief was. Misschien heb je het aangevoeld, onbewust. Chris heeft zich al die maanden dat hij ziek was, zorgen gemaakt of jij het hem ooit zou vergeven. Met die brief van vandaag zou hij heel gelukkig zijn geweest, in de wetenschap dat jij verder bent gegaan met je leven.

En ja, had hij maar gewoon een andere vrouw gehad en was zijn sms maar gewoon een laffe actie, dan leefde hij nog. Misschien kunnen jij en ik er over een tijd nog wijze levenslessen uit putten, misschien ook niet. Op dit moment is het mij ook allemaal teveel. Ik probeer me sterk te houden voor de kinderen en ik probeer alles waar mijn broer voor stond in ere te houden. Ik mis hem vreselijk.

Chris heeft er in overleg met zijn kinderen voor gekozen om begraven te worden in Amersfoort. Vooral Hannah wilde een plek om naartoe te kunnen gaan. Ik zal de gegevens onder deze mail zetten, mocht je behoefte hebben om Chris te bezoeken. Chris is overleden op eenentwintig mei.'

Opnieuw barst Mila in tranen uit. Hysterisch nu. 'Verdomme, Chris!' En dan gaat haar hysterische huilen over in zacht gesnik. Ze wrijft met haar handen over de datum van zijn overlijden. 'Chris, mijn lieve Chris. Waarom jij?' Ze voelt haar gezicht branden en haar ogen zijn gezwollen. Ze hoort iemand naar boven komen lopen.

'Mila, ben je boven? Is alles goed?'

'Laat me maar even, oké?' Haar stem klinkt gebroken en is nauwelijks hoorbaar.

Lucien komt binnen. 'Wat is er met jou aan de hand?' Hij knielt naast haar neer en veegt een natte lok haar weg uit haar gezicht. Hij pakt een handdoek en maakt hem nat met warm water. 'Hier, dep even je gezicht. Is er iets met je ouders?'

Mila schudt haar hoofd. 'Laat me maar even.' Het zinnetje komt er met horten en stoten uit. 'Het is zo onwerkelijk.' Ze slaat haar handen voor haar ogen en barst in snikken uit.

Lucien schudt zijn hoofd. 'Ik laat de kinderen weten dat alles goed is. Ze hebben je horen huilen en maken zich zorgen. Neem je tijd. Ik hoor het wel.' Lucien draait zich om en wil weglopen.

'Wil je me even vasthouden, Lucien?' fluistert ze. 'Wil je me vasthouden en zeggen dat alles goed zal komen?'

Hij tilt haar op van de vloer en draagt haar naar hun slaapkamer. De energie lijkt uit haar lichaam verdwenen. Even houdt hij haar vast en zet haar dan op hun bed. Hij trekt haar schoenen uit en stopt haar benen onder de dekens. 'Het komt wel goed, wat het ook is...'

Mila staart hem na terwijl hij de kamer uitloopt. Ze drukt haar mobieltje weer aan. Heeft ze de moed om verder te lezen? Chris is er niet meer. Overleden. De strijd verloren. Ze is hem kwijt. Dat was ze al op de dag dat ze zijn sms kreeg, maar alles waar ze zich boos over gemaakt had, is nu in een ander daglicht komen te staan. Ze krimpt even in elkaar. Dat sms'je dat ze hem gestuurd had, wat schreef ze ook alweer? Dat de dinsdagen er niet meer toe deden. Mijn God! Ze heeft het sms'je een tijd geleden verwijderd, net als alle andere berichtjes die ze hem nog af en toe gestuurd had. Zou hij ze nog gelezen hebben of inderdaad zoals Thomas schreef al zijn aandacht op zijn kinderen hebben gevestigd?

Ze schudt haar hoofd. Ze wil niet nadenken over hoe het nu met Hannah en Ruben gaat. Het moet vreselijk voor ze zijn. Ze ziet hun tekeningen nog hangen aan de muur van Chris' slaapkamer. Ze had nog moeten lachen toen ze op de deur van Ruben het briefje had zien hangen met de woorden: 'Pas op, ontploffingsgevaar'. Dat was Chris. Iemand die met humor probeerde zijn kinderen iets mee te geven voor hun latere leven. Hopelijk heeft hij ze genoeg meegegeven voor al die jaren dat ze nu zonder hem zullen moeten.

'Ik stuur je de laatste blog die ik namens Chris geschreven heb als attachment mee. Ik wens je veel sterkte en kracht om over dit verlies heen te komen. En vooral om het een plekje te geven. Dit afscheid komt voor jou te abrupt, dat realiseer ik mij. Ik heb vaak op het punt gestaan om je te bellen of te mailen tijdens zijn ziekbed, maar wilde het Chris niet nog moeilijker maken. Jou zien zou teveel voor hem zijn, zei hij steeds. En vat dat niet verkeerd op. Dat betekent meer dan hij je ooit duidelijk zou hebben kunnen maken.

Mila, het ga je goed. Je kunt me bellen wanneer je vragen hebt, maar ik denk dat de blogs van Chris voor zichzelf spreken.

Sterkte, Thomas.

P.S. de andere blogs heeft Chris opgeslagen in zijn blogprogramma. Ik stuur je de url en geef jou de toegangscode. Daar moet ik nog even achteraan.'

Met trillende vingers opent Mila de attachment.

'Lieve Mila

Dit is mijn laatste dinsdag. Ik voel het. Mijn lichaam lijkt al ergens anders te zijn, veel voel ik niet meer. De extra morfine doet zijn werk. Mijn gedachten lijken af en toe te zweven tussen hier en het verleden. Flarden komen in mijn hoofd omhoog. Heb ik er goed aangedaan om je op afstand te houden? Het spijt me voor de pijn die ik je heb gedaan, als je dit leest. Het spijt me dat ik er nu niet voor je kan zijn. Het spijt me dat we niet meer tijd samen hebben gehad.'

Mila hoort Chris' stem in haar hoofd. *Je hoeft geen sorry te zeggen, Chris. Echt niet.* Haar tranen druppelen op haar telefoon. Met haar mouw veegt ze haar neus af, maar het helpt niet.

'Mila, je was bij me. Elke dag... Mijn mooiste herinnering aan jou neem ik mee, waar ik ook heenga. Weet je nog hoe we samen in de regen renden? Als het regent, ren dan! Beloof me dat je nooit stopt met rennen!

Dag lieve Mila.

Ik leef jou, Chris.'

Mila gooit haar mobiel naast zich neer. Ze slaat haar armen om zich heen en wiegt heen en weer. Al die tijd heeft ze gedacht dat hij haar had laten gaan, maar hij was nog steeds bij haar. En zij? Ze heeft vandaag afscheid van hem genomen door een brief te schrijven, niet wetende dat dit afscheid zo bizar echt zou worden.

Langzaam staat Mila op. Ze moet iets doen. Ze hoort Laurie en Lucas naar boven stommelen. Deze mooie avond in de zon is op een vreselijke manier geëindigd.

Mila loopt de gang op en vangt beiden kinderen op in haar armen.

'Mam, wat is er?'

'Een goede vriend van me is overleden en ik ga hem vreselijk missen. Maar lieverds, ik ben zo blij dat ik jullie heb. Volgens mij is er niks belangrijkers dan elke dag gelukkig te zijn

met wat je hebt.' Mila perst er een glimlach uit. Ze pakt haar hangertje tussen haar vingers en drukt er een kus op.

'Moet je nu naar de begrafenis, mam?' Lucas kijkt haar vragend aan.

Mila aarzelt. Ze wil haar kinderen niet belasten met het hele verhaal. Ze kan het zelf nog maar amper bevatten. 'Ja, ik vertrek morgen naar Nederland om afscheid te nemen. Ik ga nu naar beneden om dit met papa te bespreken. Kruipen jullie je bed in?'

Laurie drukt een kus op haar wang. 'Sterkte, mam.'

Mila loopt langzaam naar beneden. Lucien zit op de bank en kijkt tv. Hij zet hem uit zodra Mila naast hem komt zitten en kijkt haar aan. 'Kun je me nu vertellen wat er aan de hand is?'

Mila slaat haar ogen neer. 'Ik heb een mail gekregen met het nieuws dat een hele goede vriend van me is overleden. Ik had al een tijd niks meer van hem gehoord, maar ik weet nu waarom. Hij is er niet meer.'

'Wanneer is de begrafenis?' Lucien strijkt over Mila's haren.

'Die is al maanden geleden geweest, dat is juist het erge. Toch wil ik afscheid van hem nemen. Ik wil graag morgen naar Nederland, naar Amersfoort, naar de begraafplaats. Ik hoop dat je dit begrijpt.'

Lucien kijkt haar aan. 'Begrijpen doe ik het niet helemaal. Als hij zo belangrijk was als ik uit je verhaal en je emoties kan opmaken, hoe komt het dan dat je dit nu pas te horen krijgt? Ik neem aan dat zijn familie jou ook kent? Kun je het niet beter combineren met het bezoek dat toch al over een paar weken gepland staat?'

Mila vernauwt haar ogen tot spleetjes. 'Het maakt voor mij heel veel uit.'

Lucien knikt. 'Ik begrijp het. Het maakt voor jou heel veel uit, dus alles moet hiervoor wijken.'

'Hoe bedoel je, alles moet hiervoor wijken?' Mila probeert haar stem onder controle te houden en niet te gaan schreeuwen.

'Niks, laat maar. Je weet dat ik woensdagavond naar Italië

moet? Dus ik hoor wel hoe je dat denkt op te lossen.'

Ze staat op. 'Ik ga naar bed. Ik zal ervoor zorgen dat ik er woensdagavond weer ben. Bedankt voor je enorme steun.' Met gebalde vuisten loopt Mila naar boven. *Wat een zak.*

Ze voelt zich leeggezogen wanneer ze haar bed inkruipt. Ze zet haar wekker op vijf uur. De vermoeidheid neemt haar lichaam over. Hopelijk is de hoofdpijn weg als ze morgen wakker wordt.

Mila schiet overeind. Ze is kletsnat van het zweet. Haar ademhaling is gejaagd.

Lucien is ook wakker geworden en trekt haar tegen zich aan. 'Je hebt gedroomd. Stil maar. Probeer weer te slapen, je hebt zo'n lange reis voor de boeg. En het spijt me. Neem de tijd, ik los het thuis wel op.'

Huilend kruipt Mila in zijn armen. Ze ziet de beelden van haar droom voor zich. Chris die haar naam roept, Chris die verdwijnt in het niets. Ze wil erheen, ze wil zijn hand vastpakken maar grijpt mis, telkens weer. Totdat er geen Chris meer te zien is.

Om vijf uur gaat de wekker en Mila stopt haar hoofd onder het kussen. Opeens realiseert ze zich waarom de wekker is gegaan en ze is meteen klaarwakker. Ze gaat afscheid nemen. Mila neemt een douche en kleedt zich snel aan. Op de tast pakt ze snel een koffertje in met wat spullen. Stil sluipt ze naar beneden, ze wil niemand wakker maken. Ze eet met tegenzin een kommetje muesli, want ze weet dat ze moet eten om op de been te blijven. Lobke schurkt langs haar benen en gaat dan weer terug in haar mand liggen. Mila schrijft snel een briefje aan de kinderen, zodat zij ook weten waar ze aan toe zijn de komende twee dagen.

Mila opent de mail van Thomas nog een keer. Ze scrolt snel door naar beneden, naar de tekst van Chris aan haar. 'Ik leef jou...'

Het wordt zwart voor haar ogen en ze zoekt steun bij de

tafel.

'Gaat het?' Lucien staat op zijn blote voeten en in zijn ochtendjas beneden.

'Ja, het gaat wel. Ga terug je bed in, je kunt zeker nog een uur lekker slapen. Ik ga nu vertrekken.' Ze onderdrukt de tranen in haar stem.

'Mila, ik heb iets voor je. Ik wilde het je pas geven op onze trouwdag, maar volgens mij kun je dit nu wel gebruiken. Weet je nog, die avond dat je zo boos op me was omdat ik mijn laptop dichtklapte en jij dacht dat ik god-weet-wat-aan-het-doen was? Toen heb ik dit voor je besteld, maak maar open.'

Mila kijkt verbaasd naar het ingepakte doosje in Luciens handen.

'Hier, pak aan. Ik weet dat ik soms een lompe boer ben, maar ik hoop dat dit toch laat zien hoeveel je voor mij betekent.'

'Lucien, ik… Wil je niet liever wachten tot onze trouwdag? Het gaat allemaal een beetje langs me heen. Ik voel me nu zo leeg.'

'Nee, lieverd, maak het maar open.' Lucien duwt het doosje in haar handen.

Ze gaat op de keukenstoel zitten en haar handen trillen terwijl ze het pakje openmaakt. Ze staart even naar het doosje in haar handen en kijkt Lucien dan vragend aan.

Hij neemt het doosje van haar over en klapt het open. Op het fluwelen kussentje ligt een zilveren kompas. Vrouwelijk en stijlvol. 'En?'

Mila neemt het kompas eruit en bekijkt het wat beter.

'Draai het eens om?' Lucien slaat zijn armen om haar heen.

Mila draait het kompas om. De tranen stromen weer over haar wangen en met moeite leest ze de letters die op de achterkant gegraveerd staan: *'Mijn ware noorden, dat ben jij.'*

'Lucien, dank je, het is prachtig.' Ze geeft Lucien een kus op zijn wang. Meer intimiteit kan ze niet verdragen op dit moment. Het is te veel.

'We moeten alleen de weg terug naar elkaar vinden. Daarom geef ik je dit cadeau, als symbool, om je te helpen jouw weg te vinden. En Mila, ik weet niet waar jouw pad je brengen gaat en dat maakt me bang. Maar weet dat ik op je wacht.'

Ze voelt weer hoe haar maag zich omdraait. Zijn woorden zijn prachtig, het cadeau ook, maar de gedachte erachter misschien nog wel nog mooier. Met bevende handen stopt ze het kompas weer in het doosje. 'Ik zie je over twee dagen weer. Zorg je goed voor de kinderen? En voor jezelf?' Ze slaat haar armen om hem heen. Ze verzamelt al haar moed om te vertrekken.

Lucien aait Mila even over haar hoofd. 'Ga maar. Neem je tijd. Neem afscheid van je verleden en zorg dat je klaar bent voor je toekomst. Onze toekomst.'

Ze loopt de deur uit en kijkt niet meer om. Misschien moet ze dat maar doen, afscheid nemen van haar verleden. Ze stapt de auto in en rijdt weg.

HOOFDSTUK 25

Afscheid

Mila rijdt over de snelweg langs Eindhoven. Haar hart bonkt in haar keel. Het duizelt Mila. Wat als Chris haar had laten weten dat hij ziek was? Dan had ze nooit die avond met Sebastiaan meegemaakt, dan had ze nooit geweten dat alle gevoelens die ze tot die tijd dacht te hebben nog intenser konden zijn. Zou ze naar Nederland vertrokken zijn om bij Chris te zijn? Zou Lucien haar dan een kompas gegeven hebben of zou haar huwelijk dan al tijden geleden einde oefening zijn geweest?

Had ze Sebastiaan wel los moeten laten? Misschien zijn Sebastiaan en zij juist wel ontzettend laf om niet voor elkaar te kiezen terwijl het toch overduidelijk is dat ze… Wat als ze hem die maandag niet had laten gaan?

Het begint zachtjes te regenen. Mila neemt een hap van een sandwich die ze onderweg gekocht heeft. Eigenlijk heeft ze geen honger.

Ze ziet de bordjes Amersfoort voor zich opdoemen. Tranen stromen over haar wangen. Weer komt de dood van Chris bij haar binnen.

Ze kan het niet opbrengen om langs het huis van Chris te rijden. Ze wil niet weten of de gordijnen daar dicht zijn. Ze rijdt direct naar het kerkhof waar hij begraven ligt. Mila rijdt een rondje om de begraafplaats, ze heeft de moed nog niet gevonden om uit te stappen. Uiteindelijk parkeert ze de auto. Uit haar tas pakt ze Chris' boek. Het geeft haar houvast. Ze pakt een paraplu uit de auto en heel even komt het woordje 'Ambetant' weer bovendrijven. Ze glimlacht.

'Deze dans is voor jou, Chris!' Mila houdt de paraplu boven

haar hoofd en danst. 'Ik dans zoals we vroeger dansten, alleen nu zonder jou.' Ze weet zeker dat hij de woorden in haar hoofd zal horen. 'Je hebt van mijn leven een paar maanden lang een sprookje gemaakt en daar ben ik je dankbaar voor. Ik weet niet hoe het verder moet, nu jij er echt niet meer bent. Maar het komt goed, dat beloof ik je.'

Bij de ingang van het kerkhof zet Mila haar paraplu neer. Ze wil geen bescherming. Ze wil elk gevoel in zich opnemen en ook de regen voelen druppen.

Langzaam loopt ze de begraafplaats op. Raar eigenlijk om daar naar iemand te moeten zoeken, om langs de graven te lopen van mensen die ze niet kent, mensen waar ook veel tranen om gelaten zijn. Even krimpt haar maag ineen wanneer ze langs een kindergrafje loopt. Ze pakt haar hangertje vast, staat stil en denkt heel bewust aan haar kleine mannetje. Misschien dat Chris nu een beetje op hem past.

Mila loopt verder door naar achteren. Vlakbij een mooie grote boom ziet ze het graf van Chris liggen. Haar benen beginnen te trillen en elke stap ernaartoe kost haar kracht. *Chris!*

Ze gaat op haar knieën voor de grafsteen zitten en voorzichtig volgen haar vingers de letters van zijn naam. Chris Velterman. De grond voelt koud onder haar benen. Ze staart naar de namen van zijn kinderen. Aan de bloemen te zien is Hannah hier pas nog geweest. Arm meisje. Arme Ruben. De grafsteen is bijzonder. Heel persoonlijk. Zou Chris die zelf hebben uitgezocht?

CHRIS VELTERMAN

5 OKTOBER 1973 - 21MEI 2014

Onze papa, daar lig jij dan.
Wij nemen geen afscheid,
dat hebben wij jou beloofd.
In ons leven leef jij verder
en ben jij dichterbij dan ooit.
Hannah en Ruben Velterman

Mila leest de woorden en ze probeert haar lichaam onder controle te houden. Haar tanden klapperen alsof ze het koud heeft. De spanning in haar lijf zoekt een uitweg. Het begint steeds harder te regenen. Mila glimlacht. 'Probeer je me wat te zeggen, Chris?' Het rare is dat de regen het hele tafereel niet nog naargeestiger maakt, het is alsof de regen erbij hoort.

Mila slaat het boek Tuesdays with Morrie open. 'Vandaag is het dinsdag, Chris.' Mila zoekt een passage uit en begint het boek voor te lezen. De bladzijden worden nat en de regen vermengt zich met Mila's tranen. De bladzijden plakken aan elkaar. 'Welke les ga jij mij leren, Chris?' Haar stem is nauwelijks hoorbaar. Ze kijkt naar het graf en probeert zich voor te stellen hoe het zou zijn als Chris gewoon van de andere kant kwam aanlopen. Ze sluit haar ogen. De regen klettert nu naar beneden en Mila droogt de grafsteen af met haar mouw.

'Verdomme, waarom heb jij me niet jouw leven binnengelaten? Ik had er zo graag voor je willen zijn!' Mila stopt het boek onder haar jas, haar handen zijn modderig geworden doordat de grond onder haar het water niet heeft kunnen opnemen. Haar kleren plakken aan haar lijf. Langzaam staat ze op. Haar broek is bijna zwart geworden. Ze brengt haar vingers naar haar mond, drukt er een kus op en brengt haar hand naar zijn naam op de steen. 'Rust zacht, lieve Chris. Bedankt dat je in mijn leven was.'

Mila voelt dat haar lichaam beeft. Ze slaat haar armen om zich heen, als om haar hart te beschermen en wiegt zichzelf op de maat van de kletterende regen. Ze voelt haar maag samentrekken, maar ze wil niet misselijk worden, niet nu. Ze wil dit afscheid vieren door haar tranen te laten gaan. Ze wrijft een paar natte lokken uit haar ogen. Dan draait ze zich om en loopt met snelle passen weg. Ze weet dat ze hier nog terug zal komen om Chris te vertellen wat ze van haar leven heeft gemaakt. Hij zal trots op haar zijn, dat weet ze zeker.

Bij de uitgang van het kerkhof kijkt ze nog een keer om. Haar paraplu laat ze achter, waarom weet ze niet precies. Dan stapt ze de auto in. Ze weet waar ze heen wil. Ze pakt de TomTom en toets een plaatsnaam in. Eindhoven.

Ondanks de harde regenval voelt Mila hoe het in haarzelf opklaart. Ze wil zo snel mogelijk naar Sebastiaan. Ze moet weten wat het met haar doet wanneer ze hem weer in de ogen kijkt. Ze moet hem vertellen hoe ze zich deze maanden zonder hem heeft gevoeld. Ja, het leven is gewoon doorgegaan en zonder hem blijft haar leven ook doorgaan, maar niet op de manier zoals zij zich dat had voorgesteld.

Mila denkt aan het boek van Sebastiaan. Ja, dat zijn zij in dat boek. Alleen eindigt het verhaal op een manier die haar niet bevalt. Het gekke is dat juist het boek van Chris haar de ogen heeft geopend. Ze wil haar leven niet doorbrengen in middelmatigheid. Het leven is voorbij voordat je er erg in hebt. Mila trapt het gaspedaal iets verder in. *Vandaag gaat de liefde winnen.*

Het bordje Eindhoven doemt voor haar neus op. Haar buik begint zenuwachtig te rommelen. Kan ze het wel maken om na al die maanden onaangekondigd op zijn stoep te staan? Ze denkt terug aan hun laatste ontmoeting. Die maandagmiddag is haar altijd bijgebleven. Mila kruipt weg in de herinnering aan het moment waarop ze op zijn schoot zat, zo veilig, zo warm. De wereld had toen stil mogen staan. Ze had nooit gedacht hem nog nodig te hebben, had er al die tijd niet naar omgekeken. Maar dit is het moment. Ze heeft hem nodig. Nu.

De TomTom stuurt haar een brede straat in met jaren dertig woningen die er knus uitzien. Mila besluit haar auto de eerste de beste vrije parkeerplek in te draaien en dan een stukje te lopen. Met haar mouw en wat spuug veegt ze haar gezicht een beetje schoon, er zat nog ergens een donkere aardevlek. Haar kleren plakken niet meer, maar echt fraai ziet ze er niet uit met die zwarte plekken op haar broek. Het regent nog steeds.

Ze stapt uit en recht haar rug. Ze kijkt door de ramen naar binnen. In een van de huizen zit een gezin aan tafel. Ze hoort een vader schreeuwen tegen een van zijn kinderen om nu eens zijn bord leeg te eten. Haar maag krimpt even samen. Ze heeft altijd geprobeerd om niet tegen haar kinderen te schreeuwen. Ze zou ze er goud voor over hebben om aan tafel te zitten met een Liam die zijn bord niet leegeet. Bij een ander huis ziet ze ook een familie aan tafel zitten, geen idee wat ze eten en wat het verhaal achter deze familie is, maar het ziet er gezellig uit. Zo hoort het, zo moet het leven zijn. Snel loopt ze door, ze voelt zich een voyeur. Wat als Sebastiaan en Linda samen aan tafel zitten en met elkaar een toast uitbrengen op hun mooie leven? Mag zij wel komen storen? Nummer zestien is nog maar twee huizen verwijderd van waar ze nu staat.

Ze haalt diep adem en met snelle passen loopt ze naar de voordeur. Ze kijkt niet eerst door het raam naar binnen. Ze gaat gewoon staan en belt aan. Een neutrale beltoon. Ze ziet wel wat er nu gebeuren gaat. Ze hoort hoe een paar hakschoenen over het parket komen aanlopen. *Linda.*

Ze heeft Linda alleen die ene keer in de kledingwinkel gezien. Zou ze weten wie zij is? Opeens voelt Mila zich enorm misplaatst. *Wat doe ik hier?*

De deur gaat open en Linda kijkt haar aan. Een stralende Linda. Een Linda met twee handen op haar buik, om haar nek draagt ze een zwangerschapsketting. Mila ziet geen blik van herkenning in Linda's ogen. Voor een moment valt ze helemaal stil. 'Sorry dat ik u stoor. Ik zoek de woning van een oude vriendin van me, maar zie dat ik me in het nummer vergist heb.'

Mila draait zich abrupt om en loopt weg. Ze hoort dat Linda de deur weer achter zich dichttrekt. Ze begint te rennen, ze wil hier weg. Weg uit Eindhoven. Weg van Sebastiaan. Weg uit Nederland. Wat had ze dan verwacht? Dat Sebastiaan de deur zou opendoen en haar huilend in de armen zou vallen? Is dit een ziek spelletje om verder te kunnen leven met Lucien? Chris dood en begraven en Sebastiaan aan de wieg van een krijsende baby? Wil ze zichzelf zo graag met de neus op de feiten drukken?

In de auto laat ze haar tranen de vrije loop. Het interesseert haar niet meer. Al haar verdriet en onmacht van de laatste jaren komen naar boven. Ze zal haar leven terug moeten zien te winnen. Niet de liefde van een man, maar haar eigen leven. Zij moet er iets van maken, gewoon zelf.

Ze wil naar huis, naar haar kinderen. Ze weet dat het gekkenwerk is om meteen naar huis te rijden. Ze moet rusten en bijkomen van deze lange reis en het afscheid van Chris. En het afscheid van Sebastiaan. Ze is weer terug bij het begin toen ze net in Frankrijk aankwamen. Misschien moet ze met een schone lei beginnen. Misschien kunnen zij en Lucien er iets van maken, samen.

Mila rijdt tot net over de grens bij Maastricht en neemt een hotel in het centrum van Luik. Het boeit haar niet. Ze is doodmoe. Ze neemt een snelle douche en gooit haar broek in de afvalemmer. Weg ermee.

Met een kop thee en een sandwich duikt ze het bed in. Ze wil even helemaal niks meer. Mila stuurt een berichtje aan Lucien om te laten weten dat ze morgenavond weer terug is. Dan zet ze haar telefoon uit.

Het duurt een tijdje voordat ze in slaap valt. Steeds ziet ze de dikke buik van Linda voor zich. Ze is gewoon te laat. Maar ook de grafsteen van Chris blijft door haar hoofd spoken. Ze weet dat het verdriet zal moeten slijten en dat ze daar ook de tijd voor moet nemen. Omgaan met rouw is niet haar sterkste kant, dat weet ze.

Om de malende gedachten te doorbreken focust Mila zich op haar kinderen, op haar toekomst met hen. Elke dag is een feestje, zelfs met hun puberstreken ertussendoor. De tijd vliegt en ze moet meevliegen om niks van al dat moois te missen. Ze pakt het notitieblokje van het nachtkastje naast haar en schrijft deze gedachte op. Daar zal ze morgen een Facebookbericht van maken.

Uiteindelijk valt Mila in slaap, maar in plaats van wat rust te vinden, komt ze zichzelf tegen in haar droom.

Ze wandelt de begraafplaats op en voor het graf van Chris zit Linda. Ze speelt met haar zwangerschapsketting en Mila hoort zachte tinkelgeluidjes. Het heeft iets moois, iets kwetsbaars. Mila draait zich om en sluipt op haar tenen weg, ze wil niet storen. Even draait ze zich nog om en van een afstandje ziet ze dat Linda dankbaar naar haar lacht.

Mila blijft liggen met haar ogen dicht. *Het is vast nog midden in de nacht.* Nadenken over deze droom doet ze morgenvroeg wel. Of misschien ook niet, misschien moet ze alleen het gevoel van deze droom vasthouden. Misschien moet ze gewoon alles loslaten. Niet storen.

De zon schijnt door de gordijnen naar binnen. Mila ziet nu pas dat haar hotelkamer niet al te fris is. Ze trekt haar sokken aan omdat ze niet met haar blote voeten over de vloerbedekking wil lopen. Ze bekijkt de badkuip waar ze gisteren een douche in heeft genomen en bedankt voor de eer. Ze trekt schone kleren aan, draait haar haren in een staart en pakt haar spullen in. De broek vist ze weer uit de prullenbak. Loslaten en verder gaan. De moed hebben om te zien en te voelen waar de pijn zit. Ze stopt de broek in het koffertje. De emoties die ze gisteren voelde zijn echt, net als de moddervlekken op haar broek. Niet wegstoppen, maar toelaten.

Mila betaalt de rekening en stapt naar buiten. Even twijfelt ze. Zal ze meteen maar de auto in springen en dan onderweg wat eten? Maar dan ziet ze een gezellig restaurantje met een ontbijtkaart waar ze geen nee tegen kan zeggen.

Het restaurant is klein. Aan het tafeltje bij het raam zit een ouder echtpaar. De man heeft de hand van zijn vrouw vastgepakt en wrijft erover. Zij kijkt hem vol vertedering aan. Mila probeert niet te staren, maar het schouwspel trekt telkens haar aandacht. De vrouw schenkt nog wat koffie bij voor haar man en ze beginnen geanimeerd met elkaar te praten. Veel kan Mila niet van het gesprek opvangen, dat hoeft ook niet. De vrouw onderbreekt haar verhaal en schenkt Mila een glimlach.

Mila focust zich blozend weer op de menukaart en bestelt een grote kop koffie, toast met jam en een bakje fruit. De mok met koffie is inderdaad enorm en Mila probeert met het kannetje melk een figuurtje erin te schenken. Langzaam ziet ze hoe de melk oplost. In gedachten verzonken eet ze haar ontbijt.

Ze kijkt even opzij als ze het echtpaar hoort lachen. Een

heerlijke lach die het restaurant lijkt te vullen. Een steek van jaloezie trekt door haar lichaam; dit is het leven, zo hoort het.

Mila rekent haar ontbijt af en wil het restaurant uitlopen, maar dan bedenkt ze zich en loopt terug naar de tafel waar het echtpaar aan zit. 'Bedankt dat ik heel even heb mogen zien hoe echte liefde eruit ziet. Door jullie geloof ik er weer opnieuw in.'

Ze laat twee verbaasde mensen achter in het restaurant en zwaait het echtpaar nog even toe als ze langs het raam loopt. Ze stapt haar auto in en rijdt naar huis. Misschien dat het kompas van Lucien hen beiden de weg terug zal wijzen.

Mila ziet haar achterburen door het dorp lopen. Ze toetert, net iets te hard en te lang. Maar wat kan haar het schelen. Ze is weer thuis!

De buurman steekt zijn hand op om te zwaaien en ze ziet nog net dat de buurvrouw zijn hand met een boos gebaar naar beneden duwt. *Zo, dat is ook weer duidelijk.*

Mila parkeert de auto voor hun woning en Lobke komt vanachter het huis aangerend. Mila knuffelt haar en loopt dan via de achterkant het huis binnen. Aan de missende auto te zien is Lucien er nog niet, maar ze ziet wel de fietsen van de kinderen staan. Ze heeft ze gemist. Ze heeft dít hier gemist, haar thuis.

Laurie en Lucas zitten binnen aan de keukentafel. Het lijkt er zelfs op dat Laurie Lucas helpt met zijn huiswerk. 'Nou, jongens, toe maar, geen geruzie?'

'Mam! Je bent er weer!' Laurie staat op en geeft haar moeder een knuffel. Lucas steekt zijn hand op en probeert vooral erg stoer over te komen.

Mila loopt naar de koelkast en pakt er een karaf sap uit. 'Jullie ook?'

Met zijn drieën drinken ze een glas. Laurie vertelt dat ze een goed punt voor geschiedenis binnen heeft en dat een vriendinnetje van haar daar weer vreselijk jaloers om is geworden. 'Ze gunt me werkelijk niks, mam. Moet je kijken wat ze nu per app gestuurd heeft! Ik trek me er niks meer van aan, ze zoekt het maar uit, toch?'

Mila leest de berichtjes op Lauries telefoon. 'Weet je, misschien moet je maar een berichtje terugsturen om te vragen of je haar een keer moet helpen met haar huiswerk. Misschien verrast het antwoord je wel...'

Laurie fronst haar wenkbrauwen en begint dan een app te typen. 'Nou, ik ben benieuwd, mam.'

Mila ziet een brief op tafel liggen met haar naam erop. 'Is er post voor me gekomen?'

Lucas kijkt op van zijn boek. 'Ja, die zat gisteren in de bus.'

Mila pakt de brief en bekijkt het handschrift. Het komt haar niet bekend voor. Aan de postzegel te zien komt de brief van heel ver weg. Nepal. Achterop ziet ze de naam Sebastiaan Daniels staan. De enveloppe is open. 'Heb jij de brief opengemaakt?' vraagt Mila geschrokken aan Lucas.

'Nee, pap.'

Met de brief in haar handen loopt Mila naar buiten. *Sebastiaan.* Met trillende vingers haalt ze de brief uit de enveloppe. Er dwarrelt een foto naar beneden. Met grote ogen kijkt ze ernaar. Ze knielt en raapt hem op.

Dat is zij. Dat is de foto die Sebastiaan van haar nam toen ze hem net een berichtje aan het sturen was. Ze kan het even niet meer bevatten. Ze gaat op het gras zitten en begint te lezen.

Eindhoven, 18 november 2013

Lieve Mila,

Weet je waar ik ben als ik deze brief schrijf? Op de middenstip van een voetbalveld, maar dan bij mijn thuisclub PSV. Alleen voelt het niet meer als mijn thuis.

Ik schrijf je deze brief, maar zal hem nu nog niet versturen. De afspraak was dat we elkaar een eigen leven zouden gunnen, weet je nog?

De week na mijn vertrek uit Frankrijk wist ik al dat het een belofte was die voor mij moeilijk te houden zou zijn. Maar belofte maakt schuld.

Ik leef weer. Ik heb mijn leven opgepakt. Linda en ik zijn een maand na onze terugkomst uit elkaar gegaan. Als vrienden. En ik heb besloten om mijn bucketlist af te gaan werken. (Ja, dat had ik niet verteld, of wel?) Ik neem onbetaald verlof, een soort sabbatical, en ga al die dingen doen die op mijn lijstje staan. Als je deze brief krijgt, zit ik als het goed is op de top van de Mount Everest en maak ik de mooiste foto ooit. (Op die foto van jou na dan).

Weet je wat er boven aan mijn bucketlijst staat? Daar sta jij, Mila. En het rare is, volgens mij heb jij daar voor mij altijd al gestaan, zonder je te kennen. Zou het kunnen dat ik al die tijd naar je op zoek ben geweest? Toen ik je daar op die stoel zag zitten, toen ik je foto nam, dat voelde als thuiskomen. De puzzelstukjes vielen in elkaar. Had gehoopt dat dit genoeg zou zijn; de wetenschap dat er iemand op aarde rondloopt die één op één bij mij past. Iemand die in gedachten met me vrijt. Maar het is niet genoeg, Mila. Ik mis je.

En toch laat ik je. Ik heb de dingen gezegd die ik wilde zeggen. Ik wil je leven niet overhoop gooien.

X Sebastiaan.

'Maar dat doe je nu dus wel,' fluistert Mila.

Epiloog

'Hier, daar zul je wel aan toe zijn.'

Mila neemt dankbaar het glas rode wijn uit zijn handen. *Ja, hier ben ik zeker aan toe.* Ze klopt met haar hand op de lege plek naast haar op de schommelbank. Hij gaat naast haar zitten en laat met zijn benen de schommelbank zachtjes op en neer bewegen. De fakkels op de veranda geven een warme gloed af. In stilte nemen ze een slok van hun wijn.

'Rare dag vandaag, hè? Morgen verlaat Laurie het nest en trekt ze de wijde wereld in. Mijn God, wat zal ik haar gaan missen.' Mila legt haar hoofd op zijn schouder.

Hij neemt haar glunderend in zich op. 'De wijde wereld is wat overdreven, hè? Ze gaat studeren in Utrecht en jij hebt al je vriendinnen opgetrommeld om een oogje in het zeil te houden. Bovendien loopt Laurie niet in zeven sloten tegelijk. Dat deed jij vroeger toch ook niet?'

Mila sluit even haar ogen. *Nee, ik liep zeker niet in zeven sloten tegelijk, ik liep alleen tegen Chris aan. Een van de mooiste momenten uit mijn leven.* Ze speelt met zijn vingers. 'Je hebt gelijk. Maar loslaten is niet mijn sterkste kant, dat weet je.' In gedachten speelt ze met het hangertje om haar nek.

'Mila, kijk eens omhoog. Ik heb de lucht nog nooit zo mooi donkerblauw gezien. Die sterren!'

Mila volgt zijn vinger en ziet een prachtige sterrendeken. Ze huivert.

'Heb je het koud?' Teder slaat hij zijn armen om haar heen.

'Nee, het is prima zo, helemaal perfect.' Ze veegt een paar tranen weg uit haar ogen.

Dankwoord

Wat begon met het schrijven van een verhaal, gewoon voor mijn plezier, is uitgegroeid tot dit boek. Een boek met hoofdpersonen die tot leven zijn gekomen. Een boek met een filmtrailer waar je U tegen zegt. Een boek met een lied. Een boek waar ik nooit van had kunnen dromen.

Hoe vaak ik de afgelopen periode de vraag heb gekregen: hoe heb je dit in hemelsnaam voor elkaar gekregen? Waar haal jij je energie vandaan?

Laat ik dat eens proberen uit te leggen.

Het verhaal van Herkenning leerde mij Mila, Chris, Lucien en Sebastiaan kennen. Bladzijde voor bladzijde kroop ik hun wereld in. Werd ik vrienden met ze. Kwam ik ze overal tegen, want in iedereen zit wel een beetje een Mila of een Lucien. Elke avond moest ik schrijven om er achter te komen waar het verhaal me nu weer zou brengen

Ik had werkelijk geen idee waar de hoofdstukken me zouden brengen. Sterker nog, elke tweede zin was een verrassing. Ik weet nog steeds niet helemaal hoe dat proces werkt in mijn hoofd. Ik heb bij bepaalde passages zitten huilen en me afgevraagd: waarom laat ik die mensen in godsnaam verdriet hebben? Ik bepaal dat toch zeker zelf? Gewoon delete en klaar. Maar nee, het drama is erin gebleven. That's life, toch?

Hopelijk zien jullie bij het lezen stukjes van jezelf terug, of herkennen jullie situaties waardoor je meeleeft met een van de hoofdpersonen.

Ik ben van Mila gaan houden, hield af en toe mijn adem in bij Sebastiaan, had vaak medelijden met Lucien en zou soms willen dat Chris echt bestond.

Mila en haar mannen bestonden al voordat je dit boek in je handen had, namelijk op Facebook. Het was voor mij een experiment om te zien of fictieve personen tot leven gewekt zouden kunnen worden. Het heeft gewerkt. Mila heeft het aanbod gekregen van een dame in Frankrijk om snel eens koffie te gaan drinken. Dat was het moment waarop ik dacht, nu is het klaar met het experiment. Iedereen mag nu weten dat Mila een onderdeel is van mijn boek. Out in the open ermee. Ik heb mijn boek op een crowdfund platform gezet en moest binnen 4 maanden tijd 10.000 euro binnen zien te lobbyen. En dat is de eerste stap richting het echt schrijven van mijn boek geweest. En de eerste stap waarmee een community rondom mijn project Herkenning is ontstaan.

Hier blijkt waar ik de energie en kracht vandaan heb: uit de steun van meer dan 200 aandeelhouders. Het geldbedrag was belangrijk, maar vooral de support van zoveel mensen heeft me vleugels gegeven.

De aandeelhouders van mijn boek, iedereen stuk voor stuk bedankt. Jan van der Poel (Fluisteraar) voor al je aanmoedigingen, steun en aandelen, Richard Gouw voor de leuke gesprekken, Be a Glee Gremlin voor al je mailtjes met voorspellingen over het verloop van de verkoop van mijn aandelen en je enorme vertrouwen in mij. Maar ook schrijfsters Marion Poeste-Thomas, Joyce Willemse, Saskia Krol en Helen Muller, ik ben jullie heel dankbaar. Martijn Takens, jou wil ik hier ook noemen. Wij stonden samen in het Tenpages lijstje, jij hebt het niet gehaald. Wat je daarna hebt gedaan, kan ik nog steeds niet geloven. Je hebt heel veel aandelen gekocht. Ze kwamen binnen op het moment dat ik het niet meer zag zitten. Je hebt me werkelijk over het dode punt heen geholpen. Een speciaal woord van dank aan fotografe Gabrielle Koopmans, de kaft met de typemachine is heel lang de kaft voor Herkenning geweest en was het beeldmerk tijdens mijn crowdfund avontuur.

Het crowdfunden voor die aandelen voor mijn boek is vooral gegaan via allerlei social media kanalen. Mijn Facebookvrienden zullen me gehaat hebben voor al mijn gespam. Via twitter heb ik veel steun ontvangen van onbekende twitteraars zoals Geert van der Woude en @Bergenbuurt. Extra dankbaar ben ik Marco Houthuijzen, jij hebt heel veel in beweging gezet. Jij hebt de juiste koppelingen weten te leggen tussen mij en een paar zeer bekende en waardevolle mensen in mijn project. Via jou leerde ik Fabienne de Vries kennen.

Fabienne de Vries. Ik heb je gevraagd om de stem van Mila te worden door een stuk uit mijn boek voor te lezen. Je lieve reactie zal ik niet snel vergeten. Uiteindelijk ben je niet alleen de stem maar ook het gezicht van Mila geworden. Fabienne, dankjewel voor je vertrouwen en je geloof in mij en het project.

Dankzij jou heb ik ook Margit Gideonse leren kennen. Jouw manager. Margit, ik bewonder de manier waarop je in het leven staat. Ik bewonder je omdat je me de waarheid zegt en de volgende uitspraak typeert jou naar mij toe: 'Gaby, jij bent geen brei-clubje voor de buurt aan het opzetten, je bent bezig met een enorm project. Onthoud dat goed.'

Het crowdfund avontuur heeft ervoor gezorgd dat ik het project Herkenning ben begonnen. Ik ben de fictieve hoofdpersonen verder gaan uitdiepen in hun blogs. Ik heb steeds nieuwe dingen bedacht om de community om Herkenning heen te verrassen en hun support te winnen. Want ik ben niet de enige geweest die zich uit de naad heeft gewerkt voor die aandelen. Heel veel andere mensen zijn met mij en namens mij gaan lobbyen. Ik heb de eindstreep gehaald en dit heeft ervoor gezorgd dat ik met een trotse glimlach mijn handtekening onder het schrijverscontract met uitgeverij Zilverspoor heb gezet.

Ik wil uitgeverij Zilverspoor, Jos Weijmer en Cocky van Dijck bedanken voor hun inzet. Vooral Cocky heeft een aantal van mijn 'darlings gekilled' maar daar is het boek alleen maar beter door geworden. Ik heb meerdere malen moeten lachen om de opmerkingen van Jos in zijn redactiewerk. Een man kijkt toch anders tegen het hele verhaal aan dan een vrouw, denk ik. Bedankt Zilverspoor voor deze intensieve leerschool. Ook wil ik mijn medeauteurs bedanken. Ik heb van jullie zoveel tips en aanmoedigingen gekregen. We gaan elkaar vast nog veel tegenkomen. (Thiery, Ria, Loes, Michael, Elmer, Krista, Helen, Tamara, Jessica en iedereen die ik hier nu niet noem)

Tijdens het schrijven van Herkenning kwam het idee om te kijken hoe ver we zouden kunnen gaan met het boek "echter dan echt" te maken. Zouden bepaalde scenes uit het boek tot leven kunnen komen middels filmpjes? Zou Fabienne misschien een paar scenes willen naspelen? En zou het dan niet helemaal stoer zijn als deze filmpjes middels Smilez, een augmented reality app van Natasja Paulssen, uit het boek gevlogen zouden komen? Zo gedroomd, zo gedaan!

Een dorp verder dan waar ik woon, woont Ralf Eppel. Winnaar van allerlei grote bruidsfotografie prijzen. Ralf kwam bij mij op de koffie en vond mijn project zo gaaf dat hij meteen mee wilde doen (kan natuurlijk ook zijn dat hij Ja heeft gezegd vanwege het feit dat hij vroeger nogal fan was van Fabienne ☺). Ik ben erg blij dat ik Ralf heb leren kennen, zelden iemand ontmoet die zo spontaan is. Cameraman Bas Mutsaards, hetzelfde verhaal: leuke spontane man met super camerawerk! Ik heb me suf gezocht naar een geschikte locatie voor de filmopnames. Veel plekken waren erg mooi, maar vooral ook erg duur. De plek waar we mochten filmen, The Toren Hotel, had niet beter kunnen zijn. De ambiance was perfect, de kleuren van de kamers schitterend en bovendien is het hotel echt gewoon super mooi en gastvrij! En dan Chris……die heb ik gevonden in mijn collega Erik van Gerwen. Arme Erik. Voor de leeuwen gegooid, voor de camera, zonder acteer-ervaring. Erik, je hebt het geweldig gedaan. Ik kan me geen betere Chris voorstellen. Daarnaast is er geen betere ambassadeur voor Herkenning dan jij.

De eerste filmshoot smaakte naar meer. Zullen we gaan voor een tweede filmshoot?

Ja! Waarom ook niet? We hadden besloten om nog een filmshoot te doen en hiervoor ook twee acteurs te zoeken. Dit was niet makkelijk. En ik wilde het al bijna opgeven totdat ik in contact kwam met Elles van Velzen (actrice/regisseur). Het klikte meteen. Ze had een goed gevoel bij mijn project en vroeg: wie wil je hebben als acteur? Eh….

Ik kwam echt in een andere wereld terecht. Ze koppelde

me aan Peter Post. Tijdens mijn mama-dag belde ik met acteur Peter Post. Zenuwen in mijn maag. Nergens voor nodig, want ook hier was meteen een klik. De dag erna ging mijn mobieltje en ik zag Peters naam staan. 'Ik doe het. Ik doe mee..' Jullie mogen het best weten, ik heb moeten huilen. Ik vond dit zo bijzonder. Zo lief. Peter heeft toen gevraagd of ik nog een acteur nodig had en of ik Wesley Mutsaars zag zitten voor een rol in het verhaal. Haha, ik kon mijn oren niet geloven. Natuurlijk, zag ik Wesley zitten, wie niet! Wesley heeft er ook niet lang over na moeten denken en heeft Ja gezegd. Elles is uiteindelijk ook de regisseur van de filmopnames geworden. Ze heeft er ook voor gezorgd dat er een Licht-man mee kwam (een gaffer, in vaktaal), Ytze van der Sluis. Deze tweede opnamedag was echter dan echt: net als in de film. Het meest mooie vond ik nog wel dat er meteen een team stond. Iedereen was lief en aardig, maar vooral waren het allemaal vakmensen. Respect! Marc Eikelenboom heeft de trailer voor het boek gemaakt en ook dat is vakwerk pur sang. Ik ben er zo trots op dat ik gewoon een Cast en een Crew heb voor dit project.

Voor het boek heb ik een titelsong geschreven. Fer Koolen, mijn muziekleraar van vroeger, heeft de muziek geschreven voor "Een zoen van toen…". De eerste keer dat ik hem mijn lied hoorde zingen, moest ik de tranen ook weer wegvegen. Het lied is opgenomen in zijn studio en ingezongen door twee musicalsterren: Alexandra Alphenaar en Marc-Peter van der Maas. Met bewondering heb ik geluisterd en gekeken naar de manier waarop jullie dit lied tot leven gebracht hebben. Dank jullie wel! Fer, bedankt voor je vriendschap. Ook jij hebt een speciaal plekje in mijn hart.

In de laatste fase van het project ben ik in contact gekomen met Peter Bernsen. Peter, ik heb je gevraagd om de lancering van mijn boek te modereren. Je bent veel meer gaan doen. Je inzet is enorm! Dank je! Ook de mensen die de expositie rondom de lancering hebben gegeven: jullie zijn bijzonder in de dingen die jullie doen, maar vooral in de manier waarop jullie mens zijn: Simon van der Weerd, Susan Brinkmann en Marijke Moonen. Joyce Bruysten, wat is jouw passie voor muziek heerlijk om mee te mogen maken. Natuurlijk wil ik ook Paul van Orsouw van boekhandel Van Piere bedanken, we halen je hele winkel overhoop voor de lancering van mijn boek, maar ook jij hebt bijgedragen aan dit succes. Arjen de Koning, wat een eer om jou te ontmoeten en van je te leren. Bedankt voor alles wat je voor de lancering van Herkenning in werking hebt gezet. Ook wil ik het team van Dutch Rose Solutions bedanken voor alle hulp rondom het project. Jochem, jij hebt de website gemaakt en dat heb je geweldig gedaan. Super bedankt!

En dan nu de mensen die op andere manieren aanwezig zijn in mijn leven en me bijstaan in dit avontuur. Dat zijn er veel. Ik ben dan ook een rijk mens met zoveel mooie mensen om me heen.

In volgorde van mijn Facebook vriendenlijst ☺:

Natasja (ja, ik noem je nog een keer) omdat je naast een creatief brein ook een vriendin geworden bent. Pieter O. omdat ik je leerde kennen via twitter, je een mooi Mila gedicht schreef en gewoon een kanjer bent. Wendy, omdat je nu voor de tweede keer in een dankwoord van me staat en in welk dankwoord dan ook zal blijven staan, omdat jij jij bent. Friso....tsja...bedankt dat jij een heel aantal van de tweets van Chris schrijft, omdat je mooie foto's maakt, en omdat ik je ooit ontmoet heb! Rick Klooster, omdat je in mij gelooft! Perla, uit het oog, maar niet uit het hart. Ik bewonder je. Herby, bedankt voor alles. Ad bedankt voor je steun, we zijn een goed open data team. Ad en Marieke, ben blij dat ik jullie ken. Lisette, rozen verwelken, schepen vergaan, maar onze vriendschap blijft altijd bestaan. Mis wel de kopjes thee met je! Monique, omdat jij en je kinderen praktisch familie voor me zijn. West Mus omdat we elkaar nog heel veel te vertellen hebben, je bent echt een vriendin geworden. Rob, bedankt voor de jarenlange vriendschap. Rens, we zouden meer moeten wandelen en praten over de leuke dingen in het leven. Jamilia, de mooiste advocate die er bestaat. Pieter Beerens, bedankt voor al je steun en vertrouwen! Truus, Mariette, Ivana, Marlou, Sandy, Carola, Karin, bedankt voor alle leuke gesprekken en de hulp en opvang voor de kinderen in tijden van nood. John en Maril, jullie ook erg bedankt voor de steun. Frank Metsemakers, bedankt ook namens Mila. France, ook jij bent een toppertje. Christel, fijn dat ik je weer terug heb! Margo, je bent speciaal voor me. Thijs, bedankt voor al je hulp en je vriendschap! Vincent, ook bedankt voor je support. Adinda, fijn dat een hele tijd mijn Mila was. Suzan Heesakkers, bedankt dat ik jou ken. Trots op je! Ria, bedankt voor je hulp bij de persberichten! Peet, jij bent een schatje! Hans van Kleef, ben benieuwd waar de wijn ons zal brengen. Chris van Krainson, bedankt nog voor je enorme steun tijdens Start-up Weekend. Mijn nichtjes en neefje, Gerlinde, Frances, Ben en Rhea, fijn dat jullie er zijn. Ook tante Margriet bedankt voor al jouw leuke reacties op Facebook. Sara en Sabijn willen weer de kermis op met jou en ome Marius. Lucien, bedankt voor je vriendschap. Geert, bedankt dat je ondanks alles toch aandelen hebt gekocht, strong ties, nog steeds. Huub, bedankt voor de rust die je brengt. Rosaline, je bent een heerlijk meid en brengt me zo vaak aan het lachen! Alberto: I miss you! Nico en Asel, we zien elkaar te weinig, maar dat geeft niet. Jullie zijn wel belangrijk voor me.

Linda, ik kende je als mijn collegaatje, ik was je een beetje uit het oog verloren. Nu heb ik je opnieuw leren kennen als iemand met een enorme vechtlust. Ik bewonder je hier enorm om. Lieve lieve lieve Margriet, jij bent mij zo dierbaar. Ook jij zult moeten knokken, meid, maar dat gaat je lukken. Love you!

Isa Sadowski, jou wil ik ook bedanken. Je bent een bijzonder meisje met veel in je mars. Volg je dromen. Jij bent een van de dolfijntjes die papa en ik tegen zijn gekomen in ons leven.

Dat zijn veel bedankjes he? Ik ben er vast nog een heleboel vergeten. Dat spijt me. Er staan ook mensen niet genoemd, mensen die wel heel belangrijk voor me zijn of waren. Soms lopen dingen nu eenmaal anders… maar ook aan jullie denk ik en heb ik veel te danken.

Natuurlijk wil ik mijn lieve ouders bedanken voor alles wat jullie voor me betekenen. Als ik later groot ben, hoop ik net zo'n lieve oma en opa te zijn zoals jullie dat voor onze kinderen zijn. Hoop dat jullie trots op mij zijn, net zoals ik dat op jullie ben.

Lieve Besa, het perfecte gezin bestaat niet, maar wij komen daar dicht bij in de buurt.

En met jullie, lieve Sara, Sabijn en Sybren begon ik het boek en sluit ik het ook weer af. En ja, Juul, Bailey en Sam horen er ook bij.

Dankjewel aan mijn lieve gezin, omdat jullie de realiteit mooier maken, dan dat fictie ooit zou kunnen zijn.

Veel liefs, Gaby

Speciale dank voor alle aandeelhouders die indertijd in mijn project geïnvesteerd hebben:

Kitty Wu
rein2909
klarinette
wessel sikma
flexatwork
Tina
PieterMeulman
Sfondare
Moneymaker
elizabeth1946
Janke
Y. Hoogervorst
kraay182
kjtb
Johan Bordewijk
Fer&Jeanet
moniqueroosen
Anika
JRI
Ad van de Lisdonk
Joan
Petra en Freddie
Roon
d-signer
zaansveen
SylviaBeugelsdijk
Frederique55
Ria Schopman
Idefix
lkoomen
nillish
Tom Zijlstra
albadineke
M&M-Anoniem
maartenvc
Joyce Willemse
Kempsje
Helen Muller
Ludwig De Borre
mohamed-chaleh
PubliciteitStart
MartijnT
margaret van mierlo
Adam Ricardo
Niebro
janonymus
Hannibal1
corinebakker
Jagger
David Q Crowley
Bianca Wijma
Serge Pils
Mayka
Gaby Sadowski
Giel Janssen
Clca
renepare
Mickaatje
Wiet Zentjens
hannah.vanengelen
GuusHulshof
Guus Sluijter
Hans Tilman
Twicht
fmetsemakers
Gootjuh
Erikvanmerrienboer
Natasjap
Henk Kok
Larry
heuvet
PauloCoelho
ChrisVelterman
Pearl-in-wonderland
hhuls@hotmail.com
suzy77

Doranov
Libro
leesgraagje
emermans
RobVanDalen
Wcvanlieshout
omaW
brunninkhuis
lipofilipo
Jef Frietkot
Peet040
martinus71
Lucien
rheaschoenmakers
Lisette Andreyko
Tulipano
A Red Bluebird
A Blue Redbird
Camelia
K Heijligers
Amel
elbrink
mveth
rasters
Froukjeb
Emfre6
benschoenmakers
burgervrouw
AndreasCardio
HMD
Vermeg
Michel van Iersel
Xisaatje
technobroker
GANV
michaeldawkins
Mayke van Dinter
Twiel
Dragen & Zo
piet-nellyhendricks
Katie3cats
Houthum
hartow
mundoresink
Daty
Len1942
kathyc
Maxi
BarbaraVaessen
Rue de Camelia
mdijck
HUMA
Palinuro
danielvandenboom
tonbaetens
volwater.c
Roelofsen
toinedb
Huubbouman
supamanfly
Floorcrijns
bert2013
brasters
barbara.marcus
BDNijmegen
Ralfwaumans
MAD
GeertD
carinaverhulst
BraamVerkoren
bertbakker
ktv03
France van Gils
Ajong
davied
YB1911
Quantis
silvialinders
MSplint
Dorine
PierredelaMere
AntoinetteLaak

haeffs
Maria E. Luten
AgnesHeck
MilavandenElzen
j@n
woltir
Rens Dam
biesebos
pieteroosterhoff
Rita Verduin
ErftmÃ¼ndung
K. Cuijpers
Judego
MaryFiers
wittkamper
Ronmondo
Marcel Wetemans
Gerlinde
besics
Inki_Hoek
Roger
Maxod
Marion1990
Be a glee gremlin
Rick Gouw
nieuwsgierig
Melissa
monica1970
dalana
krisvanderhulst
Fluisteraar
Mories
marcdubach
Rozeroos1
lies_r
Bulderink
RedWine
purplewoman
marli23
MGB
Mrs_Amanda
Pisica
Fskuipers
MRozenveld
lobeliapieter
VincentVisschedijk
WijnVanWereldklasse
Hugo de Groot
steena
kloosterman_marcel
Margriet Bogers
Mitchmaster
bhesse
rendeboer
Seb1976
Suzan_*
gerthilbrands
Bini
hofiris